D1176534

APRENDIZ DE GUARDIÁN

Primera edición: marzo de 2019

Ranger's Apprentice 5: The Sorcerer in the North

First published by Random House Australia Pty Ltd, Sydney, Australia.
This edition published by arrengement with Penguin Random House Australia Pty Ltd.

red@editorialhidra.com
www.editorialhidra.com

Síguenos en las redes sociales:

 @EdHidra  /editorialhidra  /editorialhidra

Traducción de: Guiomar Manso de Zúñiga

ISBN: 978-84-17390-65-5
Depósito legal: M-8445-2019

BIC: YFH

Impreso en España / *Printed in Spain*

EL HECHICERO DEL NORTE

JOHN FLANAGAN

Para Lyn Smith, por tus años de apoyo y ánimo.

Uno

Sabía que, en el norte, los primeros vendavales del invierno, que te azotaban con su lluvia, harían que el mar se estrellara contra la orilla y nubes de espuma blanca saltaran por los aires.

Ahí, en el extremo sudeste del reino, las únicas señales de la llegada del invierno eran las etéreas nubecillas de vapor que marcaban la respiración de sus dos caballos. El cielo estaba despejado, de un azul casi doloroso, y el sol le calentaba los hombros. Podría haberse dormido en la montura y dejar que Tug escogiese el camino, pero los años que había pasado entrenando y poniéndose en forma con una disciplina dura e implacable jamás permitirían semejante indulgencia.

Los ojos de Will se movían constantemente, buscaban a derecha e izquierda, izquierda y derecha, cerca y lejos. Aunque un observador no notaría ese movimiento constante, pues su cabeza permanecía quieta. Una vez más, para eso se había formado: ver sin ser visto, detectar cosas sin ser detectado. Sabía que esa zona del reino era relativamente tranquila. Por eso le habían asignado al Feudo de Seacliff. Después de todo, no iban a asignarle a un Guardián novato recién graduado uno de los puntos más conflictivos del reino. Sonrió para sí al pensarlo. La perspectiva de enfrentarse a su primer destino en solitario ya era bastante intimidante de por sí sin tener que preocuparse de invasiones o insurrecciones. Estaría contento de encontrarse en aquel remanso de paz.

La sonrisa murió en los labios de Will cuando sus ojos perspicaces vieron algo a media distancia, casi oculto por la larga hierba del borde de la carretera.

Su expresión y su actitud no cambiaron ni un ápice, no dio ninguna muestra de haber visto algo fuera de lo común. No se puso tenso en la silla, ni se puso de pie en los estribos para ver mejor, como hubiese hecho la mayoría de la gente. Al contrario, dio la impresión de arrellanarse aún más en la montura, como si no le interesara en absoluto el mundo a su alrededor. Pero sus ojos, ocultos bajo la oscura sombra de la capucha de su capa, escudriñaban el entorno sin parar. Se había movido algo, estaba seguro. Y entonces, en la larga hierba a un lado del camino, le dio la impresión de ver un destello de negro y blanco. Colores que estaban completamente fuera de lugar entre los verdes mortecinos y los rojizos nuevos del otoño.

No fue el único en notar algo fuera de lugar. Tug puso las orejas tiesas y agitó la cabeza, sacudió la crin y soltó un relincho grave que Will sintió en el robusto pecho del caballito en la misma medida que lo oyó.

—Ya lo veo —dijo en voz baja para hacer saber a su caballo que había registrado su advertencia. Tranquilizado por la voz suave de Will, Tug se calmó, aunque mantuvo las orejas tiesas y alerta. La yegua de carga, que paseaba tranquila a pocos metros detrás de ellos, no mostró ningún interés. Pero es que era un animal de transporte puro y duro, no un caballo de Guardián como Tug.

La larga hierba volvió a oscilar. Solo fue un movimiento sutil, pero no había viento para causarlo, como demostraban las nubecillas flotantes de la respiración de los caballos. Will rotó un poco los hombros para asegurarse de que su aljaba estaba libre. Llevaba su enorme arco largo cruzado encima de las rodillas, ya encordado. Los Guardianes no viajaban con el arco al hombro. Los llevaban siempre preparados para usarlos al instante. Siempre.

El corazón de Will latía un poco más deprisa que de costumbre. El movimiento en la hierba ya estaba a apenas treinta metros. Recordó las enseñanzas de Halt: *No te concentres en lo obvio. Puede que quieran que pases otra cosa por alto*.

Se dio cuenta de que toda su atención se había centrado en la hierba larga de al lado de la carretera. A toda prisa, sus ojos escudriñaron otra vez a derecha e izquierda, hasta la línea de árboles a unos cuarenta metros de la carretera por ambos lados. Quizás hubiese hombres escondidos entre las sombras, preparados para abalanzarse sobre él mientras estaba distraído por lo que fuera que hubiera en la hierba de la cuneta. Ladrones, forajidos, mercenarios, ¿quién sabe?

Pero no vio señal de hombres entre los árboles. Tocó a Tug con las rodillas y el caballo se detuvo; la yegua de carga continuó varios trancos antes de hacer lo mismo. La mano derecha de Will se deslizó sin titubear hacia la aljaba, eligió una flecha y la cargó en el arco en menos de un segundo. Se quitó la capucha con un gesto brusco para ver mejor. Sabía que el arco largo, el pequeño caballo peludo y la peculiar capa moteada gris y verde lo identificarían como un Guardián.

—¿Quién va? —preguntó, levantando un poco el arco, la flecha cargada y lista para ser disparada. Todavía no tensó la cuerda. Si había alguien acechando en la hierba, sabría que un Guardián podía tensar, disparar y dar en el blanco antes de que ellos pudieran dar dos pasos.

No hubo respuesta. Tug se quedó quieto, entrenado para mantenerse inmóvil en caso de que su amo tuviese que disparar.

—¡Muéstrate! —gritó Will—. Tú, el de negro y blanco. Muéstrate.

Se le pasó por la cabeza la idea de que hacía solo unos momentos había estado soñando despierto con que ese era un remanso de paz. Y ahora se enfrentaba a una posible emboscada de un enemigo desconocido.

—Última oportunidad —insistió—. Muéstrate o dispararé una flecha en tu dirección.

Y entonces lo oyó, posiblemente en respuesta a su voz. Un gimoteo suave: el ruido de un perro dolorido. Tug también lo oyó. Movió las orejas adelante y atrás y resopló dubitativo.

¿Un perro?, pensó Will. ¿Quizás un perro salvaje acechando para atacar? Descartó la idea casi en cuanto se le ocurrió. Un perro salvaje no hubiese hecho ningún ruido para advertirle. Además, el sonido que había oído era de dolor, no un ladrido enfadado ni un gruñido de advertencia. Había sido un gemido. Tomó una decisión.

En un solo movimiento fluido, sacó el pie izquierdo del estribo, cruzó la pierna derecha por encima del pomo de la montura y se apeó con agilidad. Al desmontar de ese modo, permanecía en todo momento de frente a la dirección del posible peligro, con ambas manos libres para disparar. Si hubiese tenido necesidad de hacerlo, podría haber disparado en cuanto sus pies tocaron el suelo.

Tug resopló otra vez. En momentos de incertidumbre como ese, Tug prefería tener a Will a salvo en la montura, donde los rápidos reflejos y veloces trancos del pequeño caballo podrían alejarle a toda velocidad del peligro.

—No pasa nada —le dijo Will con calma, y echó a andar despacio, el arco listo para disparar.

Diez metros. Ocho. Cinco... Ya podía ver claramente el blanco y el negro a través de la hierba seca. Y cuando llegó casi a la altura de la supuesta amenza, vio algo más entre el blanco y el negro: el marrón apelmazado de la sangre seca y el rojo vivo de la sangre fresca. Oyó el gemido de nuevo y Will vio por fin claramente lo que los había detenido.

Se volvió y le hizo a Tug el gesto de mano que le indicaba que era «seguro». El caballo respondió avanzando al trote para reunirse con él. Entonces, Will dejó el arco a un lado y se arrodilló al lado del perro herido tumbado en la hierba.

—¿Qué te pasa, chico? —dijo con dulzura. El perro giró la cabeza al oír su voz, luego gimoteó otra vez cuando Will lo acarició con suavidad. Deslizó los ojos por el largo corte sangrante que tenía en el costado; se extendía desde detrás de la espalda derecha hasta el anca. Cuando el animal se movió, más sangre fresca brotó de la herida. El perro estaba tumbado sobre un costado, aparentemente exhausto, y Will solo veía uno de sus ojos. Estaba lleno de dolor.

Will vio que era un border collie, un perro pastor de los que se criaban en la región fronteriza del norte, conocidos por su inteligencia y lealtad. El cuerpo era negro, con el cuello y el pecho de un blanco puro, y la punta de la peluda cola también blanca, al igual que las patas. El pelo negro se repetía otra vez en la cabeza del perro, como si le hubiesen echado una capucha por encima, de modo que las orejas eran negras, mientras que le subía un rayo blanco por el hocico y entre los ojos.

El tajo del costado del perro no parecía demasiado profundo, y lo más probable es que la caja torácica hubiese protegido todos sus órganos vitales. Pero era de un largo aterrador y los bordes abiertos eran limpios, como si se lo hubiese hecho una hoja afilada. Y había sangrado mucho. Ese, pensó Will, sería el mayor problema. El perro estaba débil. Había perdido mucha sangre. Quizás demasiada.

Will se levantó y fue hasta sus alforjas, de donde sacó el botiquín que todos los Guardianes llevaban consigo. Tug le miró con curiosidad, satisfecho ahora de que el perro no suponía una amenaza. Will se encogió de hombros y señaló el botiquín.

—Funciona con las personas —dijo—. Debería servir para un perro.

Se volvió hacia el animal herido, le acarició la cabeza con dulzura. El perro intentó levantarla, pero él se la sujetó abajo con suavidad mientras le hablaba con tono arrullador y abría el botiquín con la mano libre.

—Bueno, vamos a echarle un vistazo a lo que te han hecho, chico —dijo.

El pelo de alrededor de la herida estaba apelmazado por la sangre, así que Will lo limpió lo mejor que pudo con agua de su cantimplora. Después, abrió un pequeño bote y extendió con cuidado la pasta que contenía por los bordes del corte. El ungüento era un analgésico que anestesiaría la herida para que pudiera limpiarla y vendarla sin causarle al perro más dolor.

Dejó pasar unos minutos para que el ungüento hiciera efecto, luego empezó a aplicar una mezcla de hierbas que evitaría las infecciones y ayudaría a cicatrizar la herida. El analgésico estaba funcionando bien y sus atenciones no parecían estar perjudicando al perro, así que lo usó con libertad. Mientras trabajaba, vio que se había equivocado al llamar al perro «chico». Era hembra.

La perra pastora, sintiendo que Will la estaba ayudando, se quedó muy quieta. De vez en cuando, gimoteaba, pero no de dolor. El sonido era más bien de gratitud. Will se echó un poco hacia atrás, ladeó la cabeza mientras examinaba la herida ahora limpia. El tajo seguía sangrando y Will sabía que tendría que cerrarlo. Sin embargo, vendarlo apenas era una opción con ese pelo tan espeso y la posición tan incómoda del corte. Se encogió de hombros, consciente de que tendría que coserlo.

—Más vale que me ponga a ello mientras el ungüento aún esté haciendo efecto —le dijo al animal. La perrilla se quedó tumbada con la cabeza en el suelo, pero un ojo giró en su cuenca para observarle mientras trabajaba.

La pastora sintió, obviamente, los pinchazos de la aguja cuando Will le dio rápidamente una docena de puntos de fino hilo de seda y unió los bordes de la herida, pero no parecía haber dolor y, después de un respingo inicial, se quedó quieta y le dejó continuar.

Una vez terminado, Will apoyó una mano con ternura sobre la cabeza negra y blanca, sintiendo la suavidad del espeso pelo. Había hecho bien su trabajo, pero era obvio que la perra no sería capaz de andar.

—Quieta aquí —le dijo con dulzura—. Quieta.

La perra, obediente, se quedó donde estaba mientras Will iba hasta la yegua de carga y reorganizaba sus bártulos.

Llevaba dos alforjas largas, con libros y efectos personales, a ambos lados de la albarda. Dejaban una depresión entre ellas y Will encontró una capa extra y varias mantas para forrar el espacio hasta crear un nido blando y cómodo en el que la perrilla podría tumbarse, con el espacio suficiente como para moverse un poco, pero lo bastante ceñido como para sujetarla bien en su sitio.

Se dirigió de nuevo hacia la perra, deslizó los brazos por debajo de su cuerpo cálido y la levantó con cuidado, sin dejar de hablarle con voz arrulladora. El ungüento era eficaz, pero no duraba mucho y Will sabía que pronto volvería a sentir dolor. La perrilla gimió una vez más, luego se quedó tranquila mientras él la colocaba en su sitio en el espacio que había preparado. Una vez más, le acarició la cabeza y le rascó las orejas con suavidad. El animal movió la cabeza un poco para lamerle la mano. Ese pequeño movimiento pareció agotarla. Will notó con interés que sus ojos eran de colores diferentes. Hasta entonces, había visto solo su ojo izquierdo, el marrón, mientras la perra estaba tumbada sobre el costado. Ahora, al levantarla, vio que el ojo derecho era azul. Le daba un aspecto pícaro y travieso, pensó, aun en su actual estado debilitado.

—Buena chica —le dijo. Después, al girarse hacia Tug, vio que el caballito le miraba con curiosidad—. Tenemos un perro —le dijo.

Tug sacudió la cabeza y resoplo. *¿Por qué?*

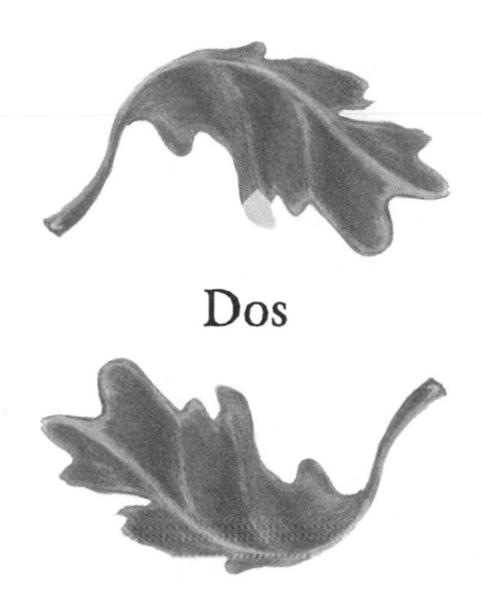

Dos

A primera hora de la tarde, avistaron el mar y Will supo que casi había llegado al final de su viaje. El Castillo de Seacliff estaba construido en una gran isla con forma de hoja, separada de tierra firme por cien metros de aguas profundas. Cuando bajaba la marea, una pasarela estrecha daba acceso a la isla, pero con la marea alta, como estaba en ese momento, un *ferry* te llevaba al otro lado. La dificultad del acceso había ayudado a mantener Seacliff a salvo durante muchos años y era una de las razones por las que el feudo se había convertido en algo así como un remanso de paz. En otros tiempos, obviamente, las incursiones de los escandianos con sus barcos lobunos habían animado bastante las cosas, pero ya hacía unos cuantos años que los lobos de mar del norte no habían saqueado la costa de Araluen.

La isla debía de tener unos doce kilómetros de largo por ocho de ancho, y Will aún no podía ver el castillo en sí. Supuso que estaría en algún lugar alto en el centro (esa era una precaución estratégica básica). En cualquier caso, de momento no se veía.

Will se había planteado hacer una parada para comer a mediodía, pero, tan cerca del final de su viaje como estaba, decidió continuar adelante. Habría una posada de algún tipo en el pueblo que seguro que se amparaba al pie de las murallas del castillo. O quizás encontrara algo de comer en las cocinas del castillo. Tiró del ramal para acercar a la yegua de carga hasta su lado y se inclinó para echar un vistazo a la perra herida. Tenía los ojos cerrados y el hocico apoyado sobre las patas delanteras. Will podía ver los costados negros expandirse y contraerse mientras respiraba. Había un poco más de sangre alrededor de los bordes de la herida, pero la mayor parte de la hemorragia se había cortado. Satisfecho al ver que estaba cómoda, Will apretó los talones contra los flancos de Tug y emprendieron la bajada hacia el *ferry*, una chalana grande de fondo plano que esperaba encallada en la arena.

El operario, un hombre musculoso de unos cuarenta años, estaba despatarrado sobre la cubierta de su nave, durmiendo bajo el cálido sol otoñal. En cualquier caso, se despertó en cuanto un sexto sentido registró el suave tintineo de los arneses de los dos caballos. Se enderezó, se frotó los ojos y luego se puso de pie a toda prisa.

—Tengo que cruzar hasta la isla —le informó Will, y el hombre hizo un saludo torpe.

—Sí, claro, señor. Por supuesto. A sus órdenes, Guardián.

Había un toque de nerviosismo en su voz. Will, suspiró para sus adentros. Aún no se había acostumbrado a la idea de que la gente desconfiara de los Guardianes, incluso de uno tan barbilampiño como él. Will era un joven de naturaleza amistosa y a menudo anhelaba la compañía cordial de otras personas. Pero eso no era para los Guardianes. Mantenerse apartados de la gente normal era bueno para su cometido. Había un aire de misterio en torno al Cuerpo de Guardianes. Su destreza legendaria con sus armas, su capacidad para moverse sin ser vistos y la naturaleza hermética de su organización aumentaban su aura mística.

El barquero tiró del grueso cable que discurría desde el continente hasta la isla y que pasaba por grandes poleas instaladas a ambos lados de la chalana. La embarcación, uno de cuyos extremos flotaba en el agua, se deslizó con facilidad por la playa hasta descansar por completo sobre el agua. Will dedujo que el sistema de poleas le daba al operario una ventaja mecánica que le permitía mover el barco con tanta facilidad.

Había un tablón con las tarifas clavado a la barandilla. El operario vio que Will lo miraba.

—Los Guardianes no pagan, señor. Pasaje gratis para usted.

Will sacudió la cabeza. Halt había insistido mucho en que debía pagar lo que le correspondiera. *No te endeudes con nadie*, le había dicho. *Asegúrate de que no le debes ningún favor a nadie.*

Hizo el cálculo a toda prisa. Medio real por persona, y lo mismo por cada caballo. Más cuatro peniques por otros animales. Casi dos reales más o menos. Echó pie a tierra y sacó una moneda de oro de tres reales de su monedero y se la entregó al hombre.

—Pagaré —dijo—. Cóbrese dos reales. —El hombre miró la moneda, luego miró confuso al jinete y a los dos caballos. Will hizo un gesto con la cabeza hacia la yegua de carga.

—Hay otro animal sobre la yegua —explicó. El operario del *ferry* asintió y le dio una moneda de plata de un real como cambio.

—Muy bien, señor —dijo. Miró con curiosidad a la yegua de carga cuando Will la embarcó en la chalana y vio al perro en su acogedor refugio—. Tiene buena pinta ese perro —comentó—. ¿Es suyo o qué?

—La encontré herida al borde de la carretera —explicó Will—. Alguien la había herido con alguna hoja afilada y la había dejado ahí tirada para que muriera.

El barquero se frotó pensativo la barbilla sin afeitar.

—John Buttle tiene un perro pastor como ese. Y no me extrañaría que hiriera a un animal de ese modo y lo dejara así. Tiene mal carácter ese John, sobre todo cuando ha bebido.

—¿Y a qué se dedica ese John Buttle? —preguntó Will.

El barquero se encogió de hombros.

—De profesión es pastor, pero hace de todo. Hay quien dice que su verdadero trabajo lo realiza de noche en las carreteras, buscando a viajeros solitarios cuando ya ha oscurecido. Pero nadie tiene pruebas. Para mi gusto, es un pelín demasiado habilidoso con esa lanza suya. Es un buen hombre del que mantenerse alejado.

Will echó otra miradita a la yegua de carga, pensando en el corte cruel del costado del perro.

—Si Buttle es el que hirió a esa perra, hará bien en mantenerse alejado de mí —dijo con frialdad.

El barquero le miró con atención durante un instante. El rostro era joven y bien parecido, pero vio que había un brillo duro en sus ojos. Se dio cuenta de que con los

Guardianes nunca se debía dar demasiado por sentado. Ese chico de aspecto agradable no llevaría el gris y el verde de los Guardianes si no estuviese hecho de acero. Los Guardianes eran engañosos, y eso era un hecho. Había gente que incluso pensaba que eran expertos en las artes oscuras de la magia y la hechicería, y el barquero no estaba del todo seguro de que esa gente no tuviese razón. Se persignó a hurtadillas para mantener alejado al maligno y se dirigió a la proa de la chalana, agradecido de tener una excusa para interrumpir la conversación.

—Bueno, deberíamos ponernos ya en marcha —comentó. Will notó el cambio de actitud. Miró de reojo a Tug y arqueó las cejas. El caballo no se dignó a responder.

Cuando el barquero volvió a tirar del grueso amarre, la chalana se deslizó por el agua hacia la isla. Pequeñas olas borbotearon bajo la proa roma y lamieron los costados bajos de madera. Will vio que la casa del operario del *ferry*, una pequeña cabaña de tablones de madera con el tejado de paja, estaba a un lado de la isla, presumiblemente como medida de seguridad. La proa del *ferry* enseguida encalló en la gruesa arena de la isla, la corriente lo empujó un poco hacia un lado a medida que detenía su avance. El operario desenganchó la simple cuerda que hacía las veces de barandilla a proa e invitó a Will a desembarcar. Will se encaramó en Tug y los cascos de los caballos repicaron con cautela por los tablones de madera.

—Gracias —dijo, mientras Tug desembarcaba sobre la playa. El operario del *ferry* volvió a saludar.

—A sus órdenes, Guardián —dijo. Observó la delgada figura erguida alejarse hacia los árboles hasta que se perdió de vista.

Tardaron otra media hora en llegar al castillo. La carretera subía serpenteando hacia el centro de la isla, entre árboles bien espaciados azotados por el viento. Había mucha luz, a diferencia de los espesos bosques de los alrededores del Castillo de Redmont, o los oscuros bosques de pinos de Skandia que Will recordaba muy bien.

Las hojas ya habían cambiado de color, pero la mayoría de ellas todavía seguían en las ramas. En su conjunto, era un paisaje bonito. Mientras avanzaba, Will vio muchas pruebas de la existencia de fauna silvestre: conejos, por supuesto, y pavos salvajes; una vez alcanzó a ver unas motas blancas cuando un ciervo le enseñó los cuartos traseros y se alejó dando saltos. Lo más probable es que hubiese muchos cazadores furtivos, pensó. Will sentía una simpatía básica por los aldeanos que de vez en cuando buscaban aumentar su dieta con carne de venado o aves de caza. Por fortuna, la caza furtiva era competencia de la ley local y la controlarían los agentes forestales del barón. No obstante, como medida práctica, Will tendría que descubrir las identidades de los profesionales locales. Los cazadores furtivos podían ser una fuente de información muy útil sobre lo que se cocía por esos lares. Y la información era el recurso principal de un Guardián.

Al cabo de un rato, los árboles empezaron a ralear y el pequeño grupo volvió a salir a la luz del sol. El serpenteante camino colina arriba le había llevado a una meseta natural, una amplia planicie de una anchura de un kilómetro o así. En el centro de la planicie se alzaba el Castillo de Seacliff y su pueblo vasallo: un manojo de cabañas con tejado de paja construidas al pie de las murallas del castillo.

El castillo en sí, para alguien acostumbrado a la impresionante mole del Castillo de Redmont o la altísima belleza del castillo del rey, el Castillo de Araluen, era un poco decepcionante. Will vio que era poco más que un fuerte, las murallas que lo rodeaban apenas alcanzaban los cinco metros de altura. Al mirarlas con más atención, pudo ver que al menos una sección de la muralla estaba hecha de madera, grandes troncos incrustados verticalmente en el suelo y unidos mediante fijaciones de hierro. Era una barrera bastante eficaz, pensó, pero le faltaba el impacto dramático de las enormes murallas de siderosa de Redmont. En cualquier caso, había cuatro sólidas torres, una en cada esquina, y un torreón central, que serviría de refugio de último recurso si se produjese un ataque. Por encima del torreón, pudo ver el estandarte del barón Ergell: una cabeza de venado que ondeaba a la suave brisa de la tarde.

—Hemos llegado —le dijo a Tug, y el caballo sacudió la crin al oír su voz.

Will había frenado al avistar el castillo, así que tocó los flancos de Tug con los talones y reemprendieron su camino. Como siempre, la yegua de carga se puso en marcha un poco más despacio, tirando por un momento del ramal mientras recorrían las tierras de labor en dirección al castillo. En el ambiente flotaba un olor a humo. Las gavillas de maíz habían sido empacadas y quemadas después de recoger la cosecha y todavía humeaban. En una semana o dos, los granjeros devolverían las cenizas a los campos y los ararían. Y el ciclo volvería a empezar de nuevo. El olor a humo, los campos desnudos y el sol bajo de la tarde de otoño evocaban recuerdos en Will. Recuerdos de su infancia. De cosechas y festivales de la cosecha. De veranos brumosos, otoños ahumados e inviernos cubiertos de nieve. Y, en los últimos seis años, del profundo afecto que había aflorado entre él y su mentor, el engañosamente serio Guardián llamado Halt.

Había unos pocos trabajadores en los campos, que se detuvieron a mirar a la figura que cabalgaba hacia el castillo envuelta en su extraña capa. Will saludó con la cabeza a uno o dos de los que estaban más cerca y ellos le devolvieron el gesto, con cautela, levantando las manos en ademán formal. Los granjeros simples no comprendían a los Guardianes y, como consecuencia, tampoco confiaban del todo en ellos. Aunque Will sabía que, obviamente, en tiempos de guerra o peligro, acudirían a los Guardianes en busca de ayuda y protección y liderazgo. Pero ahora, sin ningún peligro que los amenazara, mantendrían las distancias con él.

Los ocupantes del castillo serían otro cantar. El barón Ergell y su Maestro de Lucha (Will intentó acordarse de su nombre durante unos instantes, luego recordó que era Norris) comprendían el papel del Cuerpo de Guardianes y el valor que sus miembros aportaban a los cincuenta feudos del reino. No temían a los Guardianes, pero eso tampoco significaba que Will fuese a disfrutar de una estrecha relación con ellos. Tendrían una relación estrictamente laboral.

Recuerda, le había dicho Halt, *nuestra tarea es ayudar al barón, pero nuestra primera lealtad está con el rey. Somos representantes directos de la voluntad del rey, y eso a veces puede que no coincida exactamente con los intereses locales. Cooperamos con los barones y les aconsejamos, pero mantenemos nuestra independencia de ellos. No te permitas endeudarte con tu barón, ni entablar una relación demasiado estrecha con la gente del castillo.*

Aunque por supuesto, en un feudo como el de Redmont, donde Will se había formado, las cosas eran un poco diferentes. El barón Arald, el señor de Redmont, era miembro del consejo interno del rey. Eso permitía una relación más estrecha entre el barón, sus oficiales y Halt, el Guardián asignado a su feudo. En cualquier caso, por lo general, la vida de un Guardián era una vida solitaria.

Aunque también tenía sus ventajas, por supuesto. La principal era la camaradería que existía entre los miembros del Cuerpo. Había cincuenta Guardianes en activo, uno por cada feudo del reino, y todos se conocían por su nombre de pila. De hecho, Will conocía bien al hombre al que estaba sustituyendo en Seacliff. Bartell había sido uno de los examinadores en su evaluación anual como aprendiz, y fue su decisión de jubilarse la que había hecho que a Will le otorgaran su Hoja de Roble Plateada, el símbolo de un Guardián de pleno derecho. Bartell, que se estaba haciendo mayor y empezaba a no ser capaz de soportar los rigores de la vida de Guardián (muchas horas a caballo, dormir al raso y vigilancia constante) había cambiado su propia Hoja de Roble Plateada por la dorada de la jubilación. Le habían reasignado al cuartel general del Cuerpo en el Castillo de Araluen, donde ahora trabajaba en la sección de archivos, recopilando la historia del Cuerpo.

Will sonrió un instante. Le había cogido cariño a Bartell, un hombre culto con una experiencia asombrosa; y eso a pesar del hecho de que sus primeros encuentros habían sido causa de diversas incomodidades para Will. Bartell había sido un experto en diseñar pruebas para el aprendiz, pruebas que estaban calculadas para hacer desgraciada la vida del joven. Pero con el paso del tiempo, Will había aprendido a valorar las duras preguntas y difíciles problemas que Bartell le había planteado. Todo ello le había preparado para la difícil vida de un Guardián.

Esa vida en sí era la otra ventaja principal de la naturaleza solitaria de la existencia diaria de un Guardián. Había una profunda satisfacción y una atracción irresistible en ser parte de una banda de élite que conocía los tejemanejes internos y los secretos políticos del reino entero. Los aprendices de Guardián se reclutaban por sus habilidades físicas (coordinación, agilidad, rapidez de mano y ojo) pero aún más por su curiosidad innata. Un Guardián siempre buscaba saber más, preguntar más o averiguar más acerca de lo que ocurría a su alrededor. De niño, antes de que Halt le reclutara, esa persistente curiosidad y la precocidad que irradiaba le habían causado a Will una buena cantidad de problemas.

Ya estaba entrando en el pequeño pueblo y le observaba más gente. La mayoría de ellos no se atrevían a mirarle a los ojos, y los pocos que lo hicieron bajaron la vista cuando él los saludó con un gesto de la cabeza; un gesto bastante agradable, pensó Will. Ellos le saludaban llevándose con torpeza la mano a la frente y se apartaban para dejarle pasar, lo cual en realidad era bastante innecesario, pues había sitio de sobra en la ancha calle del pueblo. Will distinguió los símbolos de los oficios habituales que podías encontrar en cualquier pueblo: herrero, carpintero, zapatero.

Al final de la única calle había un edificio más grande. Era la única estructura de dos pisos de todo el pueblo y tenía una amplia veranda en la parte delantera y el símbolo de una jarra de peltre colgado encima de la puerta. La posada, pensó Will. Parecía limpia y bien cuidada, las contraventanas de las habitaciones del piso de arriba recién pintadas y las paredes encaladas. Mientras miraba, una de las ventanas de arriba se abrió y por ella asomó la cabeza de una chica. Tenía pinta de tener unos diecinueve o veinte años, con el pelo corto y oscuro, y unos grandes ojos verdes. Tenía la tez clara y era muy bonita. Y lo que es más, fue la única persona de todo el pueblo que le sostuvo la mirada. De hecho, llegó incluso a sonreírle y, cuando lo hizo, su rostro pasó de bonito a arrebatador.

Will, agobiado por que la gente se mostrara reticente a mirarle a los ojos, se sintió aún más agobiado ahora por el evidente interés de la chica por él. *Así que tú eres el Guardián nuevo*, se la imaginó pensando. *Pareces demasiado joven para el puesto, ¿no?*

Al pasar por debajo de la ventana, a Will le incomodó darse cuenta de que, al levantar la cabeza para mirarla, se le había abierto un poco la boca. La cerró de golpe y saludó a la chica con un gesto de cabeza, serio y sin sonreír. La sonrisa de la chica se ensanchó y fue él el que apartó la vista primero.

Había planeado parar a tomar algo rápido en la posada, pero la desconcertante presencia de la chica le hizo cambiar de opinión. Recordó las direcciones que le habían dado por escrito. Su propia cabaña estaría unos trescientos metros por detrás del pueblo, en la carretera hacia el castillo y protegida por un pequeño bosquecillo. Ya podía ver los árboles, así que apretó los talones contra los flancos de Tug y dejó que el caballito partiera al trote para dejar el pueblo a su espalda. Podía sentir veinte o treinta pares de ojos clavados con curiosidad en su espalda mientras se alejaba. Se preguntó si los ojos verdes de la habitación del piso de arriba estarían entre ellos; luego decidió olvidar el tema.

La cabaña era una típica casita de Guardián, construida con troncos y grandes piedras planas de río como tejado. Delante de la casa había una pequeña veranda y detrás un establo y un patio para ensillar los caballos. Estaba como acurrucada entre los árboles, y Will se sorprendió al ver una voluta de humo salir de la chimenea que había en un lateral del edificio.

Echó pie a tierra, un poco agarrotado después de un día entero a lomos de Tug. No había ninguna necesidad de atarlo, pero pasó las riendas de la yegua de carga por uno de los postes de la veranda. Le echó un vistazo a la perra, vio que estaba dormida y decidió que podía quedarse donde estaba unos minutos más.

Si había habido alguna duda de que esta iba a ser su casa, la despejó la silueta tallada de una hoja de roble en el dintel por encima de la puerta. Se quedó ahí un momento, rascándole las orejas a Tug mientras el caballo frotaba el hocico contra su pecho y disfrutaba de sus mimos.

—Bueno, chico —dijo—, parece que estamos en casa.

Tres

Will empujó la puerta y entró en la cabaña. Era casi idéntica a la que había sido su hogar a lo largo de los últimos años. La sala a la que entró ocupaba más o menos la mitad del espacio interior y servía tanto como salón como comedor. A su izquierda y pegada a una ventana había una mesa de madera de pino con cuatro sillas a su alrededor. En el extremo opuesto había dos butacas de madera con pinta de cómodas y un sofá de dos plazas dispuestos frente al alegre fuego crepitante de la chimenea. Will miró a su alrededor, preguntándose quién habría encendido el fuego.

La cocina era una salita adyacente a la zona de comedor. Ollas y sartenes de cobre, obviamente recién limpiadas y pulidas, colgaban en la pared al lado de los pequeños fogones de leña. Había flores silvestres recién cogidas en un pequeño jarrón bajo la ventana; las últimas de la estación, pensó Will. El toque acogedor le recordó otra vez a Halt, y el pensamiento le produjo un nudo de soledad en la garganta. El serio

Guardián siempre se las había apañado para tener flores en su cabaña cuando era posible.

Will fue a inspeccionar los dos cuartitos amueblados con sencillez y cuyas puertas daban al salón. Como esperaba, en esas habitaciones tampoco había nadie. Había agotado todas las posibilidades en la casita, a menos que la persona que había encendido el fuego y cogido las flores estuviese escondida en las cuadras de la parte trasera, cosa que dudaba.

Se dio cuenta de que habían limpiado la cabaña hacía poco. Bartell se había ido hacía un mes o más, pero cuando deslizó el dedo por la repisa de la chimenea no vio ni rastro de polvo. Y el suelo de piedra que había delante de ella también había sido barrido recientemente. No había ni gota de ceniza o carbonilla.

—Es obvio que alguien muy amable vive aquí cerca —se dijo a sí mismo. Entonces, recordó a los animales que esperaban con paciencia en el exterior y se dirigió de nuevo hacia la puerta. Echó un vistazo a la posición del sol y calculó que todavía quedaba más de una hora de luz. Tiempo que invertiría en desempacar antes de presentarse en el castillo.

La perrilla estaba despierta cuando la miró, sus ojos bicolores mostraban gran interés por el mundo que la rodeaba. Eso era bueno, pensó. Indicaba que tenía ganas de vivir, cosa que le vendría muy bien en su actual estado de debilidad. La izó con cuidado de su nicho a lomos de la yegua de carga y la llevó dentro de la casa. Se quedó tumbada, relativamente satisfecha, sobre las losetas de piedra al pie de la chimenea, absorbiendo el calor a través de su pelaje negro. Will volvió a salir, sacó una vieja manta de caballo del fondo de las alforjas y la llevó dentro para prepararle a la perra una cama más mullida. Cuando la extendió a su lado, la perrilla se levantó con esfuerzo y cojeó unos pasitos para tumbarse en ella. Se instaló con un suspiro agradecido. Will fue a buscar un bol de agua de la bomba encastrada en la encimera de la cocina (no tendría que sacar el agua de un pozo en el exterior, pensó) y lo dejó al lado del animal. La gruesa cola dio un par de golpes suaves contra el suelo en agradecimiento a sus cuidados.

Satisfecho, Will volvió con los caballos. La cincha de la montura de Tug solo la aflojó; no tenía sentido desensillarlo todavía, pues aún debía presentarse de manera oficial en el castillo. A continuación, empezó a descargar el pequeño montón de pertenencias personales que había llevado consigo.

Hecho eso, desensilló a la yegua de carga y la condujo al establo, donde la cepilló bien antes de guiarla hasta una de las dos cuadras. Se dio cuenta de que el pesebre estaba repleto de heno fresco y el cubo de agua también estaba lleno. Inspeccionó el agua. Ni gota de polvo en la superficie. Ni una sombra de verdín en el cubo. Cogió el cubo de la otra cuadra, se lo llevó fuera a Tug y le dejó beber hasta que se hubo saciado. Cuando acabó, el caballo agitó la crin en señal de agradecimiento.

Will empezó a organizar sus pertenencias en la cabaña. Había unos ganchos al lado de la puerta para colgar el arco y la aljaba. Depositó su saco de dormir en la cama del dormitorio más grande y colgó sus mudas de ropa en el armario que encontró ahí, oculto tras una cortina. La funda de su mandola y un pequeño morral con libros los dejó sobre un aparador en el salón.

Will miró a su alrededor. En realidad, había traído bastantes pocas cosas, pero al menos ahora la cabaña también tenía un aire más personal, como si perteneciera a alguien.

Sus pensamientos fueron interrumpidos por un relincho de aviso de Tug desde el exterior. Al mismo tiempo, la perra levantó la cabeza al pie de la chimenea y la giró, dolorida, para mirar hacia la puerta. Will le habló con tono tranquilizador. El aviso de Tug no había sido una alerta de peligro, sino solo la notificación de que se aproximaba alguien. Al cabo de un segundo o así, Will oyó unas pisadas suaves en la veranda y la figura de una mujer quedó enmarcada por la puerta abierta. Vaciló un instante y llamó al marco de la puerta.

—Adelante —dijo Will, y la mujer entró en la casa. Sonreía dubitativa, como si no estuviese segura de ser bienvenida. Cuando dejó de estar deslumbrado por la luz del exterior, Will pudo verla con mayor claridad. Tendría unos cuarenta años, y era obvio que era una de las mujeres del pueblo, más que nada por su vestido (una prenda sencilla de lana, sin el tipo de adornos que solían llevar los ciudadanos más adinerados que vivirían en el castillo. Por encima, llevaba un impoluto delantal blanco). Era alta y tenía una constitución agradable a la vista, con una figura redondeada y maternal. Su pelo oscuro y corto empezaba a mostrar incipientes hebras grises. Su sonrisa era cálida y genuina. Había algo en ella que le resultaba familiar, pero Will no consiguió identificar del todo qué era.

—¿Puedo ayudarla? —preguntó Will.

La mujer hizo una somera reverencia.

—Me llamo Edwina, señor. Le he traído esto.

«Esto» era una pequeña cacerola tapada. Cuando la destapó, Will notó que un aroma delicioso inundaba la habitación. Estofado de carne y verduras. Se le hizo la boca agua. Aun así, consciente de las advertencias de Halt, se las arregló para mantener la cara seria y mostrar poco interés.

—Ya veo —dijo en tono neutro. Edwina dejó la cacerola en la mesa y metió la mano en su delantal para sacar un sobre, que le tendió a Will.

—Puede recalentar el estofado más tarde para la cena, señor —dijo—. Supongo que primero querrá ver al barón Ergell, ¿no?

—Es posible —contestó Will; no estaba seguro de si debía discutir sus siguientes movimientos con esa mujer. Entonces se percató de que todavía le tendía el sobre, así que lo cogió. Se sorprendió de ver que el sello era una hoja de roble impresa, acompañada de caracteres del sistema numérico codificado que equivalían al veintiséis. El número de Bartell en el Cuerpo, recordó.

—El Guardián Bartell lo dejó para quienquiera que fuese enviado a sustituirle —le dijo la mujer, haciéndole un gesto para que abriera la carta—. Yo me encargaba de la casa y cocinaba para él mientras estuvo aquí.

Will cayó en la cuenta de lo que era la carta mientras la abría. En el momento de escribirla, Bartell no tenía ni idea de quién le iba a sustituir, así que estaba encabezada con un simple «Guardián». Le echó un vistazo rápido al mensaje.

Edwina Temple es una mujer de total confianza e integridad que ha trabajado para mí a lo largo de los últimos ocho años. Se la puedo recomendar encarecidamente a cualquiera que me sustituya. Es discreta, seria y una excelente cocinera y ama de llaves. Edwina y su marido, Clive, regentan la posada del pueblo en Seacliff. Me harías un gran favor (y también te lo harías a ti mismo) si la mantuvieras a tu servicio cuando tomes posesión del cargo. Bartell, Guardián 26.

Will levantó la vista de la carta y le sonrió a la mujer. Se dio cuenta de que la perspectiva de que alguien limpiara y cocinara para él era muy agradable. Luego dudó. Estaba la cuestión de los pagos, y no tenía ni idea de a cuánto podían ascender.

—Bueno, Edwina —empezó—, Bartell habla muy bien de usted.

La mujer hizo otra breve reverencia.

—Nos llevábamos bien, señor. El Guardián Bartell era un verdadero caballero. Y le serví durante ocho años.

—Sí... bueno...

La mujer, consciente de su obvia juventud, supuso que este era su primer puesto, así que añadió con tacto:

—En cuanto al pago, señor, no tiene que preocuparse. Corre a cargo del castillo. —Will frunció el ceño. No estaba seguro de que debiera permitir que el castillo pagara por su bienestar personal. Tenía su propio sueldo del Cuerpo de Guardianes. Edwina percibió el motivo de su vacilación y continuó a toda prisa—. Está bien, señor. El Guardián Bartell me dijo que el castillo tiene la responsabilidad de proporcionar alojamiento y provisiones al Guardián que esté aquí destinado. Mis servicios están cubiertos por esa disposición.

Will se dio cuenta de que era verdad. El castillo de un feudo contabilizaba los servicios del Guardián como uno de sus gastos, y el coste se deducía del cálculo de impuestos realizado por la corona cada año. Tomó una decisión y sonrió a la mujer.

—En ese caso, estaré encantado de que siga a mi servicio, Edwina —dijo—. Supongo que ha sido usted la que ha mantenido la casa limpia y ha encendido la chimenea antes...

Edwina asintió.

—Le hemos estado esperando toda la semana, señor —le explicó—. He pasado por aquí todos los días para tenerlo todo a punto... y la chimenea evita que las cosas se humedezcan en esta época de año.

Will asintió a modo de agradecimiento.

—Bueno, pues se lo agradezco. Por cierto, me llamo Will.

—Bienvenido a Seacliff, Guardián Will —dijo Edwina con una sonrisa—. Mi hija Delia le vio cruzar el pueblo a caballo. Dijo que parecía muy serio. Como todos los Guardianes.

Ahí fue cuando Will ató cabos. Le había parecido que la mujer le resultaba familiar. Ahora se fijó en sus ojos, verdes como los de su hija, y la sonrisa, tan alegre y cordial.

—Sí, creo que la vi —dijo.

Ahora que la cuestión de su continuidad como empleada estaba zanjada, Edwina miró con interés las escasas pertenencias de Will. Sus ojos se detuvieron en la mandola sobre el aparador.

—Entonces, ¿toca el laúd? —preguntó. Will negó con la cabeza.

—Un laúd tiene diez cuerdas —explicó—. Esto es una mandola. Algo así como una mandolina grande con ocho cuerdas, afinadas por pares. —Vio la expresión perpleja que solía invadir el rostro de la mayoría de la gente cuando intentaba explicar la diferencia entre un laúd y una mandola, y se rindió—. Toco un poco —terminó.

La perrita, aún dormida, eligió ese momento para soltar un largo suspiro. Edwina la vio por primera vez y se acercó para echarle un vistazo.

—Y también tiene un perro, por lo que veo.

—Está herida —le dijo Will—. La encontré en la carretera.

Edwina se agachó y puso una mano suave sobre la cabeza del animal. La perra abrió los ojos y la miró. La cola se movió un poco.

—Buenos perros, estos border collies —comentó, y Will asintió.

—Hay quien dice que son los perros más inteligentes —dijo.

—Tendrá que encontrar un buen nombre para una perrita tan estupenda —dijo la mujer, y Will frunció el ceño, pensativo.

—El operario del *ferry* me dijo que quizás perteneciera a un hombre llamado Buttle. ¿Le conoce?

El rostro de la mujer se oscureció al instante.

—He oído hablar de él —dijo—. La mayoría de la gente del lugar ha oído hablar de él, y la mayoría preferiría no haberlo hecho. Es un mal hombre para tener cerca ese John Buttle. Si esta perra era suya, yo no tendría ninguna prisa en devolvérsela.

Will le sonrió.

—No pienso hacerlo —dijo—. Pero empiezo a pensar que debería conocer a ese hombre.

Antes de poder pensarlo mejor, Edwina respondió:

—Lo mejor que puede hacer es mantenerse alejado de él, señor. —Luego se tapó la boca consternada. Era la juventud del chico la que le había empujado a decir eso, la que despertó sus instintos maternales. Pero se dio cuenta de que estaba hablando con un Guardián, y ellos eran de una pasta que no necesitaba consejos de amas de llaves acerca de las personas de las que debían mantenerse alejados o no. Will se dio cuenta de su apuro y le sonrió.

—Tendré cuidado —le dijo—. Pero parece que ya va siendo hora de que alguien hable en serio con esa persona. Aunque por ahora —dijo, dando por zanjado el tema de Buttle—, creo que hay otras personas con las que debería hablar. En primer lugar, el barón Ergell.

Acompañó a Edwina a la salida y echó un último vistazo a la perra para asegurarse de que estaría bien durante su ausencia. Después de descolgar el arco y la aljaba de sus ganchos, cerró la puerta con suavidad. Edwina le observó mientras apretaba la cincha de la silla y volvía a montarse en Tug. Más habituada a estar con Guardianes que la mayoría de la gente, le gustó lo que vio en este. A continuación, cuando Will se echó la capa verde y gris por los hombros y se tapó la cabeza con la capucha, le vio cambiar de un joven alegre y extrovertido a una figura seria y anónima. Se fijó en el enorme arco largo que Will sujetaba con naturalidad en la mano izquierda mientras se subía a caballo, vio los extremos emplumados de las flechas que sobresalían de su aljaba. Un Guardián lleva consigo las vidas de dos docenas de hombres, decía el viejo dicho. Edwina pensó entonces que quizás John Buttle hiciese bien en vigilar sus pasos cerca de este.

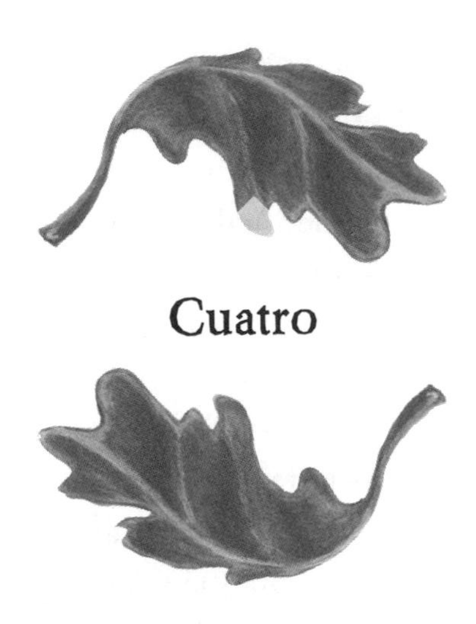

Cuatro

El chambelán del barón Ergell hizo pasar a Will al estudio del barón con un gesto que estaba a medio camino entre una reverencia y una floritura.

—El nuevo Guardián, mi señor —anunció, como si lo hubiese invocado personalmente para el placer del barón—. Will Treaty.

Ergell se levantó de detrás del enorme escritorio que era el elemento de mobiliario dominante en la habitación. Era un hombre excepcionalmente alto y delgado y, por un momento, al ver su largo pelo pálido y la ropa negra, Will tuvo la espeluznante sensación de que estaba contemplando la reencarnación del malvado Lord Morgarath, que había amenazada la paz del reino durante la adolescencia de Will. Entonces se dio cuenta de que el pelo era gris, no blanco mortecino como el de Morgarath, y Ergell, aunque alto, ni se acercaba a la altura de Morgarath. El momento pasó y Will se percató de que estaba mirando pasmado al barón, que esperaba con la mano extendida para saludarle. Will se apresuró a acercarse.

—Buenas tardes, mi señor —dijo.

Ergell agitó su mano arriba y abajo con entusiasmo. Era un hombre mayor, de unos sesenta años, pero todavía se movía con agilidad. Will le entregó el pergamino que contenía la orden oficial que le destinaba a ese puesto. Lo correcto hubiese sido entregársela al guardia del puente levadizo, que debería haber hecho que se la llevaran a Ergell para que la examinara antes de permitir a Will acceder al torreón. Pero el sargento encargado se había limitado a echar un vistazo a la capa y el arco largo del Guardián y había agitado una mano para hacerle pasar. Indolente, pensó Will. Decididamente indolente.

—Bienvenido a Seacliff, Guardián Treaty —dijo el barón—. Es un privilegio contar con alguien tan distinguido a nuestro servicio.

Will frunció un poco el ceño. Los Guardianes no servían a los barones a los que estaban asignados, y Ergell debía de saberlo. Quizás, pensó, el barón estaba intentando arrogarse autoridad mediante el recurso simple de implicar que la tenía.

—Todos servimos al rey, señor —repuso en tono neutro, y la leve sombra que cruzó la cara de Ergell le confirmó que su sospecha era acertada. Era posible que Ergell, al ver a un Guardián tan joven, hubiera probado suerte, como hubiese dicho Halt.

—Claro, claro —se apresuró a contestar el barón, luego señaló a un hombre corpulento de pie a un lado de su escritorio—. Guardián Treaty, este es el Maestro de Lucha de Seacliff, Sir Norris de Rook.

Will calculó que Norris tendría unos cuarenta años, que era más o menos la media para los Maestros de Lucha. Mucho más joven y el hombre no tendría la experiencia suficiente para liderar la tropa de caballeros y soldados de un feudo en una batalla. Mucho mayor y ya estaría perdiendo la fuerza física necesaria para la tarea.

—Sir Norris —dijo escueto a modo de saludo. El apretón de manos del caballero fue firme, cosa que no resultó una sorpresa. Los hombres que habían pasado la mayor parte de sus vidas blandiendo espadas o hachas de guerra solían acabar con músculos poderosos en manos y brazos. Will notó como Norris le analizaba mientras le estrechaba la mano, vio el rápido escrutinio con el que registró su juventud y su constitución liviana.

A Will le dio la impresión de que había algo más en la mirada del caballero: una chispa de satisfacción ante lo que veía. Quizás, después de años de tratar con el veterano y experto Bartell, Norris pensara que lo tendría un poco más fácil con este Guardián nuevo y recién graduado. Will sintió una leve punzada de desilusión al pensarlo. Halt y Crowley, el comandante del Cuerpo, le habían advertido de que algunos feudos consideraban su relación con los Guardianes como antagonista.

Demasiados de ellos nos ven como una situación de «nosotros y ellos», le había explicado Crowley cuando se entrevistó con Will para informarle sobre el puesto. *Después de todo, parte de nuestro trabajo es controlarlos, evaluar su estado de preparación para la batalla y su nivel de destreza y de entrenamiento. A algunos barones y Maestros de Lucha no les gusta. Preferirían que eso fuera asunto propio y no quieren tener a los Guardianes mirando por encima del hombro.*

Will sabía que las cosas nunca habían sido así en el Castillo de Redmont. Pero es que Halt y Arald mantenían una relación excelente y un profundo respeto mutuo. Archivó esos pensamientos mientras charlaba educadamente con Norris y Ergell sobre su viaje.

Se dio cuenta de que Ergell le estaba invitando a cenar con ellos en el castillo. Will sonrió con educación, pero se disculpó.

—Quizás dentro de unos días, mi señor. No es justo que yo altere la vida del castillo. Después de todo, usted no tenía forma de saber que llegaría hoy y estoy seguro de que ya había hecho planes para esta noche.

—Por supuesto, por supuesto. Dentro de unos días, cuando se haya instalado —aceptó el barón. Will pensó que era un hombre bastante agradable, a pesar de su intento por socavar de manera sutil la autoridad de Will. Su sonrisa era cálida y cordial—. Quizás podamos mandarle algo de nuestras cocinas más tarde, ¿qué le parece?

—No hace falta, mi señor. La asistenta, Edwina, ya me ha dejado un estofado de ternera con muy buena pinta. Por su olor, creo que estaré más que satisfecho por hoy.

Ergell sonrió como respuesta.

—Lo cierto es que es una cocinera excelente —dijo—. He intentado tentarla a trabajar para nosotros aquí en el castillo, pero me temo que ha sido en vano.

Norris tomó asiento en uno de los largos bancos que flanqueaban el escritorio.

—Entonces, ¿se ha instalado en la cabaña de Bartell?

Will asintió.

—Sí, Maestro de Lucha. Parece bastante cómoda.

Ergell soltó una breve risotada.

—Con el añadido de los guisos de Edwina, seguro que sí —dijo, de acuerdo con Will. Pero Norris estaba negando con la cabeza.

—Sería mucho más práctico que se instalara aquí, en el castillo —dijo—. El barón puede asignarle unas habitaciones para su uso personal, mucho más cómodas que una cabaña desvencijada en medio del bosque. Y estaría más a mano si le necesitáramos.

Will sonrió, reconocía la estratagema oculta tras la inocente sugerencia. Si se mudara al castillo, estaría dando el primer paso hacia un sutil cambio en el control. Puede que no sucediera de inmediato, pero renunciar a su independencia sería el primer paso hacia algo peor. Además, la declaración de que estaría más a mano si le necesitaran llevaba la implicación oculta de que estaba a la entera disposición del castillo. Will era consciente de que Ergell le estaba mirando con atención, esperaba su respuesta.

—La cabaña está bien por el momento, gracias, Maestro de Lucha —dijo—. Y es tradición que los Guardianes vivan apartados del castillo.

—Bueno, sí, tradición —dijo Norris, un poco despectivo—. A veces pienso que le damos demasiada importancia a las cosas que son tradición.

Ergell rio de nuevo, rompiendo el silencio un poco incómodo que siguió a las palabras de Norris.

—Vamos, Norris, todos sabemos lo mucho que los Guardianes valoran la tradición. Solo recuerde —le dijo ahora a Will— que la oferta sigue en pie. Si esa cabaña se vuelve demasiado fría y húmeda en lo más profundo del invierno, siempre tendrá unas habitaciones a su disposición aquí en el castillo.

Una rápida miradita del barón le indicó al Maestro de Lucha que no debía insistir más en el tema. Norris se encogió de hombros y obedeció, cosa que le honraba. En realidad, Will no podía culparles por intentar influir en él. Podía imaginarse lo molesto que debía de ser tener a alguien vigilándote en silencio un día sí y otro también, mirando por encima de tu hombro mientras trabajas, para luego enviar informes al rey sobre tus habilidades y actividades. Sobre todo cuando ese alguien era tan inexperto como él. Al menos parecía que había conseguido evadir sus propuestas sin ofenderles.

—Bueno, Guardián Treaty... —empezó Ergell, pero Will levantó una mano.

—Por favor, mi señor —dijo—. Le agradecería que me llamara simplemente Will. Y que me tuteara.

Fue un gesto elegante, sobre todo porque al hacerlo Will dejó claro que él seguiría empleando el título del barón cuando se dirigiera a él. Ergell sonrió, con más calidez de la que Will había visto hasta entonces. El gesto no había pasado desapercibido.

—Will, entonces. Como estaba a punto de decir, quizás podamos planificar una cena oficial de bienvenida para dentro de dos noches. Eso le daría a mi Maestro de Cocina tiempo de preparar algo apropiado.

—Y todos sabemos lo mucho que pueden protestar los Maestros de Cocina si no les damos ese tiempo —dijo Norris con una sonrisa irónica. Will le devolvió la sonrisa. Parecía que los Maestros de Cocina eran iguales en todo el mundo, pensó. La atmósfera de la habitación se aligeró de manera considerable.

—Bueno, si no hay nada más, mi señor, me retiraré —dijo Will. Ergell asintió y Norris volvió a levantarse del banco.

—Por supuesto, Will —dijo el barón—. Si necesitas cualquier cosa en la cabaña, lo que sea, házselo saber a Gordon. —Gordon era el chambelán que había hecho pasar a Will a la sala.

Will vaciló un instante, luego dijo con voz queda:

—Ahí tiene mi nombramiento, señor. —Señaló el rollo de pergamino sobre el escritorio. Ergell asintió varias veces.

—Sí, sí. Quédate tranquilo. Lo miraré cuanto antes. —Sonrió—. Aunque estoy seguro de que no eres un impostor. —Estrictamente hablando, Ergell debería haber roto el sello y leído el nombramiento en cuanto Will se lo entregó. Las normas parecían un poco relajadas en el Feudo de Seacliff, pensó Will. Pero a lo mejor solo estaba siendo puntilloso en cuanto a los detalles.

—Muy bien, mi señor. —Miró a Norris—. Maestro de Lucha —dijo, y el caballero le estrechó la mano una vez más.

—Es un verdadero placer tenerle con nosotros, Guardián —dijo.

—Will —le recordó Will, y el Maestro de Lucha asintió.

—Es un verdadero placer tenerte con nosotros, Will —se corrigió. Will hizo una pequeña reverencia en dirección al barón, giró sobre los talones y salió de la habitación.

De vuelta en la cabaña, encontró a la perra tumbada donde la había dejado. Estaba despierta y dio dos o tres coletazos al suelo al verle. Había otro bol sobre la mesa y Will vio que contenía un caldo de carne. Debajo del bol había un pequeño trozo de pergamino con el burdo dibujo de un perro. Edwina, pensó. El caldo todavía estaba caliente, así que puso el bol en el suelo para la perrita, que se levantó con cuidado y cojeó unos pasos para llegar hasta él. Su lengua empezó a hacer un slurp-slurp-slurp constante mientras comía. Will le acarició las orejas y examinó la herida de su costado. Los puntos todavía aguantaban.

—Menos mal que dejó el dibujo, chica —le dijo—. Si no, puede que me hubiese comido tu cena.

La perra siguió lamiendo el sabroso caldo. Will se dio cuenta de que el olor era delicioso y su estómago vacío gruñó. Edwina le había dejado también una pequeña hogaza de pan con el estofado. Se cortó una rebanada y la masticó con ganas mientras esperaba a que el estofado se calentara en el fogón.

Cinco

Los siguientes días transcurrieron como un torbellino, mientras Will se acostumbraba a su nuevo entorno. La cena de bienvenida que celebró Ergell en su honor en el comedor del castillo fue bastante agradable. Como era un acto oficial, otros maestros de oficios como el Armero, el Maestro de Equitación y el Maestro de Escribas también asistieron, así como los caballeros adscritos al castillo y sus mujeres. Los datos y nombres eran un barullo, pero Will sabía que a lo largo de las siguientes semanas empezaría a recordarlos y asignaría rasgos y caracteres individuales a cada persona. Por su parte, todos parecían curiosos por conocer al nuevo Guardián, y Will era lo bastante pragmático como para darse cuenta de que le precedía cierta reputación.

Como exaprendiz de Halt, uno de los más grandes y famosos miembros del Cuerpo de Guardianes, Will estaba condenado a tener un cierto grado de fama. Pero también era el que había descubierto y desbaratado los planes secretos de Morgarath, el malvado Lord de Lluvia y Noche, cuando atacó el reino hacía poco más de cinco años. Luego había servido de protector de la princesa Cassandra durante su cautiverio a manos de los lobos de mar escandianos. Ese interludio en particular había terminado con una gran batalla contra los temujáis, la fiera caballería de las Estepas de Oriente, y por último, la firma de un tratado de no agresión con los escandianos. Un tratado que seguía vigente hasta ese día.

De hecho, fue su participación en el Tratado de Hallasholm lo que le había dado a Will el nombre por el que se le conocía ahora: Will Treaty. Criado como huérfano en el Castillo de Redmont, no había tenido apellido alguno durante su infancia.

Así que quizás fuese normal que la gente se sorprendiera por su aparente juventud e incluso, en algunos casos, que supusieran que le habían tomado por algún otro Guardián, alguien que debía de ser más mayor y muchísimo más grande. En los años que había pasado con Halt, Will a menudo había sido testigo de la evidente incredulidad en los rostros de la gente cuando conocían por primera vez al hombrecillo de barba gris cuyo pelo desgreñado daba la impresión de haber sido cortado con su propio cuchillo sajón. La gente esperaba que sus héroes cumplieran sus ideales románticos. El hecho de que la mayoría de Guardianes eran más bien pequeños, aunque fibrosos, ágiles y veloces, parecía ir en contra de las creencias populares.

Así que Will se topó con una actitud confusa, e incluso un poco desilusionada, al conocer a sus nuevos vecinos, sobre todo entre las damas de la corte. Seacliff era una zona remota, como había supuesto Will, y la llegada de una celebridad, una a la que el rey Duncan había dado las gracias en persona por proteger a su hija, era motivo de gran anticipación. Si la realidad no cumplía las expectativas de la gente, peor para ellos, pensó.

Por su parte, cuanto más veía de Seacliff, más aumentaba su propia desilusión. Era un feudo bastante agradable, ubicado en una zona preciosa del reino, pero los años de paz y seguridad habían traído consigo una sensación de dejadez y negligencia a la guarnición del castillo. Y la culpa de esa negligencia solo podía atribuirse al barón y a su Maestro de Lucha. Creaba una situación incómoda para Will, pues sentía una simpatía y un respeto genuinos por los dos hombres, pero era innegable que el grado de preparación y entrenamiento de los caballeros y soldados mantenidos por Ergell estaba muy por debajo del nivel aceptable.

Llevaba días dándole vueltas a la mejor forma de sacar el tema con el barón sin ofenderle. Había insinuado de la manera más general que pudo que las cosas parecían un poco demasiado... cómodas. Pero Ergell y Norris se habían reído de sus comentarios y habían parecido tomárselos como cumplidos sobre el estilo de vida relajado y entretenido de Seacliff.

Todos los barones del reino tenían la obligación de mantener una fuerza de caballeros montados y soldados para garantizar la paz del rey en el feudo. Y, en el caso de desencadenarse una guerra, cada castillo debía enviar a sus hombres a unirse al ejército real, bajo el liderazgo del rey Duncan y su consejo interno. Un feudo grande como Redmont mantendría una fuerza de varios centenares de guerreros de caballería e infantería. Seacliff, como uno de los feudos más pequeños, debía mantener a media docena de caballeros, diez aprendices en la Escuela de Lucha y una tropa de infantería de veinticinco soldados. También había disponible una fuerza irregular de quince arqueros si fuese necesaria, sus miembros reclutados entre los aldeanos y granjeros de las tierras aledañas.

Tras varias semanas en Seacliff, Will aún estaba por ver algún tipo de entrenamiento formal por parte de los caballeros y soldados. Hubo unos cuantos entrenamientos con armas, que tuvieron lugar a intervalos aparentemente aleatorios, pero ningún programa real de entrenamiento y práctica, el tipo de trabajo constante que necesitaban los guerreros para mantenerse en forma. Además, los aprendices de la Escuela de Lucha, bajo la dirección general de Sir Norris y dos de sus caballeros de mayor rango, eran chapuceros en sus entrenamientos, e incluso para los jóvenes ojos de Will, su nivel de destreza parecía estar muy por debajo de la de sus contemporáneos en otras Escuelas de Lucha.

Eso sí, el área en el que Seacliff se llevaba la palma era en la cocina. El Maestro de Cocina Rollo era un verdadero artista y su habilidad rivalizaba con la del Maestro Chubb, de Redmont, reconocido desde hacía mucho como uno de los mejores cocineros del reino. A lo mejor eso era parte del problema, pensó Will. La vida en Seacliff era demasiado cómoda, demasiado asentada.

En general, demasiado tranquila.

Durante ese tiempo, Will había viajado varias veces al continente para visitar algunos de los otros pueblos y aldeas a un día de distancia a caballo del castillo. En varias de esas ocasiones, había prescindido de los símbolos de su autoridad como Guardián (la capa moteada gris y verde, el arco largo y la característica vaina de cuchillo doble) y había adoptado la apariencia de un campesino de viaje. Había descubierto que la gente hablaba con mayor libertad delante de un viajero anónimo de lo que lo harían en presencia de un miembro del misterioso Cuerpo de Guardianes. Will tenía la sensación de que no todo iba tan bien como parecía en el feudo de Seacliff. La vida en el castillo podía ser bastante cómoda; sin embargo, la vida en las aldeas y granjas de la periferia lo era un poco menos.

Había rumores de la existencia de salteadores de caminos y bandidos que asaltaban a viajeros solitarios. De desconocidos que eran abordados e incluso, en algunas ocasiones, que desaparecían por completo. Eran solo rumores, y Will sabía que los campesinos, con su vida diaria relativamente tranquila, tendían a exagerar cualquier cosa que se saliera de lo normal hasta el punto en que asumía proporciones desmesuradas. Pero oyó los mismos rumores lo bastante a menudo como para que le diera la impresión de que había al menos algo de verdad en ellos. Además, había oído varias veces el nombre de Buttle, la mayoría de ellas con un deje de incertidumbre que rayaba en el miedo.

Por el lado bueno, la perra había recuperado fuerzas poco a poco y ya casi estaba recuperada de la herida en el costado. Ahora que podía moverse con mayor libertad, Will pudo constatar que era joven; probablemente no hubiese terminado de crecer. Pero la reputación de lealtad e inteligencia de los border collies no era ninguna exageración. La perra se convirtió en una compañía constante para Will y Tug, capaz de correr todo el día al lado del caballito con grandes zancadas y aparentemente sin esfuerzo.

Mucho más esfuerzo dedicó Will a intentar pensar en un nombre adecuado para ella. El comentario de Edwina de que «una perra tan estupenda como esa se merecía un buen nombre» se le había quedado clavado en la mente. Quería algo especial para ella, pero hasta entonces todas sus ideas parecían bastante vulgares. Por el momento, se refería a ella como «la perra» o «chica».

Al principio, Tug parecía meramente divertido por la presencia de la recién llegada negra y blanca, pero a medida que pasaron las semanas, Tug pareció agradecer su compañía, así como la vigilancia adicional que proporcionaba la perrilla a sus campamentos nocturnos mientras Will exploraba sus dominios. Tug estaba acostumbrado a actuar de centinela para Will; todos los caballos de Guardián estaban entrenados para hacerlo. La perra asumió una función complementaria en la tarea, y su sentido del olfato era aún más fino que el de Tug. Los dos animales, unidos por su lealtad hacia su joven amo, enseguida se cogieron cariño y desarrollaron una complicidad que sacaba el máximo provecho de las habilidades de cada cual.

Tres semanas después de que Will llegara a Seacliff, un giro en los acontecimientos dio pie a que se produjeran cambios, por lo menos en lo que respectaba al deficiente entrenamiento de las tropas del barón. Una tarde, Will estaba apoyado en su arco largo, observando a los aprendices de la Escuela de Lucha practicar ejercicios con la espada. Envuelto en su capa y capucha, se hallaba entre las sombras de un pequeño bosquecillo al lado del campo de prácticas, prácticamente invisible mientras no se moviera. La perra, que ya había entendido la necesidad de estarse quieta y pasar desapercibida, estaba tumbada en la larga hieba a su lado, el hocico sobre las patas delanteras. Sus únicos movimientos eran un ocasional respingo de las orejas o una desviación de los ojos para comprobar si Will tenía alguna indicación visual para ella.

Will fruncía el ceño mientras observaba a los aprendices y a su maestro de espadas. Sus movimientos eran técnicamente correctos, pero había una falta de urgencia, una falta de interés en su trabajo que le preocupaba. El entrenamiento era un entrenamiento y nada más. No parecían ver más allá de él, no llegaban a ver la realidad que representaba. Su viejo amigo Horace, ahora caballero en la corte del rey en Araluen, había realizado todos esos movimientos en incontables sesiones de entrenamiento como aprendiz, pero él los hacía con pasión, y con la certeza de que la habilidad para producir esos movimientos con suavidad, sin pensar y sin una voluntad consciente, podía marcar la diferencia entre la vida y la muerte en una batalla. La precisión continua e instintiva de Horace había salvado la vida de Will en al menos una ocasión durante la batalla de Hallasholm.

Will frunció el ceño. En poco más de una semana tendría que enviar al cuartel general de los Guardianes su primer informe mensual sobre el estado de Seacliff. Ya intuía que iba a ser negativo.

Oyó la voz antes de que apareciera el hombre. Luego, unos segundos después, vio una figura corpulenta salir de entre los árboles cerca del castillo. Corría y gritaba, agitando los brazos para llamar la atención. Las palabras todavía eran indescifrables, pero el tono de alarma era obvio en la voz y el lenguaje corporal del hombre.

La perra también lo notó. Un gruñido sordo retumbó en su garganta. Se irguió, alerta al instante.

—Quieta —le advirtió Will. La perra obedeció y se quedó parada. El repicar de armas de entrenamiento en el campo de prácticas se acalló a medida que la gente empezaba a percatarse de la presencia de la figura que corría y gritaba.

Y entonces Will distinguió las palabras que estaba gritando.

—¡Lobos de mar! ¡Lobos de mar!

Eran unas palabras que habían helado la sangre en las venas de los araluanos durante siglos. Los lobos de mar eran saqueadores escandianos que bajaban por la costa desde su tierra nevada, cubierta de bosques de pinos, para saquear los agradables y pacíficos centros costeros de Araluen, la Galia y media docena de otros países. Aterradores bajo sus enormes cascos con cuernos y provocando terribles destrozos con sus gigantescas hachas de guerra, los escandianos y sus barcos lobunos eran una pesadilla.

Pero no aquí. No durante los últimos cuatro años, desde que Erak Starfollower, recién elegido Oberjarl de los escandianos, había puesto su rúbrica a un tratado de paz con Araluen. En realidad, la redacción del tratado solo prohibía cualquier ataque organizado en masa contra el reino de Araluen por parte de los escandianos. Pero en la práctica, también había puesto fin a los saqueos individuales. Aunque Erak no podía prohibir saquear a sus capitanes, era por todos conocido que desaprobaba esas incursiones, pues sentía que tenía una deuda de honor con el pequeño grupo de araluanos que había salvado su país de la invasión temujái. Y cuando Erak no aprobaba algo, eso solía ser suficiente para garantizar que no ocurriría.

El hombre que gritaba ya estaba cerca del campo de prácticas, se tambaleaba y le faltaba el aire. Por su ropa era granjero.

—Escandianos —dijo jadeando—. Lobos... de... mar... en Bitteroot Creek... escandianos...

Exhausto, se dejó caer contra la valla del campo de prácticas, su pecho y sus hombros se agitaban por el esfuerzo. Sir Norris estaba cruzando el campo para interceptarle.

—¿Qué dices? —preguntó—. ¿Escandianos? ¿Aquí?

Había un toque de incredulidad y preocupación en su voz. A pesar de la falta de urgencia en el entrenamiento de sus hombres, Will supo que Norris era un profesional. Puede que se hubiese vuelto descuidado y laxo con los años de paz de los que había disfrutado Seacliff, pero ahora, enfrentado a una amenaza real, tenía la suficiente experiencia como para darse cuenta de que estaba en un lío. Sus hombres no estaban a la altura de una amenaza planteada por un enemigo de verdad.

El granjero estaba señalando el camino por el que había venido. Asentía con la cabeza para confirmar la verdad de lo que había dicho.

—Escandianos —repitió—. Los vi donde Bitteroot Creek desemboca en el mar. ¡Cientos de ellos! —añadió, y esta vez hubo un murmullo de preocupación entre los aprendices y caballeros que se habían reunido a su alrededor.

—¡Silencio! —espetó Norris cortante. Will, que se había acercado sin que le vieran, le habló directamente al granjero.

—¿Cuántos barcos lobunos? ¿Los vio?

El granjero se volvió hacia él, una mirada desconfiada cruzó su cara cuando se dio cuenta de que estaba hablando con un Guardián.

—Uno —dijo—. Enorme era, ¡con una cabeza de lobo gigante en la proa! Lo vi tan claro como el día.

Una vez más, se oyó un murmullo de miedo y especulación entre los que los rodeaban. Norris se giró enfadado y el ruido se acalló al instante. Will miró al Maestro de Lucha a los ojos.

—Un barco —dijo—. Eso serán cuarenta hombres como mucho.

Norris asintió, de acuerdo con el cálculo.

—Más bien treinta si dejan a unos cuantos de guardia a bordo —dijo.

Tampoco es que eso mejorase mucho la situación. Treinta escandianos sueltos por la isla de Seacliff sería una fuerza virtualmente imparable. Los soldados mal entrenados y fuera de forma y los caballeros faltos de práctica que constituían la fuerza de defensa a disposición de Norris ofrecerían poca oposición a esos piratas salvajes, y Norris lo sabía. El Maestro de Lucha maldijo su propia indolencia; se daba perfecta cuenta de que él tenía la culpa de esa situación. Era responsabilidad suya hacer algo; pero también tenía otra responsabilidad, y era cuidar de las vidas de los hombres que tenía a sus órdenes. Conducirlos a la batalla contra una banda de rudos escandianos curtidos en mil batallas sería lo mismo que conducirlos a una muerte segura.

Aun así, era su deber. Will percibió el doble aprieto del caballero: práctico y moral.

—Son muchos más que sus hombres —dijo Will. El castillo contaba con una tropa de veinticinco soldados, pero con tan poco tiempo, Norris tendría suerte si lograba reunir a veinte, junto con tres o cuatro caballeros en el mejor de los casos. En cuanto a los aprendices, Will se estremeció ante la idea de que el chapucero grupo al que había estado observando tuviera que enfrentarse a una banda de resueltos escandianos con sus enormes hachas.

Norris vaciló un instante. Vivía una vida privilegiada, como hacían todos los nobles, pero el privilegio se ganaba y pagaba en momentos como este. Ahora, cuando le necesitaban, no estaba preparado, era incapaz de proteger a las personas que dependían de él.

—No tiene ningún sentido conducir a sus hombres a una muerte segura —dijo Will en voz baja, para que solo el Maestro de Lucha pudiera oírle. La mano de Norris se abría y cerraba en torno a la empuñadura de la espada que llevaba a la cadera.

—Tenemos que hacer algo... —dijo, dubitativo.

Will le interrumpió con calma.

—Y lo haremos —le dijo al hombre más mayor—. Lleve a los aldeanos al interior de las murallas, con todas las pertenencias que puedan llevar consigo. Suelte a los animales en el campo. Desperdíguelos de manera que los escandianos tengan que darles caza si los quieren. Arme a sus hombres y prepárelos. Y pregúntele al Maestro Rollo si puede apañar algo rápido en forma de banquete.

Norris no estaba seguro de si le había oído bien.

—¿Un banquete? —preguntó, totalmente confuso.

Will asintió.

—Un banquete. Nada demasiado especial. Estoy seguro de que nos puede preparar algo. Mientras tanto, voy a tener una charla con esos escandianos.

El Maestro de Lucha abrió los ojos como platos para mirar el joven rostro tranquilo que tenía ante él.

—¿Tener una charla con ellos? —repitió, un poco más alto de lo que pretendía—. ¿Cómo crees que puedes impedir que nos ataquen solo hablando con ellos?

Will se encogió de hombros.

—Pensé que, simplemente, podría pedirles que no lo hicieran —dijo—. Y después pensaba invitarles a cenar.

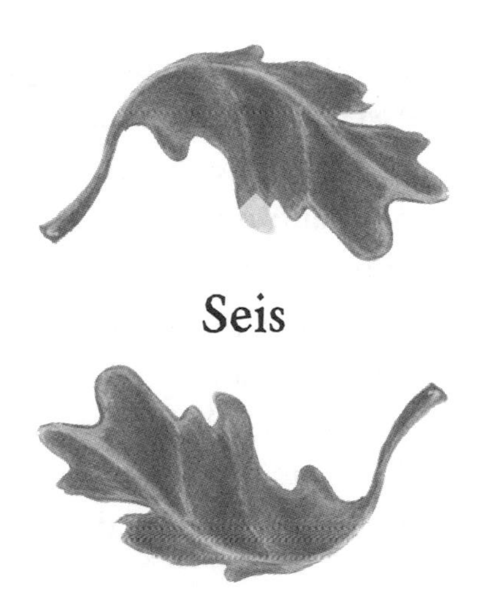

Seis

Bitteroot Creek desembocaba en el océano en la costa este de la isla. Era un lugar protegido, con un montón de árboles de ramas colgantes que crecían hasta la mismísima orilla del agua para proporcionar cobijo, incluso a una nave tan grande como un barco lobuno. El agua era profunda hasta la orilla, lo que la convertía en un lugar ideal para que unos saqueadores desembarcaran. Will bajaba al galope con Tug por el serpenteante camino a través del bosque que llevaba al riachuelo cuando oyó el sonido de unos cascos a galope detrás de él.

Se giró en la montura y frenó a Tug con un suave toque de piernas al reconocer a Sir Norris, que galopaba tras de él sobre su caballo de batalla. El Maestro de Lucha llevaba armadura completa y todas sus armas, y los cascos con herraduras de acero de su enorme caballo tordo habían dejado una nube de polvo flotando a su espalda. La perra, que había estado corriendo en silencio a un lado del camino, al mismo ritmo que Tug, se puso al acecho cuando el caballo de Guardián se detuvo, y observó acercarse a caballo y jinete con la cabeza ladeada a un lado y expresión de curiosidad.

Norris se paró al lado de Will. El caballo de batalla era al menos dos palmos más grande que Tug, y caballo y jinete se alzaban imponentes por encima de ellos. Will inclinó la cabeza a modo de saludo.

—Sir Norris —dijo—. ¿Qué le trae por aquí?

Norris dudó. Will creía saber lo que estaba a punto de decir. Después de unos segundos de vacilación, Norris le contestó.

—No puedo dejar que hagas esto solo, Guardián —dijo, el toque de amargo remordimiento era evidente en su voz—. Es culpa mía que no estemos preparados. He dejado que las cosas se relajaran y lo sé. Ahora no puedo dejar que me saques las castañas del fuego. Iré contigo.

Will asintió pensativo. Le había hecho falta valor para decir eso, y el mismo valor para tomar la decisión de acompañarle a enfrentarse a los escandianos. Sintió una nueva oleada de respeto por el Maestro de Lucha. Si todo aquello salía bien, quizás acabara por ser una bendición. La llegada de un barco pirata desde luego que había dejado bien patente el hecho de que el Feudo de Seacliff no estaba preparado. Y lo hizo mucho mejor de lo que cualquier crítica de Will hubiese podido expresar.

—Aprecio su oferta —le dijo al caballero—. Pero puede que sea mejor que haga esto yo solo. —Vio la sangre invadir el rostro del otro hombre y se apresuró a levantar una mano para calmar su ira—. No es que dude de su valor ni de su habilidad —añadió—. Más bien al contrario, de hecho. Pero creo que tengo más posibilidades de lograr arreglar esto si lo hago por mi cuenta.

—No estarás pensando en enfrentarte a ellos tú solo, ¿verdad? —preguntó Norris.

Will sacudió la cabeza y una sonrisita afloró en sus labios.

—No tengo intención de enfrentarme a ellos, de hecho —dijo—. Pero su presencia, con armadura completa y montado en ese inmenso caballo suyo, puede que no me deje otra elección. Piénselo —continuó, antes de que Norris pudiera interrumpirle—. Nada más verle, obviamente preparado para la batalla, lo más probable es que los escandianos se lancen al ataque sin pensárselo dos veces.

Norris se mordisqueó el labio de abajo. Lo que decía Will tenía sentido. Entonces, el joven Guardián continuó.

—Por otra parte, si me ven a mí solo, puede que estén dispuestos a hablar. Nosotros los Guardianes tendemos a tener un efecto inquietante sobre la gente. Nunca están del todo seguros de lo que podemos estar tramando —añadió, con una gran sonrisa.

Norris tuvo que admitir que eso era verdad. Aun así, era reticente a dejar al joven enfrentarse en solitario a treinta escandianos, armado solo con un arco. Will vio la vacilación y continuó, su voz más insistente ahora al darse cuenta de que se estaba quedando sin tiempo.

—Además, si la cosa se pone fea, siempre puedo huir de ellos sobre Tug… y acabar con unos cuantos por el camino. Por favor, Sir Norris, será mejor a mi manera. —Echó una ojeada por el camino, atento a cualquier signo que indicase que los escandianos se acercaban. Sabía que subirían por ahí, ya que no había otro camino desde la playa. De repente, Norris tomó una decisión. Sobre su caballo ligero y ágil, el Guardián podría ocultarse en el bosque si fuese necesario, o sacarles a esos piratas la ventaja suficiente como para llegar al castillo. Los lobos de mar rara vez utilizaban arcos u otras armas arrojadizas.

—Muy bien —dijo, haciendo girar a su cabalgadura. Will asintió agradecido mientras el caballero picaba espuelas y partía torpemente al galope de vuelta por donde había venido.

A medida que el ruido de los cascos se perdía en la distancia, Will examinó el entorno. En ese punto, el camino discurría relativamente recto a lo largo de cincuenta metros en cada dirección, los árboles estaban un poco más retirados y el suelo era plano, todo lo cual dejaba un espacio abierto y despejado. Sería un sitio tan bueno como cualquier otro para encontrarse con los escandianos, pensó Will. Podría mantenerlos a distancia si fuese necesario y tenía sitio para maniobrar.

Hizo retroceder a Tug diez o doce pasos, luego se detuvo en medio del camino. La perra, con la barriga pegada al suelo, fue hasta él y se tumbó. Will levantó la vista hacia el sol. Estaba un poco por detrás de él, así que deslumbraría a los escandianos. Eso le vendría bien, pensó. Se echó la profunda capucha de la capa por encima de la cabeza y dejó el arco largo cómodamente atravesado sobre el pomo de la montura. Estaba preparado sin ser abiertamente amenazador.

Las orejas de Tug se crisparon y una décima de segundo después la perra emitió un gruñido sordo de advertencia. Will vio movimiento entre las sombras de los árboles en la curva del camino.

—Está bien —les dijo a sus dos compañeros—. Tranquilos. —Se sentó más cómodo en la montura y adoptó una postura relajada. Y esperó a los escandianos.

Gundar Hardstriker, capitán del Nube de Lobo, salió a la luz del atardecer desde la sombra de debajo de los árboles. A su espalda, veintisiete guerreros escandianos marchaban en fila de a dos. Los ojos un poco deslumbrados después de la penumbra del bosque, Gundar se paró, sorprendido por la presencia de una figura solitaria en medio del camino delante de ellos.

No un caballero, ni un guerrero de ningún tipo, pensó. Era una figura enjuta sobre un caballito peludo. Llevaba un arco largo, cruzado de manera casual sobre los muslos, pero ni asomo de ninguna otra arma. Ni hacha, ni espada, ni maza ni garrote. Sus hombres se detuvieron detrás de él, abriéndose en abanico a ambos lados del camino para intentar ver qué estaba causando el parón.

—Un Guardián —comentó Ulf Oakbender, que manejaba el timón de proa a bordo del Nube de Lobo, y Gundar se dio cuenta de que estaba en lo cierto. El resplandor del sol, casi directamente detrás de la figura inmóvil, le había impedido distinguir la capa moteada tan característica de los Guardianes. Ahora, a medida que sus ojos se acostumbraban al cambio de luz, pudo ver los extraños e irregulares dibujos que parecían rielar y moverse con vida propia.

—Buen postmediodía —dijo una voz nítida—. ¿Qué podemos hacer por vosotros?

Fue la sorprendente juventud de la voz y el hecho de que utilizara el saludo tradicional escandiano lo que hizo dudar a Gundar. Detrás de él, oyó a sus hombres musitar, tan perplejos como él por la repentina aparición. Habían esperado resistencia o huida por parte de las personas con las que se encontraran, no una pregunta educada.

Gundar se dio cuenta de que había perdido de algún modo la iniciativa, así que gritó enfadado.

—¡Apártate! Apártate, huye o pelea. Nos da igual lo que hagas. Tú eliges.

Empezó a avanzar de nuevo y la figura se enderezó un poco en la montura.

—Alto ahí. —Ahora la voz tenía un tono autoritario y ni ápice de indecisión. Gundar dudó de nuevo. A su espalda, oyó a Ulf hablarle en voz baja.

—Ten cuidado, Gundar. Estos Guardianes disparan como el mismo demonio.

Como si hubiese oído la advertencia susurrada de Ulf, el Guardián continuó.

—Sigue avanzando y estarás muerto antes de que des dos pasos más. ¿Por qué no hablamos un poco?

Gundar, consciente de que los ojos de todos sus hombres estaban pendientes de él, resopló con desdén y empezó a andar hacia el jinete. Vio un fugaz movimiento borroso. Más tarde, al repasar el incidente, no fue capaz de recordar cuál fue ese movimiento. El extraño dibujo moteado y rielante de la capa confundía a la vista y, además, el Guardián se movió a la velocidad del rayo. Pero sí oyó el brutal *¡hiss thud!* antes de ver como una flecha vibraba en el suelo, su punta clavada justo entre sus pies. Retrocedió a toda prisa.

—Podía haber dado entre tus ojos —dijo la voz con calma, y Gundar supo que era verdad. Bajó el hacha de guerra que había estado descansando sobre su hombro y se apoyó en el mango cuando la cabeza tocó el suelo.

—¿Qué quieres? —preguntó, y la figura se encogió de hombros.

—Solo intercambiar unas palabras entre amigos. No era consciente de que se hubiese rescindido el Tratado de Hallasholm.

—El tratado no prohíbe saqueos individuales —repuso Gundar. Le pareció ver que la figura asentía, aunque era difícil de decir con la capucha cubriéndole la cabeza.

—Quizás no con esas palabras —dijo—, pero se dice que Erak Starfollower lo desaprueba rotundamente... sobre todo cuando se trata de amigos y sus propiedades.

Gundar rio desdeñoso.

—¿Amigos? ¡El Oberjarl no busca amigos entre los araluanos! —exclamó, aunque un gusanillo de duda se retorcía en su estómago al decirlo. Hubo una pausa. El Guardián no contestó a su pregunta directamente. En lugar de eso, miró al cielo y al bajo sol otoñal.

—Es tarde para la temporada de saqueos —dijo Will al cabo de un rato—. Supongo que habéis estado haciendo incursiones en las costas de la Galia y de Iberia, ¿no? —Era una suposición lógica. No había habido noticias de saqueos en la costa sur de Araluen. Ahora, mientras observaba al grupo que tenía delante, creyó entender por qué habían desembarcado ahí—. Será un viaje largo y duro a través del Mar de las Tormentas en esta época del año —comentó, en el mismo tono tranquilo y amistoso—. Los temporales de otoño empezarán pronto. Supongo que vais a pasar el invierno en Skorghijl, ¿no?

Oyó el murmullo de sorpresa que se extendió entre los escandianos. El líder miró de reojo a sus hombres para silenciarlos.

—¿Skorghijl? ¿Qué sabes tú de Skorghijl?

—Sé que es una roca negra a cientos de kilómetros de cualquier sitio. Es húmeda y heladora y totalmente desprovista de comodidades y sin una sola brizna de hierba —le dijo Will—, pero sigue siendo preferible a cruzar el Mar de las Tormentas con mal tiempo. —Hizo una pausa teatral y luego añadió como quien no quiere la cosa—: O al menos lo era cuando yo estuve allí en el Viento de Lobo.

Eso sí que tuvo efecto, pensó Will. El Viento de Lobo había sido el barco lobuno de Erak antes de que le eligieran Oberjarl de los escandianos. Aun así, habría muy pocos araluanos que conocieran este dato; los barcos escandianos no llevaban el nombre pintado. Vio al grupo murmurar en voz baja, vio la incertidumbre en la actitud de su líder a medida que se daban cuenta de que la única forma de que él pudiera saber el nombre del barco de Erak era que conociese a Erak en persona.

Ese era precisamente el pensamiento que rondaba por la mente de Gundar. Aunque no había hecho la conexión obvia, Ulf sí. Agarró a su líder del brazo.

—¡Es él! —le dijo en tono urgente—. ¡El que ayudó a derrotar a los jinetes de oriente!

Gundar miró con más atención a la figura del caballo. Había oído hablar del joven aprendiz de Guardián que había luchado codo a codo con los escandianos hacía cinco años, pero nunca le había visto. Gundar había estado tierra adentro durante la breve y sangrienta guerra contra los temujáis. Ulf no. Había ocupado su puesto en el muro de escudos durante el enfrentamiento final. Cuando Will se retiró la capucha de la capa y la mata de pelo desgreñado quedó a la vista, le reconoció.

—¡Es él, Gundar! —le dijo a su capitán. Luego añadió con una risa lúgubre—: Menos mal que paraste cuando lo hiciste. Le vi vaciar cinco monturas temujáis en otros tantos segundos durante la batalla.

Y Ulf sabía que eso no era todo. Si este era el legendario aprendiz en el que estaba pensando, era buen amigo del Oberjarl... y saquear en su territorio puede que no fuese el mejor espaldarazo para la carrera de un capitán de barco lobuno. Erak era famoso por su lealtad a sus amigos... y por su mal carácter con los que le ofendían.

Gundar, que no era el más espabilado del mundo, había llegado a la misma conclusión unos segundos después que su lugarteniente. Vaciló un instante, sin tener muy claro lo que hacer a continuación. Él y sus hombres tenían una necesidad urgente, que había influido sobre su decisión de saquear Seacliff. Necesitaban provisiones para poder sobrevivir a los largos y gélidos meses de invierno en Skorghijl. La inhóspita isla proporcionaba un puerto seguro para los barcos, pero poca cosa en cuanto a comida, y la expedición del Nube de Lobo había sido de todo menos fructífera en lo que a hacer acopio de suministros se refería. Si navegaban hasta Skorghijl con lo que tenían, lo más probable es que murieran de inanición. En el mejor de los casos, pasarían mucha hambre. Gundar y sus hombres necesitaban saquear. Necesitaban carne y harina y cereales para sobrevivir al invierno. Y vino, si podían conseguirlo, pensó, y su lengua pasó inconscientemente por sus labios secos cuando el pensamiento cruzó su mente. Amigo o no, pensó, el Oberjarl apenas podría culparle por preocuparse del bienestar de su tripulación.

—Márchate, Guardián —dijo al fin, tras tomar una decisión—. Preferiría no levantar mis armas contra un amigo de Skandia, así que te daré una última oportunidad.

Levantó su enorme hacha de nuevo mientras hablaba. Se quedó un poco desconcertado al ver una sonrisa asomar al rostro del joven.

—Eres muy amable —dijo Will en tono cordial—. Y si me marcho, ¿qué vais a hacer vosotros?

Gundar señaló en dirección al castillo y al pueblo aledaño, que sabía que estaba en algún lugar más allá de los árboles.

—Lo que habíamos venido a hacer —declaró—. Cogeremos lo que queremos y nos iremos.

—No conseguirás llevarte demasiado con solo diez hombres —dijo Will en un tono de voz razonable. Gundar resopló enfadado.

—¿Diez? ¡Tengo veintisiete hombres detrás de mí! —Se oyó un gruñido enfadado de asentimiento entre sus hombres; aunque Ulf no se unió a él, según constató Gundar.

Esta vez, cuando el Guardián habló, su voz no mostró ni ápice del tono agradable y razonable. En lugar de eso, sonó dura y fría.

—Todavía no habéis llegado al castillo —dijo Will—. Tengo veintitrés flechas más en la aljaba, y otra docena en las alforjas. Y aún os quedan varios kilómetros de trayecto, todos a tiro de arco desde esos árboles. Aunque no soy muy buen tirador, debería ser capaz de acabar con más de la mitad de tus hombres. Entonces, tendrás que enfrentarte a la guarnición del castillo con solo diez hombres.

Involuntariamente, los ojos de Gundar volaron hacia la línea de árboles. Se dio cuenta de que el Guardián tenía razón. Podía camuflarse en el bosque y mantener un fuego constante sobre ellos mientras intentaban llegar al castillo.

—Intentad venir a por mí y solo me lo pondréis más fácil —añadió Will, y Gundar maldijo furioso en voz baja. Montado a caballo como iba y con la habilidad de un Guardián para evitar ser detectado entre los árboles, Will podría evadirse de sus perseguidores con facilidad al mismo tiempo que hacía trizas a la pequeña banda de escandianos. El capitán sintió la ira bullir en su interior. Estaba atrapado en ese lugar, y no le quedaban opciones. Por una parte, si no saqueaba el pueblo, él y sus hombres se morirían de hambre. Por otra, si lo intentaban, muchos de ellos morirían. Will le observó con atención. Esperaba el momento correcto, justo antes de que la ira bullera hasta el punto de convertirse en frustración activa.

—Por otra parte —dijo Will con calma—, quizás podamos llegar a un entendimiento.

Siete

—¡Ya vienen! —El grito del vigía resonó con fuerza desde la torre más alta del Castillo de Seacliff. El barón Ergell levantó la vista, los ojos entrecerrados debido al resplandor del sol, luego siguió la dirección en la que señalaba el brazo del hombre.

Un grupo de guerreros escandianos estaba emergiendo de entre los árboles al terreno despejado que rodeaba el castillo. Una figura iba a caballo al lado del hombre que los encabezaba. También había, según pudo ver, un perro negro y blanco trotando por delante del grupo.

—¿Ha hablado con ellos, dices? —preguntó Ergell, y Norris asintió, de pie en las almenas al lado de su líder. Cuando había dejado a Will en el camino, no se alejó demasiado. Había observado al Guardián recibir a los escandianos, preparado para ir en su ayuda si hubiese sido necesario.

—Eso es. Se limitó a bloquear el camino y habló con ellos. Le vi hacer un disparo de advertencia… bueno, de hecho no le vi hacerlo —añadió, corrigiéndose—. Simplemente… pasó. Son asombrosos esos Guardianes.

—¿Y dijo algo de un banquete?

Esta vez, Norris se encogió de hombros. Ya le había pasado esa orden a Rollo, por desconcertado que le tuviera.

—Un banquete, mi señor. Aunque qué es lo que tiene en mente... eso ya no podría decírselo.

Mientras hablaban, Ergell había estado contando la fuerza escandiana que se acercaba al castillo. Casi treinta hombres, según pudo ver. No podrían enfrentarse a tantos. Tendrían que aceptar el hecho de que el pueblo sería saqueado y reducido a cenizas. Los aldeanos estarían a salvo dentro de las murallas del castillo y el ganado había sido desperdigado por el campo como había ordenado Will. Pero su gente, las personas que dependían de él, perderían sus casas y sus pertenencias. Y el barón sabía que era culpa suya.

Los escandianos se habían parado a unos doscientos metros del castillo. Ergell vio al Guardián inclinarse en la montura para hablar con su líder, un hombre enorme que llevaba un casco con cuernos y un hacha de guerra de doble filo. Dio la impresión de que llegaban a algún tipo de acuerdo y Will giró a su caballo hacia el castillo y le dejó partir al galope. El perro aceleró desde parado como solo podría hacerlo un perro pastor para mantener su posición por delante de su amo.

—Quizás debiéramos bajar y ver qué tiene en mente —dijo el barón, y él y su Maestro de Lucha se dirigieron a las escaleras que llevaban al patio.

Llegaron a la planta baja justo cuando los guardias estaban dejando pasar a Will por la portilla de la puerta principal. El Guardián saludó al barón y a Sir Norris con un gesto de la cabeza.

—Tenemos un acuerdo con los escandianos, mi señor —dijo. Ergell se dio cuenta de que había hablado en voz bien alta y que había dicho «tenemos», de modo que los que le oyesen asumirían que había estado actuando bajo las instrucciones del barón. Ergell tomó nota de su buen tacto. Hubiera sido fácil para el Guardián socavar su autoridad delante de su propia gente, pero había elegido no hacerlo.

—Ya veo —contestó con voz ronca. No serviría de nada dejar que la gente supiera que no tenía ni la más remota idea de lo que estaba hablando Will. El joven Guardián se acercó y bajó la voz para que solo Ergell y Norris pudieran oírle.

—Necesitan provisiones para el invierno —dijo en voz baja—. Por eso están aquí. Les he dicho que les daremos cinco terneros y diez ovejas, además de una cantidad razonable de cereal para hacer harina.

—¡Cinco terneros! —empezó Ergell indignado, pero la mirada fría de Will le interrumpió a media protesta.

—Se los llevarían de todos modos —dijo—, y destruirían el pueblo de paso. Es un precio bastante barato, mi señor.

Sus ojos tranquilos miraron al barón sin amilanarse. La idea de que Ergell se encontraba en este aprieto debido a su propia negligencia (la suya y la de Norris) flotaba silenciosa entre ambos. En ese sentido, sí que era un precio barato. Ergell vio a Norris asentir, de acuerdo con Will.

—Los terneros pueden cogerlos de mi manada, mi señor —dijo Norris. Ergell sabía que su Maestro de Lucha estaba declarando su parte de responsabilidad en la situación. Suspiró.

—Por supuesto —dijo—. Y las ovejas de la mía. Dé las órdenes, Norris.

Will soltó un pequeño suspiro de alivio para sus adentros. Había esperado que los dos hombres admitieran que esa era la mejor solución. Obviamente, Will podía haber cumplido su amenaza a Gundar, pero no tenía ningunas ganas de disparar a hombres indefensos. Además, sabía bien que incluso solo diez escandianos podían causar grandes destrozos y daños. Y francamente, ya que Ergell y Norris eran culpables de la situación, se merecían pagar por ello.

—Mientras tanto, mi señor, he invitado a Gundar y sus hombres a cenar con nosotros. Supongo que Sir Norris ya le habrá comentado el tema a su Maestro de Cocina...

Ergell se quedó de piedra al oírle.

—¿Cenar con nosotros? —preguntó—. ¿Los escandianos? ¿Quieres dejarlos entrar aquí?

Echó un rápido vistazo a los gruesos muros y la robusta puerta de madera. Will asintió.

—Gundar me ha dado su palabra como timonel de que no habrá ningún problema, mi señor. Un escandiano jamás rompería ese juramento.

—Pero... —Ergell seguía dudando. La idea de dejar a esos piratas salvajes entrar en su fortaleza era demasiado extravagante.

Norris regresó en ese momento, después de haberse ausentado para enviar a uno de los pastores a reunir a los animales desperdigados. Ergell se volvió hacia él, impotente.

—Parece ser que tenemos que dejar entrar a esos piratas en el castillo... ¡y ofrecerles un banquete! —exclamó. Por un momento, vio a Norris reaccionar igual que lo había hecho él. Entonces, el caballero recordó la imagen de la pequeña figura solitaria esperando en el camino para interceptar a los escandianos, y dejó caer los hombros.

—¿Por qué no? —dijo en tono resignado—. Nunca he tratado con un escandiano en un evento social. Será interesante.

Will sonrió a los dos hombres.

—Será ruidoso —comentó. Luego añadió una advertencia—: Pero no intenten igualarles bebiendo. Jamás lo conseguirían.

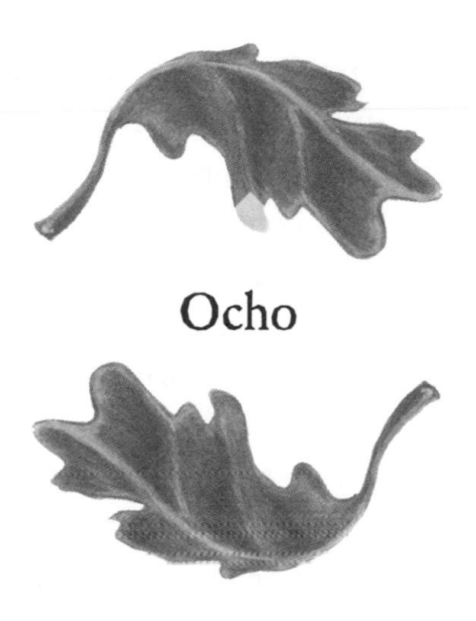

Ocho

Halt Barbagris es un guerrero.
He oído a la gente contar
que Halt Barbagris se corta el pelo
con un tenedor y un cuchillo de trinchar.
Adiós, Halt Barbagris,
que te vaya bien, te decía.
Adiós, Halt Barbagris,
mañana será otro día.

Will tocó un acorde final en la mandola mientras terminaba las últimas palabras y dejó que la nota reverberara en el aire. Delia aplaudió y rio encantada.

—¡Lo haces muy bien! —exclamó, con un deje de sorpresa en la voz—. Deberías venir alguna vez a cantar a la taberna.

Will negó con la cabeza.

—No lo creo —dijo—. A tu madre no le gustaría nada que vaciara su bar con mi música y mis canciones.

A decir verdad, estaba seguro de que la idea de cantar y tocar canciones populares divertidas en una taberna no cuadraba con la dignidad ni con el aire de secretismo de un Guardián. Ahora que lo pensaba, ni siquiera estaba seguro del todo de que debiera estar tocando para Delia. Pero era guapa y simpática y él era joven y se sentía un pelín solo y había decidido que podía darse un poco de margen en el asunto.

Estaban sentados en la veranda de su cabaña. Era última hora de la tarde y el sol otoñal casi se había puesto por el oeste, la luz moteada por las ramas medio desnudas de los árboles. A lo largo de la última semana, desde el banquete con la tripulación escandiana, Delia había empezado a ocupar el lugar de su madre para traerle la cena. Aquella tarde, cuando llegó, Will había estado sentado practicando el estribillo instrumental de *Halt Barbagris*, una secuencia compleja de dieciséis notas, tocadas a un ritmo intenso. Delia le había pedido que volviera a tocarla y que también la cantara. La canción era una melodía tradicional, originariamente titulada *Old Joe Smoke*, que trataba de un pastor sucio y desaliñado que dormía con sus cabras para mantenerse caliente. Cuando Will empezó a aprender a tocar la mandola, la había rebautizado en broma *Halt Barbagris*, en alusión al pelo y la barba desaliñados de su mentor.

—Pero ¿no le parece mal al Guardián Halt que te burles de él de ese modo? —preguntó Delia con los ojos muy abiertos. La reputación de seriedad de Halt era bien conocida en todo el reino. La idea de satirizarle le parecía peligrosa. Will se encogió de hombros.

—Oh, Halt no es tan serio como podrías pensar. De hecho, tiene bastante sentido del humor —comentó.

—Sí, desde luego que se rio cuando te hizo pasar toda la noche encaramado a un árbol después de haber cantado esa canción —les llegó una voz desde detrás. Era una voz familiar. Grave, femenina y con una cadencia única que a Will le recordaba a un arroyo que fluye sobre cantos rodados. La reconoció al instante. Se puso en pie de un salto y se giró hacia la persona que había hablado y ya había llegado al borde del pequeño porche.

—¡Alyss! —exclamó, y una sonrisa de felicidad apareció en su cara. Fue a su encuentro, las manos alargadas en señal de bienvenida. La chica las cogió al subir a la veranda.

Era alta y muy elegante, llevaba un vestido blanco de corte precioso. Era el uniforme oficial del Servicio Diplomático, y sus líneas simples parecían ocultar lo estiloso que era mientras encumbraban su delgada figura de piernas largas hasta la perfección. Su pelo rubio ceniciento era liso y le llegaba a los hombros; caía a ambos lados de su rostro y enmarcaba sus facciones. Unos ojos grises centelleaban en silencio por un chiste privado entre ella y Will. La imagen la completaban una nariz recta, una barbilla fina y una boca que reflejaba el toque de diversión y genuina alegría de sus ojos.

Se quedaron en silencio un momento, encantados de volver a verse. Alyss era una de las más antiguas amigas de Will, pues había crecido, igual que él, como pupila del Feudo de Redmont. De hecho, cuando Will había regresado a Redmont, con el corazón roto por haberse tenido que separar de la princesa Cassandra, se habían convertido poco a poco en algo más que amigos. La elegante aprendiz de diplomática había percibido su necesidad de cariño y afecto y compañía femenina, y había estado más que contenta de proporcionarle las tres cosas. No habían ido más allá de unos cuantos abrazos y besos tentativos bajo la luz de la luna, y quizás por eso había una sensación de asunto pendiente entre ellos.

Delia, al ver la obvia felicidad de los otros por su reencuentro, intuyó la relación y tuvo que rendirse a la evidencia. Era lo bastante realista como para saber que era guapa y alegre y probablemente la chica de su edad más atractiva de la isla, pero esta rubia elegante del vestido inmaculado era más que guapa. Tenía estilo y gracia y era, en una palabra, preciosa. No había nada que hacer, pensó con resignación… y justo cuando las cosas habían empezado a relajarse con ese joven tan interesante y apuesto.

—¿Qué estás haciendo aquí? —preguntó Will cuando por fin encontró la voz y condujo a Alyss a donde él y Delia habían estado sentados. La chica del pueblo se dio cuenta de que Will seguía sujetando una de las manos de Alyss y que ella no había hecho ningún intento por romper el contacto.

—Oh, solo una valija diplomática rutinaria de la corte —dijo, haciendo un gesto con la cabeza para indicar que su misión no era importante—. Las están enviando a la mitad de los feudos. Nada trascendental. Me enteré de que estabas aquí en Seacliff, así que intercambié mi misión con otro Correo para poder venir a verte.

Alyss echó una mirada elocuente a la persona que se encontraba detrás de Will, levantando una ceja exquisita para recordarle al chico sus buenos modales. Will se dio cuenta de que se había olvidado de Delia. Se giró a toda prisa y tiró sin querer la mandola de donde la había dejado, apoyada contra su silla. Hubo un momento de confusión mientras la recogía. Al menos, pensó Delia, eso le obligó a soltar la mano de la Aparición Perfecta.

—¡Lo siento muchísimo! —farfulló Will—. Alyss, esta es Delia, una amiga mía aquí en Seacliff. Delia, esta es la Correo Alyss, una de mis compañeras más antiguas y queridas.

Delia hizo una mueca para sus adentros ante el «queridas», pero sonrió con valor mientras estrechaba la mano que le ofrecía Alyss. Era suave y cálida, por supuesto, y le dio un apretón sorprendentemente firme.

—Encantada de conocerte —dijo. Alyss sonrió, consciente de que Delia estaba de todo menos encantada.

—¿Qué tal estás? —la saludó. Will pasó la vista de una a otra y se frotó las manos sin tener muy claro lo que hacer a continuación. Pero su alegría por ver a Alyss de nuevo fue más fuerte que sus dudas.

—Entonces, ¿te vas a quedar mucho? ¿Tendrás tiempo de que te enseñe la isla? —preguntó. Alyss negó con la cabeza apesadumbrada.

—Solo esta noche y mañana —dijo—. Mañana hay un banquete formal, pero esta noche estoy libre y pensé... —Dejó la frase a medio terminar y Will aprovechó la ocasión con entusiasmo.

—¡Pues entonces cena conmigo! —Hizo un gesto hacia la cabaña detrás de ellos—. Le preguntaré a Edwina si puede preparar algo para dos.

—¿Edwina? —repitió Alyss, arqueando una ceja. Echó una miradita a la cabaña preguntándose si Will tenía ahí una tribu de mujeres. Delia contestó antes de que Will pudiese explicarse.

—Mi madre —dijo—. Regentamos la taberna local. —Le dedicó una sonrisa exagerada a Will—. Yo puedo decírselo si quieres. No será ningún problema para ella y, de todos modos, ya va siendo hora de que me vaya.

Will vaciló un instante, no muy seguro de cómo manejar este giro de los acontecimientos.

—Oh... vaya... bien. —Después, tras una pausa solo un pelín demasiado larga, añadió—: ¿Por qué no te unes a nosotros? Podríamos cenar todos juntos.

Delia sintió un pequeño escalofrío triunfal cuando la sonrisa de la cara de Alyss se apagó un poco, y por un momento, estuvo tentada de aceptar. Pero se dio cuenta casi de inmediato de que lo más probable era que ese pequeño triunfo fuese el único que cosecharía esa noche.

—No. Estoy segura de que tenéis mucho de lo que hablar. Solo os molestaría.

Vio que Alyss no hacía nada por contradecirla; Will, un poco incómodo, al menos fingió intentarlo.

—Bueno, si estás segura... —Will percibía la tensión en el ambiente, pero no tenía ni idea de lo que hacer al respecto. Delia ya estaba recogiendo la pequeña cacerola de loza que había llevado para la cena.

—Me la llevaré de vuelta —comentó—. Es solo un estofado y estoy segura de que mi madre querrá preparar algo especial para una querida amiga del Guardián.

—Genial —contestó Will automáticamente, sin darse ni cuenta de la ironía en su tono. Aún miraba fascinado a Alyss.

Delia esperó un segundo o dos, luego preguntó:

—¿A qué hora os gustaría cenar?

Alyss contestó por él.

—Primero tengo una reunión con el barón —dijo—. Y me gustaría instalarme en mis dependencias y darme un baño antes. Quizás en ¿unas dos horas?

—Dos horas entonces —contestó Delia. Luego añadió dirigiéndose a Will—: Antes de venir, vi a Madre preparando una de sus tartaletas especiales de hojaldre y bayas. A lo mejor querríais un trozo de postre... —Will asintió con alegría, entusiasmado por la idea.

—Eso sería genial. Gracias, Delia —dijo. La chica forzó una sonrisa, se despidió de Alyss con un gesto de la cabeza y dio media vuelta. Echó a andar deprisa hacia la aldea.

—¿Por qué tenías que ofrecerles tarta? —se preguntó mientras caminaba. Era casi como si estuviese intentando empeorar las cosas para sí misma, pensó—. Quizás podrías volver y encender también unas velas románticas para ellos —añadió con amargura.

Echó un último vistazo a la cabaña cuando llegó al final del bosquecillo, pero Will y Alyss ya no le prestaban ninguna atención. Observó con pesar que se estaban dando la mano de nuevo.

—Te estás forjando cierta fama —comentó Alyss, sonriéndole a Will desde el otro lado de la mesa.

—Bueno... me voy apañando —dijo—. En realidad, todo esto es un poco abrumador.

La mirada serena de Alyss le indicó que veía a través de su fingida modestia.

—¿Invitando a la tripulación de un barco lobuno a un banquete? —preguntó Alyss—. ¿Evitando una batalla encarnizada a cambio de unas cuantas cabezas de ganado y un par de odres de vino? Yo diría que manejaste la situación bastante bien.

—Oh, los escandianos no son tan difíciles de tratar cuando los conoces —repuso Will. Luego sonrió. En realidad, estaba bastante orgulloso de la forma en la que había gestionado una situación potencialmente peligrosa—. Además —añadió—, mereció la pena ver a todos esos aburridos caballeros y sus damas sentados a la misma mesa con una tripulación de corsarios sedientos de sangre.

Alyss frunció un poco el ceño mientras deslizaba el dedo por el borde de su vaso.

—¿No fue un pelín arriesgado? —preguntó—. Después de todo, podía haber pasado cualquier cosa con semejante mezcla de gente.

Will sacudió la cabeza con firmeza.

—No una vez que Gundar me dio su palabra de timonel. Ningún escandiano rompería jamás ese juramento. Y sabía que Norris mantendría a su gente bajo control. Era lo menos que podía hacer —añadió en tono elocuente. Alyss percibió el mensaje oculto y arqueó las cejas inquisitiva. Will dudó un instante, tampoco es que quisiera airear los trapos sucios de Seacliff en público. Luego se dio cuenta de que Alyss era miembro del Servicio Diplomático y estaba acostumbrada a oír secretos mucho más importantes que ese—. Norris y el barón habían dejado que las cosas se relajaran mucho por aquí. No hubiesen tenido ni una oportunidad de vencer a los escandianos. Sus hombres estaban mal entrenados, fuera de forma y faltos de práctica. Al menos Norris se dio cuenta de ello y apoyó la idea del banquete.

—Fue una buena idea —dijo Alyss con voz queda. Will frunció los labios pensativo.

—Supongo que fue una suerte que yo cruzara el Mar de las Tormentas cuando lo hice —comentó—. Enseguida me di cuenta de que estaban escasos de provisiones y de que lo más probable era que no sobrevivieran al invierno sin ellas. Al hacer las cosas a mi manera, no tuvieron que pelear por ellas... y además asistieron a un banquete. —Sonrió al volver a recordar el momento.

—Entonces, ¿ya estáis a salvo? ¿Se han marchado? —preguntó Alyss en tono casual. Will negó con la cabeza.

—Todavía están haciendo la matanza y ahumando la carne para que les dure todo el invierno —explicó—. Se quedarán en Bitteroot Creek otros dos o tres días. Luego zarparán.

—¿Quiere eso decir que siguen siendo un peligro para el feudo? —preguntó, pero Will se apresuró a tranquilizarla al respecto.

—El juramento de Gundar todavía está vigente —dijo—. Confío plenamente en él. Sobre todo porque sabe que soy amigo personal del Oberjarl escandiano —añadió con una sonrisa.

—Aun así, vas a informar sobre la dejadez de Norris, ¿verdad? —preguntó Alyss. Igual que los Guardianes, el principal compromiso de los Correos era con el rey. Will asintió.

—Tendré que hacerlo —dijo—. Pero al menos puedo informar de que ha aprendido la lección. Sus hombres llevan entrenando sin descanso desde la mañana siguiente al banquete. Y no es que la elección del momento les sentase muy bien, te lo aseguro. En un mes o así, los tendrá a todos en forma.

—Así que las cosas están bastante bien por aquí, ¿no? —dijo Alyss. Luego añadió, como quien no quiere la cosa—: ¿Habría algún problema si tuvieses que ausentarte un tiempito?

Will iba a coger la jarra de agua cuando Alyss dijo las últimas palabras. Su manó se quedó paralizada en medio del aire y la miró a los ojos. Ahora eran serios, sin pizca del humor o la calidez que habían sido tan evidentes hacía un rato. Will se dio cuenta de que estaba hablando de trabajo.

—¿Ausentarme? —repitió, y Alyss asintió.

—No estoy aquí por casualidad, Will. Oh, sí que había unos cuantos documentos rutinarios que entregar, pero Halt y Crowley me pidieron específicamente que me ocupara de esta tarea y te transmitiera un mensaje. Quieren enviarte a otro sitio.

Will sintió una repentina punzada de duda al oír sus palabras. Quizás su manejo de la situación con los escandianos no hubiese sido tan acertado como pensaba. Alyss vio la preocupación claramente reflejada en su cara y se apresuró a tranquilizarle.

—No es ningún castigo, Will. Están muy satisfechos con cómo manejaste la situación... sobre todo Halt. Tienen una misión temporal de la que necesitan que te hagas cargo.

Will sintió que el peso de la duda se aligeraba al oírla.

—¿Qué tipo de misión?

Alyss se encogió de hombros.

—Yo tampoco conozco los detalles todavía. Es todo muy confidencial —dijo—. Como te he dicho, querían que yo te diera el mensaje porque soy una vieja amiga. Así, la gente no empezará a preguntarse por qué desapareces de repente después de la visita de un Correo. Se limitarán a achacarlo a la predilección habitual de los Guardianes por el secretismo. Con suerte, creerán que mi visita era puramente social... sobre todo con tu novia Delia para avivar los rumores.

Will se sonrojó un poco.

—¡Es solo una amiga! —protestó abochornado.

Pero Alyss no le contestó. Estaba señalando a la perra, que había estado tumbada tan contenta sobre las losetas de piedra calientes al pie de la chimenea. Ahora estaba despierta, las orejas gachas, pegadas a los lados de la cabeza. Enseñaba los dientes. Un gruñido sordo retumbó en su pecho. Tenía los ojos clavados en la puerta de la cabaña.

—Hay alguien fuera —dijo Will en voz baja.

Nueve

Will le hizo un gesto a Alyss para que se quedara donde estaba, luego se puso de pie y se acercó a la puerta en silencio. El cierre se estaba moviendo, muy despacio, mientras la persona del exterior lo probaba para ver si estaba cerrado. Mientras la lengua de madera se levantaba de la hendidura que la mantenía fija, Will tomó posiciones en el lado de dentro de la puerta, bien pegado a la pared.

Le hizo un gesto a Alyss con la barbilla y la chica, tan avispada como siempre, empezó a hablar de nuevo, parloteando sobre Halt y Crowley y sobre cómo mandaban recuerdos para él. Empezó a describir una cena que había disfrutado con ellos con todo tipo de detalles sobre los preparativos y la habilidad del cocinero, el Maestro Chubb de Redmont.

La puerta había dejado de moverse al interrumpirse su conversación. Ahora, cuando Alyss retomó la cháchara, empezó a abrirse con una lentitud infinita. Las bisagras bien engrasadas no emitieron ni un ruido, y Will tomó nota mental de dejar de engrasarlas. Halt siempre había dejado que se formara una pátina de óxido en las bisagras de su puerta delantera. *Así, nadie te puede coger por sorpresa*, le gustaba decir.

Will frunció el ceño. La única persona a la que cogerían por sorpresa hoy, pensó, sería al desconocido del exterior. Por un momento se preguntó si sería Delia, si habría vuelto para escuchar su conversación con Alyss. Pero enseguida descartó la idea. La perra jamás se hubiese comportado como lo había hecho si fuera ella. La puerta ya se había abierto unos quince centímetros y Will alcanzó a ver la mano en el cierre exterior. La mano izquierda de un hombre, según pudo ver. Y sabía que lo más probable es que la mano derecha sujetara un arma de algún tipo. Alyss soltó una sonora carcajada, presumiblemente para convencer al intruso de que estaban totalmente absortos en su conversación fingida. La artimaña pareció funcionar, pues la puerta se abrió más y Will pudo ver buena parte del brazo del hombre a través de la abertura.

Actuó a la velocidad del rayo. Agarró el brazo por la muñeca con la mano derecha y giró para tirar del hombre hacia el interior de la cabaña. Al mismo tiempo, dejó que su giro proyectara su pierna izquierda hacia la entrada a modo de barrera, de modo que el intruso sufrió un tirón hacia dentro y una zancadilla de la pierna estirada.

Con una exclamación de sorpresa, el hombre entró tambaleándose en la habitación, propulsado por el tirón totalmente inesperado de su brazo. Ahí se topó con la pierna de Will para caer rodando al suelo y lanzar una silla hasta un rincón en el proceso.

Pero se recuperó a toda prisa. Rodó sobre sí mismo y se levantó de un salto para encararse con el Guardián.

Como Will había anticipado, llevaba un arma en la mano derecha: una lanza de guerra de punta gruesa sobre una vara de fresno. Agarrándola a dos manos, apuntó con ella hacia Will; la afiladísima punta oscilaba un poco, como para hipnotizar a su enemigo.

Will no se movió. Se quedó de pie, equilibrado sobre el tercio anterior de los pies, listo para reaccionar al instante. No llevaba arma alguna. Alyss, sin embargo, según vio Will con interés, se había puesto de pie, una daga larga y de aspecto peligroso en la mano. La sujetaba con soltura, como si supiera bien cómo usarla.

La perra, nerviosa por el repentino frenesí de movimiento, ladraba hecha una furia. Sin apartar los ojos del intruso, Will le ordenó en tono cortante que se estuviese quieta. La perra se apaciguó, pero siguió gruñendo amenazadora mientras Will estudiaba al desconocido de la lanza.

Era grande, de hombros anchos, con el pelo negro enmarañado y una barba igual de negra. Los ojos eran oscuros y ardían con ira bajo unas cejas espesas, a ambos lados de una nariz grande que se había roto en algún momento y le habían recolocado mal, de modo que había quedado torcida. Llevaba ropa oscura: un jubón y pantalones de lana, y una capa marrón oscuro con capucha. Will no le había visto en la vida, pero sabía quién era.

—John Buttle —dijo con calma—. ¿Qué te trae por aquí?

Una sonrisa desagradable asomó a los labios del hombre cuando contestó. La voz era grave y ronca, y su acento y forma de hablar indicaban que era un plebeyo.

—Me conoces, ¿eh? Vaya suerte.

—Conozco tu *reputación* —contestó Will en tono neutro—. Todo el mundo ha oído hablar de ti en este feudo.

Buttle le miró con desdén.

—¡Reputación! Jamás han probado nada en mi contra. Y jamás lo harán.

—Puede que eso se deba a que nunca quedan testigos con vida después de hacer tu trabajo sucio —repuso Will. Después, añadió cortante—: Y ahora ¡desembucha! ¿Qué estás haciendo rondando a hurtadillas por mi casa en medio de la noche?

Por un instante, una expresión perpleja cruzó el rostro de Buttle. El tono perentorio de Will le cogió por sorpresa. Después de todo, él era el que iba armado. El pequeño Guardián, que ahora que se fijaba parecía todavía un chiquillo, no tenía armas. Oh, sí que llevaba lo que parecía un cuchillo extragrande a la cadera, pero Buttle le tendría ensartado en la lanza antes de que tuviese tiempo de desenvainarlo. En cuanto a la chica rubia, su daga no le asustaba en absoluto.

—He venido a por mi perra —dijo al final—. Me enteré de que me la habías robado y quiero recuperarla. —Miró de reojo a la perra al hablar y ella se agazapó en el suelo e intensificó sus gruñidos—. ¡Cállate ya! —le gritó el hombre, pero la perra solo gruñó aún más fuerte y le enseñó los dientes.

—Desde luego que tienes mano con ella —comentó Will. Hizo un rápido gesto con la mano y el animal se calló al instante.

—¡Muy hábil! —se burló Buttle, ahora enfadado de verdad—. Yo le enseñaré modales, como hice la última vez. Intentó morderme, así que le di una lección.

—Con esa gran lanza, supongo —intervino Alyss—. Vaya, eso debió de ser increíblemente valiente por tu parte. —La chica se reclinó con ademán despreocupado contra el respaldo de la silla en la que había estado sentada mientras examinaba al hombre barbudo con frialdad. Will sonrió en silencio para sus adentros ante la absoluta compostura de su amiga. A Buttle, en cambio, pareció enrabietarle.

—¡No vengas a hacerte la arrogante conmigo, chica! —gritó—. ¡Tú y tu cuchillito y tus tejemanejes secretos de Correo! —El hombre bajó la voz—. O sea que tienes una misión secreta para nuestro Guardián, ¿eh? Apuesto a que habrá unas cuantas personas que querrán pagar por saber de ella. —Will y Alyss intercambiaron una mirada rápida. Buttle vio el intercambio y continuó, cada vez más confiado—. Oh, sí. Os he oído y he oído vuestros planes. Guardianes y Correos, siempre tramando cosas a escondidas, ¿no? Vais a tener que aprender a mantener la voz más baja cuando John Buttle está por aquí.

Ahora estaba en control de la situación y encantado de ver que había hecho añicos la actitud despreocupada de los chicos. Se dio cuenta de que debía de haber escuchado algo muy importante mientras estaba al otro lado de la puerta y su mente criminal estaba trabajando para ver cómo podía sacar provecho de ello. Sus muchos años de experiencia le decían que cuando había algo que alguien deseaba mantener en secreto, era inevitable que hubiese otro alguien dispuesto a pagar por saberlo.

—Oh, Dios mío —le dijo Alyss a Will—. Parece que ha oído nuestra conversación.

Buttle se rio de ella.

—Sí que os he oído, sí. Y no hay nada que podáis hacer al respecto.

Alyss pareció sopesar sus palabras durante un instante. Después, en un tono totalmente objetivo, contestó:

—Parece que no. Aparte de matarte.

Mientras lo decía, dio media vuelta a la larga daga, la agarró por la punta y echó el brazo hacia atrás en un movimiento suave y fluido. Buttle se giró de inmediato hacia ella, adoptó una posición defensiva, en cuclillas, la lanza lista para arremeter...

... y oyó un extraño *¡hiss thunk!* seguido de una fuerte sacudida en ambas manos cuando el cuchillo sajón de Will pareció saltar de su vaina forrada de lana. Sin pausa, voló en un arco cortante para golpear su lanza justo por detrás de la punta de acero.

Pesada como un hacha, afilada como una navaja, la hoja del cuchillo sajón, templada de manera especial, cortó a través de la dura madera de fresno como si fuera queso. La pesada punta cayó al suelo de la cabaña con un repicar sordo y Buttle miró alucinado la lanza, descabezada de repente y aparentemente ingrávida en su mano. Tuvo medio segundo para registrar el hecho antes de que Will se acercara a él, girara de nuevo sobre sí mismo y estampara el mango de latón del cuchillo sajón contra su sien.

Llegado ese momento, John Buttle perdió todo interés en los acontecimientos y cayó al suelo como un saco de patatas.

—Muy hábil —comentó Alyss, impresionada a su pesar por la velocidad de las reacciones de Will. Le dio la vuelta otra vez a la daga y la devolvió a la funda oculta en un pliegue especial en su vestido.

Se sonrieron. La perra, confusa, gimoteó un poco para que le hicieran caso y Alyss se agachó para calmarla, despeinando el pelo alrededor de sus orejas.

—No sabía que os entrenaban para lanzar esas dagas —dijo Will, y Alyss se encogió de hombros.

—No lo hacen. Las hojas son demasiado finas para ir por ahí tirándolas a cualquier cosa como hacéis vosotros los Guardianes. Solo quería distraer a nuestro amigo para que tú pudieras encargarte de él.

Will cruzó hacia el aparador pegado a una de las paredes de la cabaña y rebuscó en uno de los cajones. Sacó varios trozos de cuero crudo, luego fue hasta el cuerpo tumbado bocarriba en el suelo, hizo rodar a Buttle sobre el estómago y le puso las manos a la espalda. Will pasó dos pequeños circulitos de cuero alrededor de los pulgares del hombre, luego los metió directamente a través de un bloque de madera doble para inmovilizarlos.

A continuación, utilizando una versión más grande de las «esposas» de pulgares, inmovilizó también los tobillos de Buttle.

—Muy hábil —comentó Alyss de nuevo. Will examinó su obra y asintió.

—Uno de los Guardianes los diseñó. Los aretes sujetan los pulgares y los tobillos y esta vigota de madera te permite apretarlas sin tener que preocuparte de hacer nudos.

Alyss cogió su vaso y se sentó de lado en la silla. Frunció el ceño mientras miraba al inconsciente Buttle.

—Claro que todavía hay un problema. ¿Qué hacemos con él ahora?

Will empezó a contestar, pero se calló en cuanto se dio cuenta de a lo que se refería.

—Mi misión —dijo—. Lo sabe todo sobre ella.

Alyss asintió.

—Exacto. Hemos planeado todo este subterfugio para que nadie supiera que te habían asignado otro trabajo. Ahora tendremos a este bobo contándoselo a todo el mundo.

Will miró a Buttle, que aún no había movido ni un músculo.

—Obviamente, podría hacer que el barón lo metiera en la cárcel. Te amenazó, y amenazar a un Correo es un delito grave. —Pero Alyss sacudió la cabeza con determinación.

—No es suficiente. Siempre queda la posibilidad de que hable con otros prisioneros, o incluso con sus carceleros. Y no podemos arriesgarnos a que esto se sepa. ¡Maldita sea! A lo mejor tenemos que matarle, Will.

Lo dijo a regañadientes, pero tan tranquila que Will se quedó de piedra. La miró con nuevos ojos. Por primera vez, fue consciente de que su compañera de hospicio había pasado por un proceso de formación tan duro como el suyo. Entonces recordó algo que habían dicho durante su conversación anterior y se le ocurrió una alternativa.

—No creo que tengamos que llegar a eso —dijo—. Tengo una idea. Ayúdame a ensillar los caballos y te la contaré.

Gundar Hardstriker metió la cabeza entre el humo y cortó una tira de ternera de la pieza que estaba colgada encima de los carbones. Sopló con cuidado sobre la carne caliente, le dio un bocado y asintió para sí mientras la saboreaba. Estaba casi perfecta. Era un ternero añojo, tierno y entreverado de grasa, y el aroma ahumado del fuego subyacía bajo el sabor de la carne. Miró a su alrededor por el claro junto al que estaba amarrado el Nube de Lobo, varado en la orilla. Sus hombres estaban ocupados descuartizando y ahumando las últimas piezas de ternera. Ya habían matado a los corderos y habían salado su carne. Calculó que estarían listos en pocas horas. Entonces, habría tiempo para que todos durmieran un par de horas, antes de que la marea alta les permitiera emprender su tardía travesía del Mar de las Tormentas.

Las llamas y el humo de media docena de hogueras iluminaban la escena y proyectaban extrañas formas móviles sobre los árboles que rodeaban el claro. El salvaje mascarón de proa del Nube de Lobo parecía levitar entre el humo, la luz de las llamas jugueteaba sobre los dientes tallados de la cabeza de lobo.

—¡Gundar! —Era John Tarkson, uno de sus gavieros, quien le llamaba desde uno de los extremos del claro. La cabeza del capitán giró con curiosidad y distinguió una forma borrosa que emergía de la oscuridad. Frunció el ceño al darse cuenta de que era el Guardián. Iba a caballo, cosa que parecía ser su estado natural, y llevaba de reata a un segundo caballo cargado con un gran fardo cruzado sobre el lomo.

Gundar levantó la mano para saludarle y echó a andar hacia él. Había aprendido a apreciar al Guardián. Respetaba el ingenio del joven, que había sido capaz de encontrar una solución satisfactoria a una situación peliaguda, y admiraba su obvia valentía.

—¡Bienvenido! —exclamó, y Will le devolvió el saludo antes de echar pie a tierra. A medida que Gundar se acercaba a él, zigzagueando entre las hogueras y las parrillas de carne humeante, vio que el fardo colgado a lomos del segundo caballo era un hombre… inconsciente y atado de pies y manos. Señaló a la forma inmóvil con el pulgar.

—¿Alguien te ha cogido de malas, Guardián? —preguntó.

Will sonrió a modo de respuesta.

—Más o menos. Lleva un tiempo siendo un incordio por estos lares. Se me ha ocurrido que podría seros de utilidad.

Gundar frunció el ceño y se limpió un hilillo de grasa de la barbilla con el dorso de la mano.

—¿De utilidad? —repitió—. Tengo toda la tripulación que quiero, gracias. No necesito a un sureño sin experiencia a bordo del Nube de Lobo. —Dudó un instante, luego añadió—: Sin ofender.

Will sacudió la cabeza.

—Tranquilo. No, en realidad no pretendía ofrecértelo como miembro de la tripulación. Pensé que a lo mejor querías llevártelo como esclavo. Seguís teniendo esclavos en Skandia, ¿verdad?

Hardstriker miró al joven con interés renovado. Desde luego, ese tipo estaba lleno de sorpresas. Había sido una campaña poco provechosa para el Nube de Lobo, como Will había adivinado la primera vez que vio a los escandianos. Un buen esclavo saludable sería un artículo vendible cuando por fin llegaran de vuelta a Hallasholm.

—Sí. Seguimos teniendo esclavos —dijo. Se acercó al caballo y examinó al hombre inconsciente más de cerca. Agarró un mechón de pelo y levantó la cabeza del hombre para mirarle a la cara. Unos treinta años. Parecía grande y fuerte—. ¿Está sano? —preguntó. Will asintió.

—Aparte de una ligera conmoción cerebral, está como una rosa. —Will recordó la cruel herida en el costado de la perra y los rumores de que Buttle era responsable de una serie de asesinatos en la zona—. Seguro que puede soportar horas de trabajo en las paletas.

Las paletas eran un castigo para los esclavos escandianos. Se trataba de grandes palas de madera suspendidas en los pozos durante el invierno. Los esclavos las movían adelante y atrás, arriba y abajo, para mantener el agua en movimiento y evitar que se formara una capa de hielo demasiado gruesa. En el proceso, era inevitable que se salpicaran hasta acabar completamente empapados en agua gélida. En sus días como esclavo escandiano, Will estuvo destinado a las paletas. Ese trabajo casi le mata, antes de que Erak se apiadase de él y le ayudara a escapar.

Gundar estaba negando con la cabeza.

—El Oberjarl suprimió las paletas como forma de castigo —dijo—. Además, sería un desperdicio malgastar un esclavo valioso como este en ellas. —Miró el cuerpo inmóvil de Buttle una vez más, luego tomó una decisión—. Vale —dijo—. ¿Cuánto quieres por él?

Will alargó una mano y tiró de un nudo que mantenía a Buttle sujeto a lomos del caballo.

—Quédatelo. Es un regalo —dijo, tirando del cuello del jubón del bandido para que resbalara y cayera al suelo como un fardo. Buttle gimió con suavidad al hacerlo, luego se calló. Gundar abrió los ojos como platos.

—¿Un regalo?

Will asintió.

—Ha sido un maldito incordio por aquí y yo no tengo tiempo para encargarme de él. Llévatelo y no me des las gracias. Ya me devolverás el favor en algún momento.

El capitán escandiano le miró pensativo.

—Desde luego, estás lleno de sorpresas, Guardián —comentó. Después llamó a gritos a dos de sus tripulantes, que habían estado observando la escena con atención—.

Llevad este paquete a bordo —les dijo—. Metedlo en el pique de proa.

Sonriendo, levantaron al hombre inconsciente y se lo llevaron. Gundar le tendió la mano a Will y el Guardián se la estrechó con firmeza.

—Bueno, tienes razón, Guardián. Te deberé un favor por esto. No solo has conseguido víveres para que mis hombres sobrevivan al invierno, sino que además le has proporcionado a nuestro viaje un pequeño beneficio.

Will se encogió de hombros.

—Me estás haciendo un favor al llevártelo —dijo—. Me alegraré de saber que está fuera de Araluen. Que tengáis buenos vientos y remeros fuertes, Gundar Hardstriker —añadió como despedida, al modo tradicional escandiano.

—Y un camino fácil para ti, Guardián —repuso Gundar.

Will volvió a montarse en Tug. Mientras se alejaba, se imaginó el futuro de Buttle como esclavo en Skandia. Incluso sin las paletas, su vida sería dura.

Diez

Will frenó a Tug y miró a su alrededor por el Recinto de Reuniones casi desierto. Era raro verlo tan vacío, pensó. Transmitía una sensación melancólica.

Por lo general, la pradera casi desprovista de árboles estaría llena de las pequeñas tiendas de campaña verdes de los cincuenta miembros activos del Cuerpo de Guardianes, que se daban cita en el lugar para su Reunión anual. Habría hogueras para cocinar, el rechinar y repicar de las prácticas con armas, medio ahogado por el zumbido de una docena de conversaciones o más y repentinos brotes de carcajadas cuando viejos amigos saludaban a gritos a otros recién llegados a caballo.

En ese momento, los lugares de acampada entre los árboles estaban desnudos. Solo había dos tiendas de campaña montadas en el extremo más alejado de la pradera, donde solía instalarse la gran tienda de mando. Halt y Crowley ya habían llegado, pensó.

Había pasado una semana desde la visita de Alyss al Feudo de Seacliff. La elegante Correo le había dado sus últimas instrucciones: debía esperar dos días después de su partida y luego marcharse con sigilo, sin decirle a nadie que se iba. Luego debía dirigirse al Recinto de Reuniones, donde Halt y Crowley le explicarían su misión. Al despedirse, Alyss puso las manos sobre los hombros de Will y le miró a los ojos con intensidad. Era media cabeza más alta que Will y siempre le había gustado el hecho de que a él no le importara. En realidad, la mayoría de la gente era más alta que Will, así que no suponía ningún problema para él. En cuanto a Will, él admiraba la forma en que Alyss nunca intentaba agacharse o disimular su altura. Se erguía orgullosa, con un porte firme y recto que infundía gracia a todos sus movimientos.

Cuando sus ojos se cruzaron, Will vio un destello de tristeza en los de su amiga. Entonces se inclinó hacia él y sus labios tocaron su boca, ligeros como las alas de una mariposa y sorprendentemente suaves al tacto. Se quedaron así mucho tiempo; al final, Alyss se apartó. Le sonrió con tristeza, lamentaba tener que marcharse tan poco tiempo después de reencontrarse con él.

—Cuídate, Will —le dijo. Él asintió. Sentía cierto escozor en la garganta y no confiaba en sí mismo para hablar en ese momento. Al cabo de unos instantes, consiguió decir:

—Tú también.

Había observado cómo se alejaba con su escolta de dos hombres hasta que los árboles la ocultaron de la vista. Y había seguido observando durante un buen rato más.

Y ahora, ahí estaba, listo para averiguar más acerca de esta misión. Ansioso, inseguro, intrigado, y solo un poco apesadumbrado por el recuerdo de su último momento con Alyss y la vista del Recinto de Reuniones vacío. Entonces, las dudas se desvanecieron y la melancolía desapareció al ver una figura familiar, bajita y fornida, moviéndose cerca de uno de los árboles.

—¡Halt! —gritó con alegría, y una ligera presión de piernas puso a Tug al galope a través del Recinto desierto. La perra, pillada por sorpresa, ladró una vez y salió disparada tras ellos como la flecha de un arco.

El Guardián de rostro serio se irguió al lado de la hoguera al oír la voz de su antiguo alumno. Se quedó ahí de pie, las manos sobre las caderas y el ceño fruncido, mientras Will y Tug galopaban hacia él. Pero en su interior, sintió que se le aligeraba el corazón, algo que nunca dejaba de sentir cuando estaba en compañía de Will. Se dio cuenta, y no por primera vez, de que Will ya no era ningún crío. Nadie llevaba la Hoja de Roble Plateada si no había demostrado merecerla. Y aunque no era dado a semejantes arrebatos, sintió una oleada de orgullo.

Tug clavó las patas delanteras en la tierra y echó todo su peso sobre los cuartos traseros para hacer una parada a raya al lado del Guardián, levantando una espesa nube de polvo por los aires. Halt se sintió envuelto en un abrazo de oso cuando Will poco menos que se tiró de la montura y le abrazó con infinita alegría.

—¡Halt! ¿Cómo estás? ¿Qué has estado haciendo? ¿Dónde está Abelard? ¿Cómo está Crowley? ¿De qué va todo esto?

—Me alegro de que consideres que mi caballo es más importante que el comandante de nuestro Cuerpo —comentó Halt, con una ceja arqueada en la expresión que

Will tan bien conocía. Al principio de su relación, pensaba que era una expresión de desagrado. Hace años que había aprendido que, para Halt, era el equivalente a una sonrisa.

Por fin, Will liberó a su mentor de su abrazo y dio un paso atrás para mirarle con atención. Solo habían pasado unos meses desde que viera a Halt por última vez, pero le sorprendió ver que el gris de la barba y el pelo del veterano Guardián era más abundante de lo que recordaba.

—Gracias a Dios que nos preocupamos tanto de mantener esta reunión en secreto para que pudieras llegar aquí a galope tendido gritando a pleno pulmón —dijo Halt. Will le sonrió, con absoluto descaro.

—No hay nadie cerca para oírme —dijo—. He recorrido todo el perímetro del recinto antes de entrar. Si hay alguien más en cinco kilómetros a la redonda, me comeré mi aljaba.

Halt le miró, la ceja arqueada una vez más.

—¿Alguien?

—Alguien más aparte de Crowley —se corrigió Will, haciendo un gesto desdeñoso—. Le vi observándome desde ese escondite que usa siempre a unos dos kilómetros de aquí. Supongo que ya habrá vuelto.

Halt se aclaró la garganta de manera exagerada.

—Oh, así que le viste, ¿no? —dijo—. Vaya, estará encantado de saberlo. —En secreto, estaba contento con su expupilo. A pesar de su curiosidad y obvio entusiasmo, no había olvidado tomar las precauciones que le había grabado a fuego. Eso era un buen augurio para lo que se avecinaba, pensó Halt, y una repentina seriedad se apoderó de él.

Will no se percató de su cambio de humor momentáneo. Estaba aflojando la cincha de la montura de Tug. Al hablar, sus palabras sonaron medio ahogadas por el flanco del caballo.

—Se está convirtiendo en una criatura de costumbres —comentó—. Ha usado ese escondite al menos en las tres últimas Reuniones. Ya es hora de que intentara algo nuevo. Todo el mundo debe de conocerlo ya.

Los Guardianes no hacían más que competir los unos con los otros para ver antes de ser vistos, y la Reunión de cada año era un momento álgido para esa competitividad. Halt asintió, pensativo. Crowley había construido ese puesto de observación casi invisible hacía unos cuatro años. Will fue el único de los Guardianes jóvenes en dar con él después de un año. Halt nunca le había mencionado que él era el único que sabía del escondite de Crowley. El puesto oculto era el orgullo y la alegría del comandante del Cuerpo.

—Bueno, quizás no todo el mundo —dijo. Will emergió de detrás de su caballo, sonriendo ante la idea de que el jefe del Cuerpo de Guardianes creyera que había permanecido oculto a la vista mientras observaba la llegada de Will.

—De todos modos, quizás esté un poco carca ya para ir por ahí escondiéndose entre los arbustos, ¿no crees? —preguntó en tono alegre. Halt sopesó la pregunta durante un instante.

—¿Carca? Bueno, es una opinión. Eso sí, su habilidad para moverse con sigilo sigue siendo tan buena como siempre —dijo con cierta sorna.

La sonrisa de la cara de Will se desvaneció poco a poco. Se resistió a la tentación de mirar a su espalda.

—Está detrás de mí, ¿verdad? —le preguntó a Halt. El veterano Guardián asintió—. Y lleva ahí un rato, ¿no? —continuó Will. Halt volvió a asentir—. ¿Está… lo bastante cerca como para haber oído lo que he dicho? —consiguió decir Will al fin, temiéndose lo peor. Esta vez, Halt no tuvo que contestar.

—Oh, santo cielo, no —le llegó una voz familiar desde detrás de él—. Está tan viejo y decrépito estos días que está sordo como una tapia.

Will dejó caer los hombros y se volvió para ver al comandante de pelo trigueño de pie a unos metros de distancia. El joven bajó los ojos al suelo.

—Hola, Crowley —dijo, luego farfulló—: Ahhh... siento eso.

Crowley miró al joven Guardián con cara de pocos amigos durante unos segundos más. Luego, no pudo evitar que una sonrisa asomara a su cara.

—No pasa nada —dijo, y añadió con una nota triunfal—: Ya casi nunca logro coger por sorpresa a jóvenes como tú.

No lo admitiría jamás, pero estaba impresionado por la noticia de que Will hubiese detectado su escondite. Solo los ojos más avispados hubiesen sido capaces de verlo. Crowley llevaba treinta años o más en el arte de ver sin ser visto y, a pesar de lo que creyera Will, seguía siendo un maestro absoluto del camuflaje y el movimiento indetectable. En ese momento, vio otro movimiento: una cola que se meneaba. Se arrodilló para mirar a la perra más de cerca.

—Hola —dijo con dulzura—, ¿tú quién eres?

Alargó una mano, los nudillos ligeramente flexionados y los dedos apuntando hacia abajo, y la perra dio unos pasos con cautela, olisqueó la mano. Entonces meneó la cola de nuevo y levantó las orejas a una posición de alerta.

Crowley adoraba a los perros y ellos lo percibían y parecían identificarle como amigo a la primera de cambio.

—¿Cómo te llamas, chica? —preguntó el comandante.

—Todavía no la he bautizado. Me la encontré de camino a Seacliff —explicó Will—. Estaba herida, casi muerta. Su antiguo amo había intentado matarla.

El rostro de Crowley se oscureció. La idea de la crueldad hacia los animales le resultaba aberrante.

—Confío en que hayas tenido unas palabritas con ese hombre —dijo.

—Bueno, en cierto modo, sí —repuso Will. Vio las cejas arqueadas de Halt. Su antiguo maestro siempre sabía cuándo Will no estaba contando todo lo que sabía sobre algo. Crowley, sin dejar de rascarle a la perra detrás de las orejas, también levantó la vista con curiosidad.

—¿En cierto modo?

Will se aclaró la garganta con nerviosismo.

—Tuve que encargarme de él, pero no por la perra. Bueno, no directamente. Quiero decir, fue por ella que se presentó en mi cabaña esa noche y oyó lo que estábamos diciendo y luego... Bueno, supe que teníamos que hacer algo con él porque había oído demasiado. Y entonces Alyss dijo que a lo mejor teníamos que... ya sabéis... pero pensé que a lo mejor eso era un poco drástico. Así que, al final, fue la mejor solución que se me ocurrió. —Hizo una pausa, consciente de que los dos hombres le estaban observando con cara de no entender ni una palabra—. Lo que quiero decir es —repitió— que tuvo *algo* que ver con la perra, pero en realidad no directamente, si es que entendéis lo que quiero decir.

Se produjo una larga pausa antes de que Halt dijera, despacio:

—No, de hecho no entiendo nada.

Crowley miró a su viejo amigo.

—¿Has tenido a este joven contigo durante... qué, seis años? —preguntó.

Halt se encogió de hombros.

—Más o menos —contestó.

—¿Y alguna vez entendiste algo de lo que decía?

—No demasiado, no —confirmó Halt.

Crowley sacudió la cabeza, asombrado.

—Menos mal que no entró en el Servicio Diplomático. Ya estaríamos en guerra con media docena de países si anduviera por ahí suelto. —Volvió a mirar a Will—. Dinos con palabras sencillas y, si es posible, terminando todas las frases que empieces, qué tienen que ver la perra y esa persona y Alyss en todo esto.

Will respiró hondo para empezar a hablar. Se percató de que ambos hombres daban medio paso involuntario hacia atrás y decidió que más le valía intentar contarlo todo de la manera más simple posible.

Cuando terminó de contar la historia, Crowley y Halt se enderezaron un poco y miraron a Will con cierto grado de preocupación.

—¿Lo vendiste como esclavo? —preguntó Crowley al final. Will negó con la cabeza.

—No lo vendí. Lo... entregué *como* esclavo. Era dárselo a los escandianos o matarle. Y no creí que mereciera morir.

—¿Pero sí creíste que merecía ser... entregado... a la esclavitud? —preguntó Crowley. Will adoptó una expresión de determinación antes de contestar.

—Sí, lo creo, Crowley. El hombre tiene un largo historial de crímenes y violencia. Es probable que haya sido responsable de más de un asesinato. Aunque tampoco es que haya pruebas que fueran a ser válidas ante un tribunal —añadió.

Halt se rascó la barba en ademán pensativo.

—Después de todo —aportó en tono suave—, parte de nuestro trabajo es encargarnos de casos en los que no hay pruebas suficientes para una condena. —Crowley le lanzó una mirada reprobatoria.

—Eso no está aprobado de manera formal, como bien sabes —dijo. Halt asintió, aceptando lo que decía, pero luego continuó con el mismo tono suave.

—O sea que el caso de Arndor de Crewse no sentaría un precedente para nada, ¿verdad? —preguntó, y Crowley movió los pies incómodo. Will miró a los dos hombres, confuso por el giro de la conversación.

—¿Arndor de Crewse? —preguntó—. ¿Quién era?

Halt le sonrió.

—Era un gigante. Más de dos metros de altura. Y un bandido. Tuvo aterrorizado al pueblo de Crewse durante varios meses hasta que un joven Guardián se encargó de él... de un modo relativamente poco convencional. —Al ver el interés de Will y el apuro de Crowley, Halt continuó su explicación con un ligerísimo asomo de sonrisa—. Lo encadenó a la rueda de un molino del pueblo y dejó que la gente de Crewse lo utilizara como mula de tiro para el molino durante un periodo de cinco años. Parece ser que sirvió para darle un escarmiento a su alma y también trajo bastante prosperidad al pueblo. La harina de Crewse se hizo famosa por la finura de su molienda.

Crowley aprovechó el momento para interrumpir su relato.

—Mira, era una situación diferente y yo... —Se dio cuenta de su error e intentó corregirlo, pero ya era demasiado tarde—. Al Guardián en cuestión... no se le ocurrió otra forma de encargarse de él. Pero al menos estaba indemnizando de algún modo a la gente a la que había hecho daño. No fue vendido sin más a una potencia extranjera.

—Bueno —dijo Halt—, este tipo, Buttle, tampoco. Y además, como ha señalado Will, no fue vendido. Fue entregado. Lo más probable es que un buen abogado pudiese lograr que se admitiera que, sin dinero de por medio, no se hizo nada en contra de las leyes del país.

Crowley bufó desdeñoso.

—¿Un buen *abogado*? —dijo—. Eso no existe. Muy bien, joven Will, supongo que tomaste la mejor decisión posible y, como tu abogado aquí presente dice, técnicamente no se ha cometido ningún delito. Ahora, quizás deberías montar tu tienda. Hablaremos después de cenar.

Will asintió y le dedicó una sonrisa a Halt, que arqueó la ceja una vez más. Cuando Will se alejó para montar su tienda de campaña, Crowley se acercó un poco a su viejo amigo y le habló en voz baja para que Will no pudiera oírle.

—¿Sabes que no es mala forma de tratar con casos difíciles? —le dijo en un susurro—. A lo mejor deberías ponerte en contacto con tu amigo Erak y ver si podríamos hacerlo con mayor regularidad.

Halt le miró en silencio durante unos instantes.

—Claro. Después de todo, este país tiene un número limitado de molinos de harina.

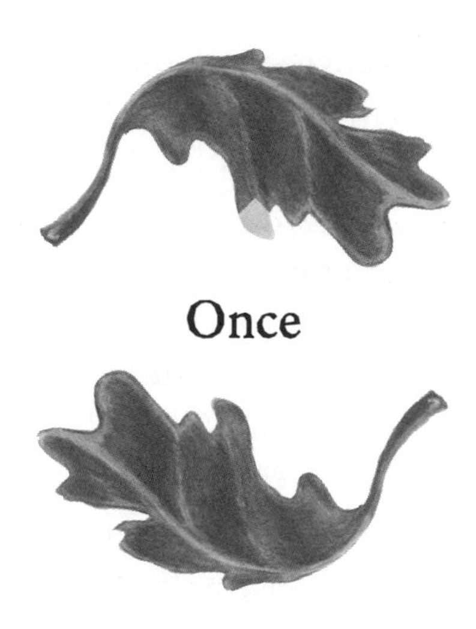

Once

Los tres Guardianes estaban sentados cómodamente en torno a la hoguera que había encendido Will. Habían cenado muy bien. Crowley había llevado consigo filetes de venado y los habían cocinado, siseando y chisporroteando, sobre unas piedras planas calentadas entre las brasas del fuego. Habían completado el menú con patatas hervidas, aderezadas con grandes cantidades de mantequilla y pimienta, y verduras de hoja que habían escaldado unos minutos en una cazuela con agua hirviendo. Ahora, sujetando entre las manos unas tazas de café que había hecho Halt, estaban sentados en un silencio cordial.

Will estaba impaciente por conocer los detalles de su misión, pero sabía que no tenía ningún sentido precipitar las cosas. Crowley y Halt se lo contarían cuando les pareciese oportuno, y nada de lo que él dijera o hiciera lograría hacer que se lo contasen antes de lo planeado. Hacía unos años, hubiese estado loco de nervios, sin parar de moverse e incapaz de relajarse. Pero, junto con las otras destrezas de un Guardián, Will había aprendido a tener paciencia. Mientras esperaba ahí sentado a que sus superiores abordaran el tema, sintió la mirada aprobadora de Halt sobre él de vez en cuando. Su exprofesor parecía estar evaluando esta recién descubierta cualidad. Will levantó la vista una vez y pilló a Halt mirándole. Dejó que una sonrisa asomara a sus labios. Estaba contento de poder demostrarle su paciencia.

Al final, Halt se acomodó un poco mejor sobre el duro suelo y se volvió hacia Crowley.

—¡Oh, vamos, Crowley! ¡Empecemos ya, por el amor de Dios! —exclamó exasperado.

El comandante del Cuerpo le dedicó a su amigo una gran sonrisa.

—Creí que estábamos poniendo a prueba la paciencia de Will, no la tuya —comentó. Halt hizo un gesto enfadado.

—Pues considera su paciencia probada.

La sonrisa de Crowley se apagó poco a poco mientras ordenaba sus pensamientos. Will se inclinó hacia delante para oír los detalles de su nueva misión. Se había pasado los últimos días haciendo todo lo posible por reprimir su curiosidad y, ahora que el momento había llegado, tenía la sensación de no poder esperar ni un segundo más. Se había estado devanando los sesos para intentar averiguar cuál podía ser su misión y se le habían ocurrido varias posibilidades, la mayoría de ellas relacionadas con su experiencia en Skandia. Sin embargo, las primeras palabras de Crowley las borraron todas de un plumazo.

—Parece que tenemos un problema de hechicería en el norte —dijo.

Will se echó hacia atrás sorprendido.

—¿Hechicería? —preguntó, su voz un poco más aguda de lo que pretendía. Crowley asintió.

—Eso parece —dijo, dándole énfasis a la última palabra. Will miró de Crowley a Halt. El rostro de su antiguo profesor no revelaba nada.

—¿Creemos en la hechicería? —le preguntó a Halt. El hombre más mayor se encogió un poco de hombros.

—El noventa y cinco por ciento de los casos que he visto yo no han sido más que trucos y palabrería —dijo—. Nada que no pudiera ser solucionado con una flecha bien dirigida. Después, hay otro tres por ciento o así que implica la dominación y manipulación de una mente más débil por parte de una más fuerte… el tipo de control que ejercía Morgarath sobre sus wargals.

Will asintió despacio. Morgarath, un antiguo barón que se había rebelado contra el rey, había liderado un ejército de bestias guerreras que estaban completamente sometidas a su voluntad.

—Otro uno por ciento lo constituyen el tipo de alucinaciones en masa que algunas personas son capaces de crear —intervino Crowley—. Es un caso parecido de control mental, pero uno que hace a la gente «ver» u «oír» cosas que en realidad no existen.

Hubo un momento de pausa. Una vez más, Will miró de uno a otro.

—Eso deja un uno por ciento —dijo al cabo de unos instantes. Los dos hombres más mayores asintieron.

—Veo que tu capacidad para sumar ha mejorado —contestó Halt, y se apresuró a continuar antes de que Will pudiese hacer comentario alguno—. Sí, como dices, eso deja un uno por ciento de los casos.

—¿Y me estáis diciendo que son casos de brujería? —preguntó Will, pero Halt sacudió la cabeza con aire sombrío.

—Estoy diciendo que no podemos encontrarles una explicación lógica —dijo. Will se movió impaciente en su asiento, intentaba acorralar a su antiguo profesor de un modo u otro.

—Halt —dijo, mirando con determinación a los ojos del barbudo Guardián—, ¿crees en la hechicería?

Halt vaciló un instante antes de contestar. Era un hombre que había trabajado con datos desde siempre. Su misión en la vida había sido recopilar datos e información. La incertidumbre le resultaba aberrante. Y aun así, en este caso...

—No creo en ella —dijo, eligiendo sus palabras con mucho cuidado—, pero tampoco es que no crea en ella. En los casos en los que no parece haber ninguna causa o explicación lógica, estoy dispuesto a mantener la mente abierta al respecto.

—Y creo que es probable que esa sea la mejor actitud que podemos tomar —le interrumpió Crowley—. Quiero decir, es obvio que hay una fuerza malvada que influye sobre nuestro mundo. Todos hemos visto demasiados ejemplos de comportamiento criminal como para ponerlo en duda. ¿Quién puede afirmar que no existe alguna persona aislada que es capaz de invocar esa fuerza o canalizarla en su propio beneficio?

—De cualquier manera —comentó Halt—, recuerda que estamos hablando de un caso entre cien. E incluso aunque así fuese, estamos diciendo que puede que sí y puede que no sea algo real. Si es que esa realidad existe siquiera.

Will sacudió la cabeza despacio, luego bebió un largo trago de café.

—Me estoy liando un poco —comentó al final. Halt asintió.

—Solo ten una cosa presente. Hay más del noventa por ciento de posibilidades de que el caso con el que estamos tratando aquí no sea brujería... solo lo parece. Agárrate a esa idea y mantén la mente abierta para todo lo demás. ¿Vale?

Will asintió con un gran suspiro.

—Muy bien —dijo—. ¿Y cuáles son los detalles del caso? ¿Qué queréis que haga?

Crowley le hizo un gesto a Halt para que continuara con la sesión informativa. Sabía que el vínculo entre maestro y pupilo aún era fuerte, y eso le permitiría dar unas instrucciones más concisas, con menos probabilidades de malentendido o confusión. Esos dos casi podían leerse la mente.

—Muy bien —empezó Halt—, en primer lugar, estamos hablando del Feudo de Norgate...

—¿Norgate? —interrumpió Will, la sorpresa evidente en su voz—. ¿No tenemos un Guardián destinado en ese feudo?

—Sí que lo tenemos —confirmó Halt—. Pero es conocido en la zona. Reconocible. La gente tiene miedo y está confusa, y la última persona con la que hablarían en este momento es con un Guardián. La mitad de ellos creen que nosotros mismos somos brujos —añadió en tono sombrío. Will asintió. Sabía que era verdad.

—Pero ¿no desconfiarán de mí, si aparezco ahí sin más? —preguntó—. Después de todo, puede que no me conozcan, pero *sí soy* un Guardián.

—No vas como Guardián —le informó Halt.

Ese detalle en particular consiguió detener la cascada de preguntas que Will estaba a punto de soltar. A decir verdad, se quedó un poco consternado por la noticia.

Es verdad que los Guardianes ponían nerviosos a la gente; pero también había un prestigio innegable en ser miembro del Cuerpo. Los caballeros y barones del reino (e incluso a veces el mismísimo rey) buscaban su opinión y la respetaban. Su habilidad con las armas de su elección era legendaria. No estaba seguro de si quería dejar todo eso a un lado. No estaba seguro de si, sin el aura de ser un Guardián para dar alas a su confianza, sería capaz de manejar realmente una misión difícil y peligrosa. Y esta misión ya tenía pinta de ir a ser las dos cosas.

—Nos estamos precipitando —dijo Crowley—. Hablemos de la situación general antes de entrar en detalles.

—Buena idea —dijo Halt. Le lanzó a Will una mirada elocuente y el joven asintió. Sabía que ahora era el momento de escuchar sin interrumpir—. Muy bien. El Feudo de Norgate es un poco singular en el reino, en cuanto a que además del Castillo de Norgate, en el centro del feudo, hay otro castillo en un condado muy al norte.

Mientras Halt hablaba, Crowley desplegó un mapa de la zona en el suelo entre ellos. Will se arrodilló para estudiarlo. Tocó el mapa donde estaba indicado el castillo en cuestión, prácticamente en la frontera norte del feudo.

—El Castillo de Macindaw —murmuró, y Halt asintió.

—Es más una fortaleza que un castillo —explicó—. Es un poco escaso en lujos y abundante en posición estratégica. Como puedes ver… —Halt cogió una de sus flechas negras de la aljaba a su lado y la usó para señalar las escarpadas montañas que separaban Araluen de su vecino del norte, Picta—. Está situado de tal modo que domina y controla el desfiladero de Macindaw entre las montañas.

Hizo una pausa y observó mientras el joven tomaba buena nota de la situación, los ojos clavados en el mapa. Al final, Will asintió y Halt continuó.

—Sin el Castillo de Macindaw sufriríamos incursiones constantes de los escotos, la tribu salvaje que controla las provincias del sur de Picta. Son saqueadores, ladrones y luchadores. De hecho, sin Macindaw, nos costaría un mundo mantenerlos fuera del resto del Feudo de Norgate. Hay un largo trecho hasta el norte y a un ejército no le resulta fácil viajar en invierno. Sobre todo cuando el grueso de nuestras tropas procede de los feudos del sur; no están acostumbrados al clima tan extremo que se da ahí arriba.

Will asintió para sí y volvió a sentarse. La imagen del mapa ya estaba grabada a fuego en su mente. Levantó la vista hacia Halt cuando el hombre más mayor continuó hablando.

—Así que puedes entender por qué nos ponemos un pelín nerviosos cuando cualquier cosa parece alterar el equilibrio natural de las cosas en el Feudo de Norgate —dijo.

Will volvió a asentir.

—Cuando Lord Syron, el comandante de Macindaw, cayó presa de una misteriosa enfermedad, nuestra preocupación fue comprensible. Esa preocupación fue en aumento cuando empezamos a oír alocados rumores de hechicería. Parece ser que, hace unos cien años, uno de los antepasados de Syron tuvo un enfrentamiento con un hechicero local.

—Halt intuyó la pregunta que tenía Will en la punta de la lengua y levantó una mano para que se la ahorrara—. No lo sabemos. Podía ser control mental. Podía ser un charlatán. O quizás era algo real. Como he dicho, todo ocurrió hace cien años, así que hay muy pocas pruebas concluyentes y mucha histeria anecdótica. De acuerdo con todos los relatos sobre el asunto, era un hechicero genuino, de pura cepa, que llevaba cientos de años peleado con la familia de Syron. La aparición más reciente fue el final de una larga sucesión de enfrentamientos. Ten en cuenta que estamos hablando de mito y leyenda, así que no esperes que tenga mucho sentido.

—¿Qué le pasó al hechicero? —preguntó Will, y Halt se encogió de hombros.

—Nadie lo sabe. Parece ser que infligió al antepasado de Syron todo tipo de afecciones misteriosas. Como es natural, los curanderos no pudieron identificar o tratar ninguna de ellas. Nunca pueden cuando creen que hay brujería de por medio —dijo, con un toque desdeñoso en la voz—. Pero entonces, un joven caballero de la casa se propuso librar a la provincia del hechicero. De acuerdo con todas las convenciones de este tipo de mitos, era puro de corazón, y su nobleza de carácter le permitió derrotar al brujo y expulsarle del lugar.

—¿No le mató? —intervino Will, pero Halt negó con la cabeza.

—No. Por desgracia, nunca lo hacen. Eso permite que leyendas como esta vuelvan a resurgir años después, como ha ocurrido ahora. La situación actual es que, hace unas seis semanas, Syron había salido a cabalgar cuando de pronto cayó de su caballo. Cuando sus hombres llegaron hasta él, tenía la cara azulada, la boca llena de espumarajos y lanzaba gritos agónicos.

»Sus hombres consiguieron llevarle a casa y los curanderos se quedaron totalmente perplejos por su estado. Todo lo que pudieron hacer fue sedarle para aliviarle del dolor. Desde ese día, no ha mejorado y permanece al borde de la muerte. Si le despiertan para alimentarle o darle agua, el dolor le golpea de nuevo, empieza a gritar y se le llena la boca de espuma. Pero si le dejan sedado, se debilita más y más con el paso de los días.

—Deja que lo adivine —dijo Will cuando Halt hizo una pausa—. Esos síntomas son idénticos a los que sufrió su antepasado de la leyenda.

Halt señaló al joven con un dedo.

—Lo has pillado a la primera —confirmó—. Lo que obviamente ha propiciado los rumores de que Malkallam ha vuelto.

—¿Malkallam? —preguntó Will.

—El hechicero original —apuntó Crowley—. Nadie sabe dónde empezaron los rumores, pero también ha habido otras... manifestaciones. Luces en el bosque que desaparecen cuando alguien se acerca, extrañas figuras avistadas en la carretera de noche, voces oídas en el castillo y demás. El tipo de cosas calculadas para meter el miedo en el cuerpo a la gente del campo. El Guardián local, Meralon, ha estado intentando recabar más información, pero la gente se ha cerrado en banda. Sí que oyó un rumor de un hechicero que vivía en las profundidades del bosque, y se empleó el nombre de Malkallam, pero no pudo averiguar dónde vive exactamente.

—¿Quién está al mando del castillo mientras Syron está fuera de combate? —preguntó Will. Halt asintió.

Apreciaba la capacidad de Will para llegar directo al centro del problema.

—En principio, el hijo de Syron, Orman, es el que está oficialmente al mando, pero parece ser que no es ningún soldado. Según el informe de Meralon, es algo así como un intelectual, más interesado en estudiar historia que en proteger las fronteras del reino. Por fortuna, el sobrino de Syron, Keren, también está ahí y ha tomado el mando práctico de la guarnición. Él sí tiene los pies en la tierra. Fue educado como guerrero y parece que es un líder popular.

—Él puede encargarse de las cosas por el momento —intervino Crowley—, pero si Syron muriera, entonces tendríamos el problema de la sucesión, y Orman, un líder débil e incapaz, heredaría el puesto. Eso solo lograría desestabilizar toda la situación y dejarnos vulnerables a un ataque desde el norte. Eso es algo que debemos evitar a toda costa. Macindaw es demasiado importante estratégicamente como para que corramos ningún riesgo.

Will tironeó pensativo de su barbilla durante unos segundos.

—Ya veo —dijo al fin—. Bueno, ¿y qué queréis que haga?

—Ve ahí arriba —contestó Crowley—. Relaciónate con la gente local. Indaga todo lo que puedas. Mira a ver qué averiguas sobre ese tipo, Malkallam. Comprueba si de verdad existe o si la gente solo se está imaginando cosas. Gánate su confianza. Consigue que empiecen a hablar.

Will frunció el ceño. Crowley hacía que sonara muy fácil, pensó.

—Eso es más fácil de decir que de hacer —murmuró, pero Halt contestó simplemente con una insinuación de sonrisa.

—Será más fácil para ti que para la mayoría —dijo—. A la gente le gusta hablar contigo. Eres joven. Tienes un aspecto inocente y juvenil que los desarma. Por eso te hemos elegido. Jamás sospecharán que eres un Guardián.

—¿Y qué creerán que soy? —preguntó Will, y ahora por fin apareció la sonrisa en la cara de Halt.

—Creerán que eres un juglar —dijo.

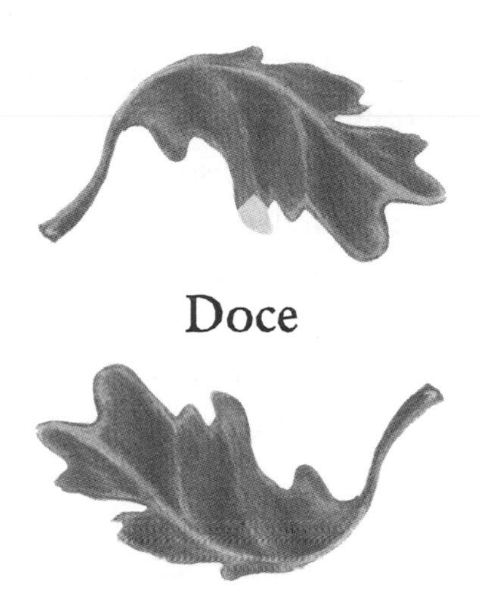

Doce

—¿Un juglar? —repitió—. ¿Yo?

Halt le miró desde debajo de sus oscuras cejas.

—Un juglar. Tú —confirmó. Will hizo un gesto de impotencia con las manos; por un momento le faltaron las palabras.

—Es una tapadera perfecta para ti —dijo Crowley—. Los juglares siempre están de viaje. Son bienvenidos allá donde van, desde castillos hasta la taberna más ínfima. Y en un lugar dejado de la mano de Dios como Norgate serás doblemente bienvenido. Y lo mejor de todo es que la gente habla con los juglares. Y hablan delante de ellos —añadió, con un tono que lo decía todo.

Will por fin encontró las palabras que había estado buscando.

—¿No estamos olvidando un pequeño detalle sin importancia? —dijo—. No *soy* juglar. No sé contar chistes. No sé hacer trucos de magia y no sé dar volteretas. Me rompería el cuello si lo intentara.

Halt asintió para demostrar que le entendía.

—¿No estás *tú* olvidando que existen distintos tipos de juglares? —dijo—. Algunos son simples trovadores.

—Y tú tocas ese laúd tuyo bastante bien, según me ha dicho Halt —intervino Crowley. Will le miró, cada vez más confuso.

—Es una mandola —aclaró—. Tiene ocho cuerdas, afinadas por pares. Un laúd tiene diez cuerdas y algunas de ellas actúan como bordones… —Dejó que sus palabras se perdieran en el aire. Luego sintió una pequeña chispa de alegría al registrar lo que había dicho Crowley—. ¿De verdad crees que toco lo bastante bien? —le preguntó a Halt. El veterano Guardián siempre había adoptado una expresión muy sufrida cuando Will practicaba con la mandola. Will no pudo evitar sentir cierta satisfacción al enterarse de que en realidad admiraba su destreza. Ese sentimiento, sin embargo, fue breve.

—Yo qué sé —contestó Halt encogiéndose de hombros—. A mí los maullidos de lamento de todos los gatos me suenan igual.

—Oh —dijo Will, más que un poco desinflado—. Bueno, quizás otras personas sepan discriminar mejor. ¿No podemos encontrar otro tipo de disfraz para mí? —apeló a Crowley. Ahora fue el comandante de los Guardianes el que se encogió de hombros, dispuesto a oír sugerencias.

—¿Como cuál? —preguntó. Will rebuscó por su mente antes de que se le ocurriera una respuesta.

—Un hojalatero —sugirió. Después de todo, en las aventuras y leyendas que solía recitar Murdal, el cuentacuentos oficial del barón Arald, en el Castillo de Redmont, los héroes a menudo se disfrazaban de hojalateros. Halt se burló desdeñoso.

—¿Un hojalatero? —preguntó Crowley.

—Sí —dijo Will, cada vez más contento con su idea—. Viajan de un sitio a otro. La gente habla con ellos y...

—Y tienen fama de ladronzuelos —terminó Crowley por él—. ¿Crees que es buena idea adoptar un disfraz que te garantizará que todo el que se encuentre contigo sospeche de ti de inmediato? Te vigilarían como halcones, creerán que vas a robarles las cuberterías.

—¿Ladrones? —preguntó Will, desilusionado—. ¿De verdad lo son?

—Son famosos por ello —confirmó Halt—. Nunca he entendido por qué ese aburrido de Murdal se empeñaba en que sus personajes se disfrazaran de hojalateros. Jamás se me hubiese ocurrido una idea peor.

—Oh —dijo Will. Se le habían acabado las ideas. Dudó unos instantes, luego preguntó de nuevo—: ¿De verdad crees que toco lo bastante bien como para que cuele?

—Hay una forma de averiguarlo —dijo Crowley—. Llevas tu laúd. Oigamos una tonadilla.

—No es un... —empezó Will. Luego dio el caso por perdido y alargó la mano hacia atrás para coger el estuche de la mandola, que había dejado encima de la silla de montar y del resto de sus cosas—. Da igual —musitó.

Sacó el instrumento del estuche y retiró la púa de concha de tortuga de entre las dos cuerdas de arriba. Rasgó las cuerdas para probarlas. Como había supuesto, la combinación de botar de acá para allá en las alforjas y el efecto del aire frío de la noche había afectado a la afinación. Ajustó las cuerdas, probó otro acorde y asintió satisfecho. Luego volvió a tocar el acorde; le había parecido que la cuerda de arriba sonaba un poco aguda y la aflojó un pelín. Mejor, pensó.

—Vamos allá —dijo Crowley con un gesto de ánimo. Will tocó un la, luego se paró. Se quedó en blanco. No se le ocurría una sola melodía que tocar. Intentó un re y después un mi menor y un si bemol, con la esperanza de que los sonidos pudieran darle algo de inspiración.

—¿Esta melodía tiene palabras? —preguntó Halt, con una educación exagerada. Will se volvió hacia él.

—No se me ocurre ninguna canción —dijo—. Me he quedado en blanco.

—Eso podría ser bochornoso si te ocurriera en una taberna cutre —comentó Halt. Will intentó desesperadamente recordar una canción. Cualquier canción.

—¿Qué tal *Old Joe Smoke*? —sugirió Crowley en tono alegre. Will se giró a toda velocidad para mirarle con suspicacia.

—¿*Old Joe Smoke*? —preguntó Will. Esa era justo la canción que había convertido en una parodia de Halt y se preguntó si Crowley lo sabía. Sin embargo, el rostro del Guardián no mostraba picardía alguna. Asentía y sonreía para animarle, sin percatarse de la hosca mirada de su viejo amigo.

—Siempre ha sido una de las preferidas —dijo Crowley—. Yo mismo solía bailar una giga estupenda con *Old Joe Smoke* cuando era joven. —Repitió el gesto de ánimo. Will, incapaz de pensar en una alternativa, empezó la introducción en la mandola; su velocidad y fluidez aumentaron a medida que fue ganando confianza. Todo lo que tenía que hacer, se dijo, era acordarse de cantar las palabras originales, no la versión paródica. Olvidando todas sus reticencias, empezó a cantar.

Old Joe Smoke es amigo mío.
Vive en Bleaker's Hill, ¡ahí va!
Old Joe Smoke jamás se ha bañado,
y dicen que nunca lo hará.
Adiós, Old Joe Smoke,
que te vaya bien, amigo.
Adiós, Old Joe Smoke,
te veré por el camino.

Crowley estaba dando palmadas sobre su rodilla al compás de la música. Movía la cabeza arriba y abajo mientras sonreía.

—¡El chico es bueno! —le dijo a Halt, y Will continuó, envalentonado por sus elogios. Tocó el intrincado patrón de dieciséis notas que formaba el interludio y luego empezó a cantar el siguiente verso.

Old Joe Smoke perdió una apuesta,
perdió su abrigo de lana.
En invierno, Old Joe busca calor
durmiendo entre sus cabras.
Adiós, Old Joe Smoke,
que te vaya bien, amigo.
Adiós, Old Joe Smoke,
te veré por el camino.

Ahora, Will ya estaba metido de lleno en la canción y tocó el interludio de nuevo, probando esta vez un patrón más ambicioso. Se equivocó una vez en el tercer compás, pero disimuló su error con bastante arte, pensó, y se lanzó a cantar el tercer verso

Halt Barbagris vive entre las cabras,
dice la gente con mucho dolor.
No se ha lavado los pies en años,
pero a las cabras no les importa el olor.
Adiós, Halt Barbagris,
que te vaya bien, te...

Y se calló de golpe, al percatarse de lo que estaba cantando.

Por pura costumbre, distraído por su asombrosa destreza con la mandola, había revertido a la versión paródica. Crowley ladeó la cabeza y frunció el ceño con fingido interés.

—Una letra fascinante —comentó—. No estoy seguro de haber oído esa versión antes.

Se tapó la boca con la mano y sus hombros empezaron a agitarse.

—Muy gracioso, Crowley —dijo Halt con un tono de voz exasperado mientras el comandante de los Guardianes hacía extraños ruidos atragantados detrás de su mano, la cabeza gacha y los hombros sacudiéndose cada vez más. Will miró a Halt horrorizado.

—Halt... lo siento... no pretendía...

Al final, Crowley renunció a sus esfuerzos y estalló en sonoras carcajadas descontroladas. Will hizo un gesto de impotencia en dirección a Halt. El veterano Guardián se encogió de hombros con resignación, luego le lanzó una mirada furibunda a Crowley. Se inclinó hacia un lado y le dio un doloroso codazo en las costillas al comandante de los Guardianes.

—¡Tampoco es *tan* gracioso! —bufó. Crowley se llevó una mano a las costillas magulladas y señaló a Halt.

—¡Sí que lo es! ¡Sí que lo es! ¡Debiste ver tu cara! —exclamó jadeando. Luego se volvió hacia Will—. ¡Sigue, sigue! ¿Hay más versos?

Will vaciló un instante. Halt fulminaba con la mirada a Crowley, y Will, aunque era un Guardián de pleno derecho al llevar la Hoja de Roble Plateada, que le daba, técnicamente, el mismo rango que Halt, sabía que sería insensato continuar. Muy insensato.

—Creo que ya hemos oído suficiente para juzgar su calidad —dijo Halt. Se volvió hacia las tres pequeñas tiendas que habían montado y estaban ahora justo al borde del resplandor del fuego y dijo en voz más alta—: ¿Tú qué opinas, Berrigan?

Se oyó un frufrú de movimiento detrás de las tiendas cuando una figura alta se puso en pie despacio y cojeó hasta la luz de la hoguera. Incluso antes de ver la guitarra de seis cuerdas que llevaba el hombre en la mano, Will reconoció ese caminar renqueante. Había visto a Berrigan varias veces en el pasado, normalmente en la Reunión anual de los Guardianes cuando entretenía a los miembros del Cuerpo. Él mismo había llevado la Hoja de Roble en el pasado, pero se había visto obligado a dimitir del servicio activo cuando perdió la pierna izquierda en una batalla encarnizada contra unos piratas escandianos. Desde entonces, se había ganado la vida como juglar, mostrando una gran habilidad como músico y cantante. Will también sospechaba que de vez en cuando le habían utilizado para recabar información para el Cuerpo.

Se dio cuenta de que el exGuardián había estado escuchando con el propósito de juzgarle. Berrigan le sonrió al sentarse al lado de la hoguera; la pata de palo que llevaba dificultó un poco el movimiento y acabó extendida tiesa delante de él.

—Buenas tardes, Will —dijo. Hizo un gesto hacia la mandola, que ahora descansaba en el regazo del joven—. No lo haces mal. Nada mal.

Tenía un rostro delgado, con pómulos altos y una gran nariz aguileña. Pero los detalles más llamativos eran los brillantes ojos azules y la gran sonrisa amistosa. Llevaba el pelo castaño largo, como todos los de su profesión, y su ropa era la típica de un juglar, con dibujos aleatorios de colores vivos que parecían rielar cuando se movía. Will sabía que cada juglar tenía su propia combinación distintiva de colores y dibujos. Ahora vio que el dibujo de la capa de Berrigan se parecía mucho al de las capas que llevaban todos los Guardianes, solo que de colores más vivos que los oscuros marrones, grises y verdes de la capa estándar de Guardián.

—Berrigan. Me alegro de verte —contestó. Entonces se le ocurrió algo y se volvió hacia Crowley—. Crowley, ¿no sería más lógico que Berrigan se encargase de esta misión? Después de todo, es un juglar profesional y todos sabemos que todavía trabaja para el Cuerpo de vez en cuando.

Los otros tres intercambiaron miradas.

—¿Ah, sí, todos los sabemos? —preguntó Crowley.

Will se encogió de hombros con timidez.

—Bueno, no es que lo *sepamos* exactamente. Pero lo hace, ¿no?

Se produjo un silencio incómodo durante unos segundos. Luego Berrigan rompió la tensión en torno a la hoguera.

—Tienes razón, Will. Todavía trabajo a veces para los Guardianes cuando me lo piden. Pero para este trabajo me quedo un poco corto. Me falta como un pie o así —dijo con una sonrisa perezosa.

—Pero si eres mucho más alto que yo... —empezó Will, luego se percató de que Berrigan estaba mirando la pierna de palo que sobresalía tiesa delante de él. Se calló, avergonzado—. Oh, quieres decir tu... —No podía decir la palabra. De algún modo parecía obsceno hacerlo. Pero la sonrisa de Berrigan se ensanchó aún más.

—Mi pata de palo, Will. No pasa nada. Ya estoy acostumbrado. No hay ninguna necesidad de que finjas que no está ahí. Por lo que me ha contado Crowley sobre este trabajo, necesita a alguien que sea rápido, y me temo que ese ya no soy yo.

Crowley se aclaró la garganta, contento de que ese momento tan incómodo hubiese pasado.

—Lo que Berrigan sí puede decirnos es si pasarías por juglar. ¿Qué opinas, Berrigan?

Berrigan ladeó la cabeza y lo pensó por un momento antes de contestar.

—Es bastante bueno. Tiene una voz agradable y toca bien. Desde luego, lo suficientemente bien para el tipo de lugares remotos y posadas rurales en las que tendría que actuar. Eso sí, no sé si está preparado aún para la corte del Castillo de Araluen. —Miró a Will y le sonrió para que no se molestara por el comentario. Will le devolvió la sonrisa. Estaba contento con la evaluación. Pero Berrigan todavía tenía más—. Lo que le delataría es su falta de preparación. Siempre desenmascara a un no profesional.

Crowley frunció el ceño.

—¿Qué quieres decir? Has dicho que es bueno cantando y tocando. ¿Qué otra preparación necesita?

Berrigan no contestó directamente, sino que se volvió hacia Will.

—Oigamos otra melodía, Will. La que quieras. Vamos, deprisa —le apremió. Will cogió su mandola y…

Y una vez más, su mente se quedó en blanco.

—Ahí lo tenéis —dijo Berrigan—. El aficionado siempre se bloquea cuando le piden que actúe. —Se giró hacia Will—. ¿Conoces *Lowland Jenny*? ¿*El Reel de la Hilandera*? ¿*El Molino de Cobbington* o *By the Southland Streams*?

Soltó los títulos en rápida sucesión y Will asintió taciturno a cada uno de ellos. Berrigan sonrió y se encogió de hombros.

—Pues cualquiera de ellas hubiera servido —dijo—. El truco no es solo conocerlas. Es recordar que las conoces. Pero podemos trabajar en ello.

Will miró a Halt. Su antiguo profesor inclinó la cabeza hacia el juglar.

—Berrigan hará parte del camino contigo para entrenarte —le explicó. Will sonrió al alto juglar. Empezaba a sentirse más cómodo con la idea… y un poco menos como si le estuviesen tirando al agua en alta mar para que aprendiese a nadar.

—Bueno, podéis empezar ya —dijo Crowley. Rellenó su taza de café y se acomodó contra un tronco—. Deleitadnos con alguna cancioncita.

Berrigan lanzó una mirada inquisitiva a Will.

—*Los bosques lejanos* —dijo Will sin dudar.

Berrigan asintió con una sonrisa.

—Aprende deprisa —le dijo a Halt, que reconoció la verdad de sus palabras con un ligerísimo gesto afirmativo. A continuación, cuando empezaron la preciosa introducción a la vieja canción de regreso al hogar, Berrigan se detuvo y frunció el ceño mirando la mandola de Will—. Tu cuerda del la está un pelín grave —le dijo.

—Lo sabía —le dijo Halt a Crowley con tono de superioridad.

Trece

A la mañana siguiente, Will sufrió una transformación de Guardián a juglar. Su capa moteada marrón, gris y verde fue cambiada por una más acorde con su identidad como artista. Se alegró de que Halt y Crowley no hubiesen optado por algo demasiado extravagante en cuanto a los colores: habían elegido un sencillo motivo blanco y negro para él. Se echó la capa con su profunda capucha por encima de los hombros. Había algo vagamente familiar en ella, pensó. Enseguida lo entendió. El irregular dibujo blanco y negro tejido en la tela servía para el mismo propósito que el moteado de su capa de Guardián. Desdibujaba la forma del que la llevaba, difuminaba su contorno y disimulaba los bordes nítidos que ayudarían a un observador a verle. Halt vio el interés con el que la miraba y asintió su confirmación.

—Sí, es una capa de camuflaje —dijo—. Quizás no igual que una capa de Guardián, pero donde tú vas, esos colores serán más útiles.

Era verdad, pensó Will. En invierno, el Feudo de Norgate estaría cubierto de una espesa capa de nieve, los colores drenados del paisaje. Al mirarla más de cerca, vio que las secciones negras de la capa no eran negras para nada, sino de un tono oscuro de gris. A una persona diestra en el arte del movimiento sigiloso no le costaría demasiado esfuerzo confundirse con el paisaje invernal. Y por supuesto, en el interior, la capa parecería ni más ni menos que el tipo de dibujo estrafalario y aleatorio de colores dramáticos que todo el mundo esperaría de un juglar.

—Muy ingenioso —comentó, sonriéndole a Halt y a Crowley. Los dos Guardianes más veteranos mostraron su acuerdo con gestos afirmativos. A continuación, Crowley le dio un jubón sin mangas hecho de cuero gris fino como un guante.

—No puedes llevar tu vaina doble —dijo, señalando con la barbilla la funda singular que albergaba los dos cuchillos de Will—. Es demasiado reveladora, visto que solo la usan los Guardianes.

—Oh —dijo Will, dubitativo. No se sentía cómodo con la idea de no tener a mano su gran cuchillo sajón y el cuchillo arrojadizo más pequeño. Crowley se apresuró a tranquilizarle.

—Puedes quedarte el sajón —dijo—. Mucha gente lleva cuchillos como ese. Y este jubón tiene una vaina cosida por dentro para tu cuchillo arrojadizo.

Indicó una pequeña funda de cuero oculta en el interior del jubón, debajo del cuello. Will desenvainó su cuchillo arrojadizo y probó a deslizarlo en la funda. Encajaba a la perfección. Pero las siguientes palabras de Halt hicieron que se le cayera el alma a los pies otra vez.

—Me temo que tendrás que dejar atrás el arco largo. Un juglar nunca llevaría un arma así —dijo. Cogió el enorme arco de Will y lo dejó a un lado. A cambio, le entregó un pequeño arco de caza de poca potencia y una aljaba de flechas. Will estudió el arma con ojo crítico. Era anodina y la dobló con facilidad. Dudaba que la tensión superara los diez o quince kilos.

—Para el caso, podría no llevar nada —dijo—. Apenas sería capaz de disparar una flecha fuera de mi sombra a mediodía. Además —dijo, mirando las flechas con más atención—, estas flechas son demasiado pesadas para el arco. —Estaba muy incómodo con este giro de los acontecimientos. El arco había sido su arma principal desde que entró de aprendiz de Halt hacía un montón de años. Se sentiría desnudo y vulnerable sin uno.

Halt y Crowley intercambiaron una sonrisita.

—El arco no es para disparar —le explicó Crowley—. Es solo una excusa para llevar las flechas. Ven por aquí —dijo, haciéndole un gesto a Will para que le siguiera.

En el claro donde pastaban los caballos, señaló unas alforjas.

—Tu nueva albarda —le dijo a Will, con un tono expectante en la voz. Will frunció el ceño.

—A la vieja no le pasa nada —dijo, sin tener muy claro a dónde querían ir a parar. Examinó la albarda. Parecía perfectamente normal, excepto que el pomo tenía una forma extraña. Donde la albarda de Will tenía dos crucetas de madera que sobresalían en forma de V y podían emplearse como punto de fijación para atar artículos a la montura, esta tenía dos piezas curvas de metal plano que servían para el mismo fin. Se curvaban hacia dentro y luego se separaban la una de la otra. Quedaba bastante bien, pensó, pero tampoco es que fuera más práctico que la simple V de madera.

—Estamos muy orgullosos de esto —dijo Crowley. Alargó la mano, agarró una de las piezas planas y la separó de la montura. Will vio que había estado sujeta por una especie de funda ceñida que era parte de la montura. La pieza de metal, ahora que la veía bien, medía poco más de medio metro y tenía una sutil forma de S, con la curva inferior el doble de larga que la superior. En el extremo inferior había una muesca cortada en el metal. Igual que con la capa, Will pensó que le resultaba familiar. Crowley le sonrió, luego alargó la mano hacia el asa del borrén trasero de la montura. La giró hacia atrás y también se soltó de la silla. No parecía más que un trozo anodino de madera envuelta en cuero, pero tenía dos rueditas pulidas, una en cada extremo.

Mientras Will observaba fascinado, Crowley deslizó la muesca del brazo de metal dentro de una estrecha ranura del asa. Después, apretó a toda prisa una de las ruedas pulidas, que Will vio ahora que era la cabeza de un gran perno de rosca que sujetaba el brazo fijo en su sitio.

—Dios mío —murmuró Will a medida que entendía lo que estaba viendo. Ahora se dio cuenta de por qué la pieza plana de metal le había parecido familiar. Cuando entró de aprendiz de Halt, era demasiado pequeño como para manejar un arco largo de tamaño estándar, así que el veterano Guardián le había dado un arco recurvo, en el que cada pala tenía esa sutil forma de S. La doble curva le daba al arco más potencia y a las flechas más velocidad con una tensión menor. Mientras Crowley encajaba a toda prisa la segunda pala de metal en su sitio, Will se dio cuenta de que estaba viendo un arco recurvo de ese tipo. Uno que podía desmontarse en las tres partes que lo componían.

—Los armeros lo han fabricado para nosotros —explicó Halt con voz queda—. Hace bastante tiempo que los tenemos trabajando en este proyecto. Las palas de acero son asombrosas. Tendrás una tensión de casi treinta kilos; no tanto como un arco largo, pero bastante respetable en cualquier caso.

Crowley le dio el arma a Will, que la giró entre las manos, calibrando su peso y su equilibrio. Los forjadores que fabricaban los cuchillos sajones del Cuerpo de Guardianes eran artesanos legendarios. Muchas espadas se habían mellado y despuntado contra el cuchillo sajón de un Guardián sin dejar marca alguna a cambio. Ahora, obviamente, ese arte con el metal se había empleado para crear este arco de acero elástico. Crowley le pasó a Will una gruesa cuerda trenzada y le hizo un gesto para que encordara el arco.

Will deslizó la cuerda por encima del extremo inferior y la encajó en su muesca; luego pisó el interior del arco y la cuerda con el pie derecho. Apoyó la recurva contra el tobillo de su otro pie mientras flexionaba el arco e insertaba la cuerda en la otra muesca. Hizo un ruido gutural, sorprendido por lo que le costó. Flexionó el arco para probarlo y asintió satisfecho mirando a Halt.

—Esto está mejor —dijo. Halt le dio una de las flechas de la aljaba.

—Pruébalo —le conminó. Señaló un parche de corteza más clara en un árbol a unos cuarenta metros. Will cargó la flecha en la cuerda, flexionó el arco un par de veces de manera experimental, y luego, con los ojos clavados en el blanco, lo levantó, lo tensó y disparó en un solo movimiento fluido.

La flecha se incrustó en el tronco del árbol, casi diez centímetros por encima del punto al que había apuntado. Para un arquero de su nivel, fue un disparo decepcionante. Pero Halt hizo un gesto para restarle importancia.

—No te sorprendas demasiado. Al principio, disparará más plano que tu arco largo, pero después, empezará a perder potencia y la flecha caerá más deprisa después de cuarenta o cincuenta metros. Por eso has disparado un poco alto.

Will asintió pensativo. La flecha había impactado contra el árbol con una fuerza bastante respetable.

—¿Valdrá para unos cien metros? —preguntó, y su antiguo profesor asintió.

—Quizás un poco más. No es tu arco largo, pero no estarás completamente desarmado. Y obviamente, tendrás tus aturdidores.

Will asintió. Los aturdidores eran otro elemento del equipo de un Guardián. Cilindros de latón lastrados con gran cuidado que encajaban a la perfección en la palma de un puño cerrado dejando una protuberancia redondeada en ambos extremos. Un golpe en la mandíbula o en la base del cráneo con un aturdidor serviría casi con total seguridad para incapacitar al más fuerte de los rivales. Además, el peso de los aturdidores estaba calibrado para poder lanzarlos. En manos de un experto en el lanzamiento de cuchillos (o sea, cualquier Guardián), un aturdidor podía dejar KO a un hombre hasta a seis metros de distancia.

—Muy bien —dijo Crowley, frotándose las manos con ademán formal—. Esto es todo lo que tenemos para ti.

Y otra cosa: una vez que estés instalado en el Castillo de Macindaw, te enviaremos a un agente de contacto, por si tienes que enviarnos algún mensaje.

Will levantó la vista al oír eso.

—¿Quién será? —preguntó, y el comandante de los Guardianes se encogió de hombros.

—Aún no está decidido. Pero nos aseguraremos de que sea alguien a quien reconozcas.

Halt dejó caer una mano sobre el hombro de su exaprendiz.

—Si necesitas ayuda mientras estás allí, siempre puedes recurrir a Meralon, por supuesto. Pero solo en caso de emergencia. No sería bueno que os vieran juntos. Es vital que mantengas oculta tu verdadera identidad. De hecho, él tendrá instrucciones de darte mucho margen de movimiento. Si se le ve por la zona, puede que la gente se cierre en banda y no quiera hablar.

Iba a ser una misión solitaria, pensó Will.

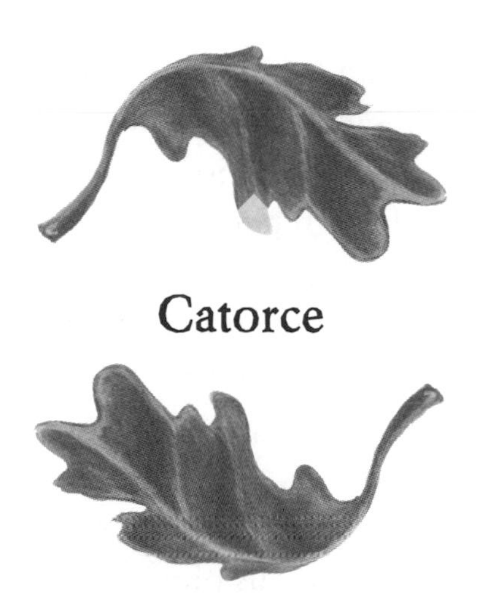

Catorce

Los parroquianos del bar La Jarra Mellada levantaron la vista cuando se abrió la puerta y una brisa gélida se coló en la sala llevando consigo un remolino de nieve.

—Cerrad la puerta —gruñó un corpulento carretero desde al lado de la barra, sin molestarse siquiera en girarse para ver quién había entrado. Algunos otros de los presentes sí que lo hicieron y hubo un ligero revuelo de interés al ver que el recién llegado era un desconocido. Los viajeros eran escasos una vez que el invierno extendía sus glaciales dedos por el Feudo de Norgate. Los campos y las carreteras estaban cubiertos de espesas nieves la mayor parte del tiempo y la temperatura, más baja aún por el constante viento helador, a menudo estaba por debajo del punto de congelación.

La puerta se cerró, cortando la ráfaga de aire gélido del exterior, y las velas y el fuego se asentaron después de la alocada danza a la que el viento los había empujado. El recién llegado se retiró la gran capucha de su capa a manchas negras y blancas y se sacudió una gruesa capa de nieve de los hombros. Era un hombre joven con una pelusilla fina por todo el rostro. Era un poco más bajito que la media y de constitución enjuta. Un perro pastor negro y blanco se había colado discretamente en la sala detrás de él, los ojos fijos en su cara a la espera de una orden. El joven señaló hacia una mesa vacía en la parte delantera de la sala y la perra, porque era hembra, caminó en silencio hasta allí, deslizó las patas delanteras delante de ella y se tumbó sobre la tripa al lado de la mesa. Sus ojos, sin embargo, siguieron recorriendo toda la taberna, así que no estaba tan relajada como parecía. El joven desconocido se quitó la capa y la extendió sobre el respaldo de la silla para que se secara al calor de la lumbre.

Se produjo otro murmullo de interés cuando los presentes vieron lo que llevaba bajo la capa. El chico depositó sobre la mesa un estuche duro de cuero, la funda de algún instrumento. Si era raro ver viajeros tan al norte, más raro aún era tener entretenimiento, y de repente los parroquianos se encontraron ante la posibilidad de pasar una noche más amena de lo que habían anticipado. Incluso el rostro del malhumorado carretero del principio se iluminó con una sonrisa.

—¿Eres músico? —preguntó, esperanzado, y Will le devolvió la sonrisa.

—Un honrado juglar, amigo mío, recorriendo el frío glacial de vuestro precioso condado. —Era el tipo de respuesta fácil y juguetona que le había enseñado Berrigan a lo largo de las dos semanas que habían estado viajando juntos y durante las cuales habían parado en más de una docena de posadas y tabernas como esta. Algunos de los otros parroquianos se acercaron un poco.

—Bueno, pues podrías tocarnos algo —sugirió el carretero. Hubo un murmullo de asentimiento entre el resto de los presentes.

Will sopesó la petición, ladeó la cabeza por un momento. Luego se llevó las manos a los labios y sopló sobre ellas.

—Hace una noche gélida ahí fuera, amigo. Tengo las manos casi heladas —contestó con una sonrisa.

—Podrías calentártelas con esto —le dijo otra voz. Will levantó la vista y vio que el tabernero había salido de detrás de la barra para dejar una jarra de humeante sidra caliente con especias en la mesa delante de él. Will cerró las manos en torno al peltre caliente y asintió agradecido mientras aspiraba el vapor aromático que despedía la jarra.

—Sí, esto seguro que hace el apaño —repuso. El tabernero le guiñó un ojo.

—Invita la casa, por supuesto —dijo. Will asintió. Era lo menos que podía hacer. La presencia de un juglar le garantizaría al hombre una caja excelente aquella noche. Los asistentes se quedarían más tiempo y beberían más. Will dio un gran trago de sidra, se relamió los labios apreciativo y empezó a abrir las correas que cerraban el estuche de la mandola. La madera del instrumento estaba fría al tacto cuando lo sacó de su nicho ceñido y Will se pasó unos minutos afinando las cuerdas de nuevo. El repentino cambio del gélido frío exterior al calor de la taberna había desafinado muchísimo las cuerdas.

Satisfecho, tocó un acorde, hizo otro ajuste mínimo y paseó la vista por la sala, donde se encontró con las miradas expectantes de todos los presentes.

—Quizás pueda tocar unas cuantas canciones antes de cenar —dijo, a nadie en particular—. Porque supongo que hay cena, ¿no? —añadió.

—Sí, por supuesto, amigo mío —se apresuró a decir el tabernero—. Mi mujer ha preparado un estupendo guiso de cordero, y también hay patatas cocidas con pimienta y pan recién horneado.

Will asintió. Había trato.

—Bueno, entonces... toco unas cuantas canciones, luego ceno... y luego más canciones. ¿Qué tal suena eso? —preguntó. Hubo un coro de aprobación de toda la sala. Antes de que se acallara, se lanzó a tocar la alegre introducción de *Dama del sol.*

Dama del sol,
el color del sol en tu pelo.
La felicidad es tu constante velo.
Te seguiría sin dudarlo al vuelo,
mi dama del sol.

Levantó la vista e hizo gestos con la cabeza para animar al reducido público del bar que empezaba a unirse al estribillo de la popular canción de amor. Golpeaban sus copas de vino contra las mesas y cantaban con voces roncas:

Esparce un poco de luz por aquí,
dama del sol.
¿No es cierto?
Sin ti estoy muerto, la la la laa.
Esparce un poco de amor por aquí,
dama del sol.

Tú eres la menina
que el sol ilumina.

Después, cuando llegó al segundo verso, se quedaron callados y le dejaron cantar a él hasta que llegó el coro de nuevo y sus voces se unieron a la suya una vez más. Era una cancioncita alegre y marchosa; ideal para empezar, según la había descrito Berrigan.

—No será la mejor canción de tu repertorio —había dicho—, pero es alegre y animada y bien conocida, así que es buena para romper el hielo con la audiencia. Recuerda, nunca toques tu mejor canción al principio. Sería un desperdicio. Date algo de margen de mejora.

Ahora, cuando Will alcanzó el coro final y la sala se volvió a unir a él, sintió una cálida oleada de placer que creció en su interior al tocar las últimas notas y ver que los parroquianos estallaban en un clamor de aplausos. Tuvo que recordarse a sí mismo, y no por primera vez, que este era un papel que estaba desempeñando, que en realidad no era un juglar y que su objetivo en la vida no era recibir esos aplausos que con tanta soltura le regalaban. Aunque a veces, en momentos como este, eso era algo difícil de recordar.

Tocó otras cuatro canciones: *Domingo de cosecha, Jessie en la montaña, Recuerda aquel tiempo* y *La yegua huida*, una canción trepidante con un ritmo galopante que hizo que todos los puños y pies de la sala golpearan a su son. Al terminar la última canción, bajó la vista hacia la perra, tumbada con los ojos aún clavados en él, y articuló, solo con los labios, la palabra «dragón».

Al instante, la perra se sentó, echó la cabeza hacia atrás y empezó a ladrar a pleno pulmón, justo como le había enseñado a hacer en las semanas que habían pasado en la carretera. *Dragón* era su palabra de alarma, la señal para que ladrara hasta que él le dijera que parara. Cosa que hizo ahora.

—¿Qué dices, Harley? —le preguntó. *Harley* era otra palabra en clave. Le indicaba que lo había hecho bien y ya podía dejar de ladrar. Se calló al instante, dio dos coletazos en el suelo de madera para demostrar que sabía que había desempeñado bien su papel. Will levantó la vista hacia el público expectante y abrió las manos en un gesto de disculpa.

—Lo siento, amigos míos. Mi representante dice que es hora de cenar. Hemos tenido un día largo en el frío y ella se lleva un diez por ciento de mis ganancias... y de mi cena.

La sala estalló en carcajadas. Eran gente de campo y sabían reconocer un perro bien entrenado cuando lo veían. También apreciaron el tacto en la forma que tuvo Will de recordarle al tabernero que le debía una cena.

No tardó en llegar. Una de las camareras se apresuró a llevar una humeante bandeja de guiso de cordero a su mesa. Sin que Will tuviese que decirle nada más, también dejó en el suelo un bol con restos de carne y huesos y salsa espesa. Will le sonrió para darle las gracias y le hizo un gesto con la cabeza al hombre de detrás de la barra. El tabernero, ocupado en rellenar las jarras de los parroquianos, que tenían la garganta seca de tanto cantar, le dedicó una gran sonrisa.

—¿Hay que ocuparse de tu caballo, joven juglar? —le preguntó. Will le contestó con la boca llena de estofado.

—Me tomé la libertad de meterlo en tu establo, tabernero. La noche es demasiado fría para dejarlos fuera. —El tabernero asintió conforme y Will se concentró en su comida una vez más. El guiso de cordero estaba delicioso.

El carretero que tan antipático había parecido cuando Will entró se dirigió ahora hacia la mesa en la que estaba comiendo. Will se fijó con interés en que no intentó sentarse ni traspasar su espacio personal. Ya había descubierto que en tabernas como esta la gente solía tener cierto respeto por los juglares. El corpulento carretero dejó caer una moneda de plata delante de Will.

—Buena música, chaval —dijo—. Eso es para ti.

Will, la boca llena otra vez, asintió agradecido. Entonces, varios de los otros clientes se acercaron y cada uno dejó caer unas monedas en el estuche abierto de la mandola que descansaba sobre la mesa. Will vio que había bastantes monedas de plata entre las de cobre y volvió a sentir esa oleada de satisfacción.

—Tienes mucho arte con ese laúd tuyo, chico —le dijo uno.

—Es una mandola —repuso Will de forma automática—. Tiene ocho cuerdas, mientras que un laúd... —Se mordió la lengua—. Gracias —se limitó a decir, y le sonrieron.

Cuando terminó de cenar, le hizo otro gesto discreto a la perra para que empezara a ladrar de nuevo.

—¿Harley? ¿Qué dices? —le preguntó, y la perra se calló de inmediato otra vez—. ¿Que ya es hora de que entretenga a esta gente? —Levantó la vista hacia las caras sonrientes a su alrededor, se encogió de hombros y les sonrió—. Es una jefa dura —declaró, alargando la mano hacia la mandola.

Tocó durante otra hora. Canciones de amor, canciones animadas. Canciones bobaliconas. Y una en particular que siempre había sido su favorita. *Los ojos verdes del amor*.

Era una balada triste y evocadora, y la cantó bien, aunque para su irritación se trabó ligeramente en la parte instrumental de ocho compases a mitad de canción. Al terminar, vio que había una o dos personas que se secaban los ojos, y una vez más sintió el placer que solo los artistas conocían cuando llegaban a los corazones de su público. Mientras tocaba, las monedas habían seguido cayendo en el estuche de la mandola. Con cierta sorpresa, se dio cuenta de que no tendría que echar mano del dinero que le había adelantado Crowley para el viaje. Podría pagarse los gastos de sobra.

El tabernero, que había dejado en la barra a una de sus camareras y se había sentado cerca de Will, echó una miradita al reloj de agua que goteaba despacio sobre una manta.

—Quizás una más —le dijo, y Will asintió sonriente. Por dentro, sintió que se le comprimía el pecho. Este era el momento para el que se había estado preparando toda la noche, una oportunidad para hacer que los locales empezasen a hablar de los extraños acontecimientos del Feudo de Norgate. Era una de las ventajas de adoptar la identidad de un juglar.

—La gente de campo desconfía de los desconocidos —le había dicho Berrigan—. Pero canta para ellos una hora o así y creerán que te conocen de toda la vida.

Tocó una secuencia de acordes menores y empezó a cantar una canción absurda y bien conocida.

En una cuneta embarrada, una bruja embriagada,
con un tono del todo chapucero,
como un cuervo graznaba, y la gente se enteraba
de su amor por el bizco hechicero.

Percibió el cambio en la sala en el mismo momento en el que empezó a cantar. La gente intercambió miradas temerosas. Bajaron los ojos y varios incluso se alejaron de él. Empezó el coro:

> *Oh, el hechicero bizco Wollygelly se llamaba,*
> *su aliento olía a cabra y su barriga oscilaba,*
> *y tenía una nariz que...*

Dejó que la canción se diluyera, como si acabara de percatarse de lo incómodo que estaba su público.

—Perdonad —dijo, sonriendo a su alrededor—, ¿pasa algo?

Una vez más, se intercambiaron miradas, y la gente que hacía apenas unos minutos reía y le aplaudía no parecía dispuesta ahora a mirarle a los ojos. El fornido carretero, obviamente incómodo, dijo en tono de disculpa:

—No es el lugar ni el momento de burlarse de hechiceros, chico.

—Aunque, claro, tú no podías saberlo —intervino el tabernero, y hubo un coro de asentimientos. Will dejó que su sonrisa se ensanchara, manteniendo una expresión lo más ingenua posible.

—¿No podía saber qué? —preguntó. Se produjo una pausa, luego el carretero mordió el anzuelo.

—Están pasando cosas raras por el feudo estos días, eso es todo.

—Y estas noches —añadió una mujer, y se oyó otro coro de asentimientos. Detrás de su expresión inocente e inquisitiva, Will se maravilló por la sabiduría de Berrigan.

—¿Os referís a... algo que tiene que ver con hechiceros? —preguntó en un susurro. La sala se quedó en silencio un momento, le gente miraba temerosa hacia la puerta, como si esperaran ver a un hechicero entrar de golpe en cualquier momento. Entonces intervino el tabernero.

—No somos quiénes para decir qué es. Pero están sucediendo cosas extrañas. Apariciones extrañas.

—Sobre todo en el Bosque de Grimsdell —dijo un granjero alto y, una vez más, los demás estuvieron de acuerdo—. Apariciones extrañas y sonidos... sonidos sobrenaturales, eso es lo que son. Te hielan la sangre en las venas. Yo los he oído una vez y con eso me basta y me sobra.

Dio la impresión de que una vez superadas sus reticencias iniciales, la gente estaba dispuesta a hablar del tema, como si les provocase una fascinación que necesitaban compartir.

—¿Qué tipo de cosas se ven? —preguntó Will.

—Luces, sobre todo. Pequeñas bolas de luz coloreada que se mueven entre los árboles. Y formas oscuras. Formas que se mueven justo al límite de tu campo de visión.

Un tronco rodó en la chimenea y Will sintió que se le erizaban los pelos de la nuca. Todo este hablar de sonidos y formas estaba empezando a afectarle, pensó. Doscientos kilómetros más al sur podía bromear sobre el tema con Halt y Crowley. Pero allí, en una noche oscura en las frías tierras del norte cubiertas de nieve, con esa gente, parecía muy real y muy creíble.

—Y el Guerrero Nocturno —dijo el carretero. Esta vez, el silencio cayó como una mortaja sobre la habitación. Varias personas hicieron elaborados signos para protegerse del mal. El carretero los miró a todos, la cara roja—. Oh, podéis creerme. Le he visto. Solo un segundo, eso sí, pero estaba ahí.

—¿Y qué es, exactamente? —preguntó Will.

—¿Exactamente? Nadie lo sabe. Pero lo he visto. Es enorme. Un guerrero con armadura, tan alto como dos casas. Y puedes ver *a través* de él. Está ahí y después ha desaparecido, antes de que puedas estar del todo seguro de haberlo visto. Pero yo lo sé. Lo vi, desde luego que sí. —Paseó la vista por la sala otra vez, desafiando a los otros a que le dijeran que estaba equivocado.

—Bueno, basta ya de ese tipo de charla, Barney —dijo el tabernero—. La gente tiene un trecho hasta llegar a sus casas esta noche y es mejor no hablar de estos temas.

Por el murmullo de asentimiento, Will supo que no habría más discusiones al respecto esa noche. Rasgó una cuerda de la mandola.

—Estoy de acuerdo, este no es momento para cantar sobre hechiceros. Quizás podríamos acabar con una acerca de un rey borracho y un tambaleante dragón.

Justo al oírle, la perra ladró de nuevo y el ambiente sombrío de la sala pareció aligerarse al instante.

—¿Qué dices, Harley? ¿Estás de acuerdo? Bueno, pues más vale que nos pongamos manos a la obra. —Y se zambulló en los primeros acordes de inmediato.

Oh, el rey borracho de Angledart
con un pedo velas podía apagar.
Pero el mundo nunca tuvo noción
del valor que había en su corazón
hasta que mató al Tambaleante Dragón...

Oh, el Tambaleante Dragón cuatro patas zambas
tenía,
se tambaleaba derribando árboles noche y día
y se quemaba el trasero cada vez que estornudaba
¡con las llamas de dragón que al respirar lanzaba!

Las risas llenaron otra vez la sala y el ambiente sombrío se disipó mientras Will explicaba la leyenda del tambaleante dragón patizambo y el rey con serios problemas digestivos. Le acompañaron los ladridos entusiastas de la perra cada vez que cantaba la palabra «dragón», y eso avivó aún más las risas.

Jamás tendría éxito en el Castillo de Araluen, pensó, pero desde luego que lo tenía en La Jarra Mellada.

Quince

El viento amainó en algún momento antes del amanecer, como si, una vez cumplida su tarea de despejar el cielo de nubes, supiera que ya era hora de seguir su camino. El día siguiente amaneció frío y luminoso, y cuando Will emergió de la pequeña habitación que le había asignado el tabernero, el sol mañanero reflejaba con furor contra el paisaje nevado que los rodeaba y entraba a raudales por las ventanas del bar.

Will saludó al tabernero con una taza de café en la mano. Una de las empleadas le había servido un desayuno de pan tostado y lonchas de jamón frío, pero como siempre, era el café lo que ansiaba. Parecía que el tabernero era su alma gemela. Se sirvió una taza y se sentó enfrente de Will; bebió un trago y suspiró saboreándolo.

—Fue una buena noche la de ayer —comentó, una pregunta tácita detrás de sus palabras. Will asintió—. Por cierto, soy Cullum Gelderris. Creo que nunca llegamos a presentarnos.

Will le estrechó la mano.

—Will Barton —se presentó. El tabernero asintió varias veces, como si el nombre significase algo para él.

—Sí, fue una buena noche —repitió. Will bebió un sorbo de café. Al final, Gelderris sacó el tema que rondaba por su cabeza—. Esta noche será todavía mejor. Al final de la semana solemos tener una buena clientela. Será aún más abundante de lo normal si se corre la voz de que hay un juglar en el pueblo. —Miró a Will por encima de su taza de café—. Porque planeabas quedarte otra noche, ¿verdad?

Will se esperaba esa pregunta. Aunque estaba impaciente por seguir su camino y llegar cuanto antes al Castillo de Macindaw, sabía que le interesaba quedarse otra noche al menos. Las posibilidades de ganar algo de dinero en el pueblo eran buenas, como había visto la víspera. Y si Gelderris estaba en lo cierto, y no había ninguna razón para suponer que no lo estaba, serían aún mejores esa noche. Se dio cuenta de que podría parecer sospechoso que dejara pasar la ocasión de ganar un buen dinerillo. Aun así, el tabernero esperaría cierto grado de tira y afloja.

—En realidad no lo había decidido todavía —dijo Will—. Supongo que podría seguir mi camino.

—¿Hacia dónde? —preguntó Gelderris a toda prisa. Will se encogió de hombros como si la cosa no tuviera gran importancia.

—Mi destino final es el Castillo de Macindaw. He oído que Lord Syron da siempre una cálida bienvenida a los artistas. Supongo que no disponen de gran cosa para mantener a la gente entretenida una vez que llegan las nieves —añadió, pero Gelderris estaba sacudiendo la cabeza.

—No obtendrás ninguna bienvenida por parte de Syron —dijo— Lleva dos meses o más sin decir ni una sola palabra.

Will frunció el ceño un poco, como si no le entendiera.

—¿Por qué no? ¿Se ha puesto religioso de repente y ha hecho un voto de silencio? —Will sonrió para asegurarse de que Gelderris supiera que estaba de broma. Pero el tabernero no le devolvió la sonrisa.

—Hay muy poco de religión en el asunto —dijo con tono sombrío—. Justo al contrario, de hecho.

—No estarás hablando de Magia Negra, ¿verdad? —preguntó Will como quien no quiere la cosa, usando el nombre que daban los campesinos a la hechicería. Esta vez, Gelderris echó un rápido vistazo a su alrededor antes de contestar.

—Eso dicen —repuso, casi en un susurro—. Fue todo muy repentino. Sano como tú o yo un minuto. Y al siguiente yace a las puertas de la muerte, apenas respira, los ojos abiertos como platos pero sin ver nada, sin oír nada y sin decir nada.

—¿Y los curanderos qué dicen? —preguntó Will. Gelderris resopló desdeñoso.

—¿Qué saben nunca? No pueden explicar su estado. Ni pueden hacer nada por mejorarlo. De vez en cuando, Syron se espabila lo suficiente como para comer un poco, pero incluso en esos momentos apenas está consciente. Y luego vuelve a su trance.

Will dejó su taza vacía en la mesa, pensó en tomarse otro café, pero descartó la idea con cierto pesar. Desde que vivía solo se había vuelto adicto al café, y ya era hora de moderar ese comportamiento.

—¿Tiene esto algo que ver con lo que se dijo ayer? —preguntó—. Esas historias sobre el guerrero misterioso.

Una vez más, Gelderris vaciló un instante antes de responder. Aunque parecía más fácil hablar de estas cosas a la brillante luz de la mañana.

—Si quieres saber mi opinión, sí —dijo—. La gente dice que Malkallam ha vuelto al Bosque de Grimsdell.

—¿Malkallam? —repitió Will.

—Un brujo que utiliza Magia Negra. Un hechicero. Y parece que uno de los de peor calaña. Estaba enemistado con un antepasado de Syron, hace unos cien años…

—¿Cien años? —interrumpió Will, dándole a su voz un tono de incredulidad—. ¿Pero cuántos años vive un hechicero?

Gelderris levantó un dedo como para regañarle.

—No seas tan incrédulo —le advirtió—. Nadie sabe cuánto tiempo pueden vivir los hechiceros. Yo diría que en realidad es decisión del propio hechicero. Pero las cosas que están sucediendo en Grimsdell no tienen otra explicación. Como tampoco la tiene la extraña enfermedad de Lord Syron. La leyenda cuenta que es exactamente la misma enfermedad que acabó con su antepasado cuando se enfrentó a Malkallam.

—Vale, si este Malkallam está en el Bosque de Grimsdell, ¿por qué no va alguien de Macindaw con unos cuantos soldados a investigar? —preguntó Will—. Alguien debe de estar a cargo del lugar si Syron está incapacitado.

—No es tan fácil entrar en el Bosque de Grimsdell, Will Barton. El interior es una maraña de árboles y maleza, con caminos tortuosos llenos de giros y recovecos y ramas tan gruesas en lo alto que solo se ve el sol a mediodía. Y también están las ciénagas. Métete en una y te hundirás sin remedio para no volver a ser visto jamás.

Will sopesó todos esos detalles durante unos instantes. El tabernero estaba resultando una fuente de información inestimable.

—Entonces, ¿no hay nadie a cargo de Macindaw? —dijo, luego añadió—. Pues vaya chasco. Esperaba poder pasar el invierno allí... al menos unas semanitas.

Gelderris frunció los labios.

—Oh, es muy probable que te acojan. El hijo de Syron se encarga del lugar. Ese es otro tipo raro —añadió en tono lúgubre. Will levantó la vista sorprendido.

—¿Raro, dices? —repitió, y Gelderris asintió.

—Hay quien dice que incluso puede estar detrás de la enfermedad de su padre. Es muy introvertido, muy misterioso. Lleva una túnica negra como un monje, aunque no es en absoluto religioso. Estudioso, se denomina él. Pero qué estudia... eso es lo que me gustaría saber.

—¿Crees que podría ser él...? —Will hizo una pausa, como si estuviese intentando recordar el nombre, aunque lo sabía muy bien—. ¿Malkallam? —terminó. Gelderris parecía un poco incómodo ahora que le habían pedido sin tapujos que diera su opinión en un sentido u otro. Se movió en su asiento.

—No estoy diciendo que sea así —dijo al final—. Pero sí digo que no me sorprendería demasiado si lo fuera. Según dicen los rumores, Orman se pasa el día entero en sus habitaciones, en una de las torres, dedicado a estudiar todos los libros y pergaminos viejos que caen en sus manos. Puede que sea el señor de Macindaw, pero no es ningún líder, ningún guerrero. Por fortuna, Sir Keren está allí para encargarse de ese tipo de cosas.

Will arqueó una ceja al oír ese nuevo nombre. Gelderris no necesitó más para seguir hablando.

—El sobrino de Syron, primo de Orman. Es un buen guerrero, unos años más joven que Orman, pero un líder natural y popular entre los soldados. A menudo he pensado que quizás Lord Syron hubiese preferido que Keren fuera su hijo, en lugar de Orman.

—Tan cerca de Picta es realmente necesario un buen guerrero en el castillo —meditó Will en voz alta, y el tabernero asintió.

—Eso es un hecho. Muchos de nosotros estamos contentos de que Keren esté allí. Si los escotos se enteraran de que un líder débil como Orman está a cargo del lugar, todos acabaríamos llevando faldas y comiendo morcillas escotas antes de que acabara el mes.

Will se levantó y se estiró.

—Ah, bueno, eso es todo política, y a los hombres simples como yo se nos escapan esas cosas. Mientras pueda conseguir cama y alojamiento en el castillo de Orman y un poco de dinero para seguir mi viaje, estaré satisfecho. Pero esta noche, por supuesto, la pasaré en tu castillo.

Cullum pareció alegrarse de la noticia. Hizo un gesto hacia la cafetera, que seguía calentándose al lado del fuego.

—Por mí, perfecto. ¿Quieres un poco más de café, ahora que aún está recién hecho?

Las buenas intenciones se esfumaron de golpe. Will decidió que recabar información era un trabajo que daba mucha sed. Cogió su taza.

—¿Por qué no? —aceptó.

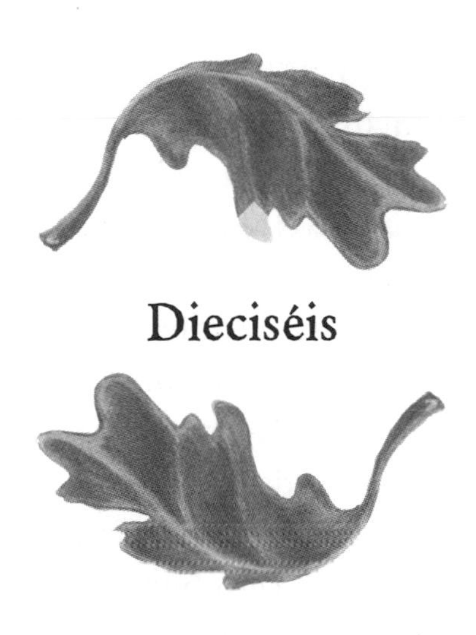

Dieciséis

Will partió tarde a la mañana siguiente, el monedero bastante más pesado que cuando llegó. El tabernero había estado en lo cierto. Una vez que se corrió la voz de que había un juglar en el pueblo, la gente acudió en masa de todas las granjas cercanas. La taberna había hecho una caja espectacular y a Will le hicieron cantar hasta bien pasada la medianoche. Al final de la velada, había agotado ya su repertorio y tuvo que recurrir a fingir que la gente le estaba pidiendo canciones que ya había tocado antes (otro truco que le había enseñado Berrigan).

Gelderris acompañó a Will al establo.

—Una buena noche —dijo—. Pasa por aquí otra vez cuando vuelvas al sur, Will Barton —comentó, mientras Will apretaba las cinchas de Tug y las de la yegua de carga.

Cullum no estaba molesto por que Will se marchara. Era lo bastante realista como para saber que la sencilla gente de campo no podía permitirse más de una noche de gasto extra en la taberna.

—Lo haré —dijo Will. Se subió con agilidad en su caballo y luego se inclinó para estrechar la mano de Gelderris—. Gracias, Cullum. Te veré a la vuelta.

El tabernero olisqueó el aire húmedo y echó una miradita recelosa a las nubes que empezaban a acumularse por el norte.

—Harás bien en estar pendiente del tiempo. Esas nubes llevan nieve. Si estalla una tormenta, refúgiate entre los árboles hasta que pase. Un hombre puede perderse con suma facilidad en una ventisca.

—Lo tendré en mente —dijo Will. Él también echó una ojeada a las nubes—. Pero bueno, lo más probable es que llegue a Macindaw antes de que nieve. —Tocó a Tug con los talones y el caballito se puso en marcha, la yegua de carga los siguió sin inmutarse. La perra iba en cabeza, la cabeza gacha y la tripa baja, mirando continuamente hacia atrás para asegurarse de que Will la seguía.

—Puede ser —comentó Gelderris, más para sí que para la figura de Will, que ya se alejaba. Pero no sonó muy convencido.

Y tenía razón. Will apenas había recorrido un tercio del camino cuando unos copos grandes y gordos empezaron a caer del cielo. Había sentido que la temperatura bajaba en picado, luego tuvo lugar ese momento inexplicable en el que subía unos graditos y auguraba que iba a comenzar a nevar. Y entonces empezó a caer, sin previo aviso. Se echó la capucha por encima de la cabeza y se acurrucó dentro del calor de su capa. Le intrigaba cómo una nevada parecía amortiguar todos los ruidos; aunque a lo mejor era una ilusión, se dijo. Parecía lógico que unos objetos tan grandes hicieran algún ruido al caer al suelo; después de todo, la lluvia se oía muy bien. Quizás fuese esa falta de ruido al caer lo que creaba la ilusión de un silencio generalizado. Obviamente, a medida que la nieve del suelo crecía en espesor, amortiguaba el sonido de los cascos de los caballos. Solo se oía el ligero ruido chirriante de los cristales secos como el polvo al comprimirse con cada tranco.

Al ver que la nieve se acumulaba a gran velocidad, llamó a la perra con un silbido suave y señaló hacia la yegua de carga. La perra puso las orejas tiesas al oírlo, esperó hasta que la yegua estuviera a su altura y luego saltó a la cama que Will le había preparado en el centro de la albarda. Era un movimiento al que el pacífico animal ya se había acostumbrado y no hizo ni un gesto de alarma o enojo.

Siguieron adelante. Nevaba con fuerza, pero distaba mucho de ser una tormenta, y Will creía poder encontrar el camino sin demasiada dificultad. Puede que la superficie del camino estuviera oculta por la nieve, pero seguía siendo claramente visible, cortado entre los árboles como estaba.

De vez en cuando, se oía un ruido deslizante cuando la nieve acumulada sobre una rama por fin pesaba demasiado y resbalaba hasta el suelo a sus pies. Una vez, se oyó un sonoro crujido cuando un árbol cedió, debilitado por el intenso frío y el peso de la nieve, hasta quedar recostado como borracho contra sus vecinos. Una cabeza negra y blanca asomó de la albarda al oír el ruido, las orejas tiesas, la nariz olisqueando.

—Tranquila —le dijo Will con una sonrisa. Su voz sonó extrañamente alta en sus oídos. La perrilla soltó un pequeño resoplido, volvió a apoyar la cabeza en las patas y cerró los ojos. Luego los volvió a abrir, sacudió la cabeza con ese agitar de orejas tan típico de los perros y se quitó la nieve del pelo. Satisfecha, se acomodó de nuevo.

Will tenía la cara medio congelada, pero el resto del cuerpo estaba relativamente caliente. No había viento que se colase a través de su ropa abrigada y la temperatura bajo cero significaba que la nieve permanecía seca mientras se acumulaba sobre sus hombros y la capucha. Ni se derretía ni empapaba la tela de la capa. De vez en cuando, la retiraba con la mano, sonriendo al recordar a la perra sacudiéndose la nieve del pelaje.

Dos horas más tarde, llegó al final de un repecho y allí, ante él, apareció el Castillo de Macindaw. Era un edificio feo y rechoncho. La oscura piedra de sus muros parecía negra contra el blanco puro del paisaje nevado que lo rodeaba. Como era costumbre, estaba construido sobre una pequeña colina y los árboles del bosque se habían talado por los cuatro lados para evitar que algún atacante pudiera aproximarse sin ser visto. Puede que fuera feo, pensó Will, pero parecía tener un diseño bastante eficaz. Las murallas eran sólidas, hechas de piedra y de al menos cinco metros de altura. Torres en cada una de las cuatro esquinas añadían unos cuantos metros más a la altura total, y había el habitual torreón principal en el centro, mucho más alto que el resto de edificaciones. El lado izquierdo albergaba la entrada principal, con un puente levadizo sobre un foso seco. El foso, según pudo ver, no continuaba demasiado allá por las paredes laterales. Supuso que solo estaba ahí para dificultar el acceso a la entrada principal.

Halt y Crowley le habían dicho que la guarnición normal constaba de treinta soldados y media docena de caballeros montados. Eso sería más que suficiente para proteger las murallas de cualquier banda de saqueadores escotos, pensó Will.

Echó hacia atrás su capucha y sacó un sombrero de ala corta que le había dado Berrigan. Adornado con plumas de cisne teñidas de verde, le identificaba como juglar y debería garantizarle fácil acceso hasta el patio del castillo. Se caló bien el sombrero y retomó su camino hacia la puerta.

Diecisiete

Los cascos de Tug repicaron sobre los gruesos tablones del puente levadizo mientras Will pasaba por debajo del rastrillo. El sonido hueco se convirtió en un golpeteo sordo cuando los caballos entraron en el patio adoquinado. El lugar estaba lleno de gente que iba de acá para allá, todos ocupados en sus tareas diarias. Solo unos pocos levantaron la cabeza al verle, pero desviaron la mirada casi de inmediato.

Faltaba algo, pensó Will. Enseguida se dio cuenta de lo que era: no se oía el habitual zumbido de las conversaciones, nada de carcajadas repentinas ni voces más altas cuando la gente saludaba a un compañero o compartía una broma o una historia. La gente de Norgate estaba callada, se movía mirando al suelo, aparentemente desinteresada por lo que sucedía a su alrededor. Era una experiencia desconocida para Will. Como Guardián, estaba acostumbrado a llamar la atención (aun receloso) cuando llegaba a un sitio nuevo. Y en las últimas semanas como juglar había experimentado la misma sensación de interés, aunque por razones diferentes.

En un lugar remoto y aislado como Macindaw, había estado seguro de que le recibirían con entusiasmo, si no con abierta cordialidad. Miró a su alrededor con curiosidad, pero no pudo encontrar a nadie dispuesto a cruzar la mirada con él, mucho menos a sostenérsela.

Era miedo, pensó. La gente de Norgate estaba viviendo cerca de una frontera peligrosa. Su señor sufría una misteriosa enfermedad y se había extendido entre ellos la idea de que era obra de un hechicero. No era ninguna sorpresa pues que no mostraran interés ni dieran la bienvenida a un desconocido recién llegado. Will dudó un poco más, sin saber muy bien si debía echar pie a tierra o no. Entonces, sus dudas recibieron respuesta: un hombre corpulento, con llaves y librea de mayordomo y una expresión de preocupación perpetua, emergió del torreón. El senescal (básicamente la persona que manejaba el día a día de los asuntos domésticos del castillo para su señor) le vio y se dirigió hacia él.

—¿Juglar, no? —preguntó. Era un saludo bastante abrupto, pensó Will. Pero al menos era un saludo. Sonrió.

—Así es, Senescal. Will Barton, de las tierras del sur, trayendo mi pequeña algarabía de alegría a los castillos del norte. —Era el tipo de habla florida que le habían enseñado a usar. El senescal asintió distraído. Will supuso que tenía muchas cosas en la cabeza.

—Nos vendrá bien algo así. Ha habido muy poquitas razones para sonreír por aquí últimamente.

—¿De verdad? —preguntó Will. El senescal levantó la vista para mirarle con más atención.

—¿No has oído nada de lo que ha sucedido? —preguntó. Will se dio cuenta de que sería tonto fingir una ignorancia completa. Un artista que hubiese viajado por la comarca habría oído los cotilleos locales; como había sido el caso. Se encogió de hombros.

—Rumores, por supuesto. Las zonas rurales siempre están llenas de ellos, vayas donde vayas. Pero estoy acostumbrado a no hacerles demasiado caso.

El hombre corpulento soltó un gran suspiro.

—Pues en este caso, probablemente puedas creerte casi todos —dijo—. Y más que no te habrán contado. Es casi imposible exagerar la situación en la que nos encontramos.

—Entonces, ¿de verdad que el señor del castillo está...? —Will se interrumpió cuando el otro hombre levantó la vista consternado.

—Si has oído los rumores, conoces la situación —se apresuró a decir—. Es un tema del que es mejor no hablar demasiado.

—Por supuesto —contestó Will. Se movió en la montura. Estaba cansado y creía que, consternado o no, ya era hora de que el senescal le mostrara un poco de la cortesía habitual. El hombre vio su movimiento y le hizo un gesto para que desmontara.

—Lo siento. Comprenderás que estoy un poco distraído. Puedes guardar a los caballos en el establo. Entiendo que el perro viene contigo, ¿no?

La perra pastora había estado tumbada en los adoquines, observando la escena. Will asintió con una sonrisa y echó pie a tierra, estirando las piernas y los músculos de la espalda.

—Me ayuda en mi número —explicó.

El senescal asintió.

—Que se quede contigo, entonces. Tienes suerte de que no estemos muy llenos ahora mismo; tampoco es que sea una sorpresa. Así que puedes tener una habitación para ti solo.

Esa fue una noticia agradable. Will había esperado que le asignaran uno de los cubículos cerrados con cortinas que solían desplegarse por el anexo a los grandes salones de la mayoría de los castillos. Sobre todo en invierno, cuando era más habitual que un castillo estuviese atestado de gente.

—O sea que ahora no recibís tantos visitantes, ¿no? —preguntó, y el senescal negó con la cabeza.

—Como ya he dicho, tampoco es que sea una sorpresa. Sí que esperamos que pase por aquí una tal Lady Gwendolyn de Amarle en una o dos semanas. Está de viaje para conocer a su prometido dos feudos más allá y nos escribió solicitando alojamiento hasta que los desfiladeros se despejen de nieve. Pero aparte de ella, solo están los habitantes normales del castillo. Y de ellos, hay menos de los habituales —añadió en tono sombrío.

Will optó por no insistir en el tema. Se afanó en aflojar las cinchas de los dos caballos. El senescal miró a su alrededor.

—Disculpa si te dejo solo —dijo—. Esa leña jamás será apilada si no me encargo de supervisarlo en persona. Los establos están por ahí. —Señaló hacia la derecha del patio—. Cuando hayas instalado a tus caballos, pregunta en el castillo por la señora Barry. Es el ama de llaves. Dile que he dicho que te den una de las habitaciones del tercer piso de la torre. Mi nombre es Agramond, por cierto.

Will asintió agradecido.

—Señora Barry —repitió. El senescal ya había dado media vuelta y gritaba a dos de los trabajadores del castillo que apilaban la leña en un rincón a paso de tortuga—. Venga, Tug —dijo Will—. Vamos a encontrarte una cama.

El caballo puso las orejas tiesas al oír su nombre. La yegua de carga, plácida y sosegada, siguió a Tug con docilidad mientras Will los conducía hacia las cuadras.

Una vez atendidos los caballos, Will encontró al ama de llaves. Como la mayor parte de las mujeres de su gremio, era rechoncha y capaz. A Will le pareció bastante educada, pero tenía la misma actitud distraída que había notado en Agramond. Le acompañó hasta su habitación, un dormitorio estándar para un castillo de ese tamaño. Los suelos y paredes eran de piedra, el techo de madera. Había una ventana estrecha, cerrada mediante un marco embutido que sujetaba una lámina de cuero traslúcido que dejaba que se filtrara una luz tenue. También tenía una contraventana de madera para cuando hacía mal tiempo. Una pequeña chimenea caldeaba la habitación y había una cama en un rincón, separada del resto por una cortina. Varias sillas de madera y una pequeña alfombra completaban las comodidades domésticas. Había también una jofaina sobre una pequeña mesa de madera pegada a la pared curva. Will no había pasado demasiado tiempo en habitaciones de torres y se dio cuenta ahora, al mirar a su alrededor, que no debía de ser tarea fácil encontrar muebles para una sala en la que la mayor parte de las paredes eran semicirculares.

La señora Barry lanzó una mirada al estuche de la mandola cuando Will la dejó en el suelo.

—¿Tocas el laúd? —preguntó.

—En realidad es una mandola —contestó Will—. Un laúd tiene diez cuer…

—Lo que sea. ¿Vas a tocar esta noche?

—¿Por qué no? —contestó en tono animado—. Después de todo, hará una noche estupenda para la música y las risas.

—Pocas risas vas a encontrar aquí —dijo la mujer con amargura—. Aunque me atrevería a decir que un poco de música nos vendría bien. —Y con esa nota alegre, se encaminó hacia la puerta—. Si necesitas algo, pídeselo a alguna de las doncellas. Y guárdate las manos para ti mismo. Sé bien cómo son los juglares —añadió en tono hosco.

Entonces, debes de tener muy buen memoria, pensó Will para sus adentros cuando la mujer salió de la habitación. Le daba la impresión de que debían de haber pasado muchos años desde que un juglar eligiera dar un pellizco a ese gran trasero. Le hizo una mueca a la perra, que se había tumbado en el suelo cerca de la chimenea y le observaba con atención.

—Qué sitio tan agradable, ¿verdad, chica? —dijo. La perra agitó la cola al oír su voz.

La cena en el comedor del castillo fue un evento lúgubre, presidido por Orman, el hijo de Lord Syron.

Era un hombre de mediana altura, de unos treinta años o así, según los cálculos de Will, aunque su incipiente calvicie hacía que resultara difícil de determinar. Iba vestido con una túnica gris de estudiante y su actitud parecía hacer juego con el color de su ropa. Tenía el rostro cetrino y daba la impresión de que pasaba la mayor parte de su tiempo bajo techo. En general, no era el tipo de hombre para infundir confianza a una comunidad que vivía a la sombra del miedo, como era la de Macindaw.

Al ocupar su puesto a la cabecera de la mesa del comedor, no dio ninguna muestra de haberse percatado de la presencia de Will. Como era costumbre, las mesas estaban dispuestas en forma de T, con Lord Orman y sus acompañantes, incluido Agramond, sentados en la parte horizontal de la T. Will vio que había varios puestos vacíos en la mesa presidencial.

El resto de los comensales estaban sentados en la mesa que formaba el rabo de la T, en orden de importancia decreciente. A Will le habían colocado un poco más arriba de la mitad del rabo. Como Guardián, lo normal es que le hubiesen asignado un puesto en la mesa principal; de hecho, tuvo que resistirse a la reacción instintiva de dirigirse hacia ella. La señora Barry, que supervisaba la cena, le indicó su puesto en la mesa y Will se encontró sentado con varios de los maestros de oficios de menor rango y sus mujeres. Nadie habló con él. Aunque pronto se dio cuenta de que tampoco hablaban entre sí, aparte de murmullos pidiendo que les pasaran condimentos o platos.

Como de costumbre, Will maldijo en silencio el extravagante atuendo de juglar que llevaba, con sus grandes mangas sueltas. Más de una vez consiguió meterlas en la espesa salsa de las bandejas que le pasaban.

El nivel de la comida servida encajaba a la perfección con la atmósfera general: un guiso anodino de cordero, con un asado de venado algo correoso y bandejas de verduras cocidas que parecían venir de largos meses almacenadas en sótanos y tenían más hebras que carne.

La cena, sin conversación o diversión de ningún tipo, acabó pronto. Entonces, Agramond se levantó y dijo unas palabras al oído de Orman. El señor provisional del castillo escuchó, hizo una mueca y luego deslizó la vista por la mesa hasta encontrar a Will.

—Me dicen que tenemos el privilegio de contar con un artista entre nosotros —dijo.

Si se sentía privilegiado, el tono de su voz desde luego que no lo reflejaba. Sus palabras solo transmitían una aceptación cansina de lo inevitable y un inconfundible aire de desinterés. Will, sin embargo, optó por hacer caso omiso del tono insultante de su presentación. Se puso en pie y se apartó un poco de la mesa para realizar una reverencia pomposa, profunda y acompañada de mucha floritura. Después, esbozó una gran sonrisa en dirección a Orman.

—Si a mi señor le parece bien —empezó—, soy un humilde juglar con canciones de amor, risa y aventura para compartir con todos ustedes.

Orman suspiró con hastío.

—Dudo mucho que me parezca bien en modo alguno —dijo. Su voz era nasal y aguda. En su conjunto, era un espécimen muy poco impresionante, pensó Will, sin un solo punto evidente a su favor—. Supongo que tienes el repertorio habitual de gigas tradicionales, canciones populares y aleluyas, ¿me equivoco? —continuó. Will pensó que la mejor respuesta era hacer otra reverencia.

—Mi señor —dijo, apretando los dientes y bajando la vista, con unas ganas increíbles de acercarse a la mesa principal y estrangular al hombre de rostro macilento.

—No hay ni una sola posibilidad de que sepas algo de música clásica, ¿verdad? La música realmente importante —comentó Orman. Su tono no dejaba lugar a dudas de que sabía que la respuesta sería negativa. Will volvió a sonreír, deseando tener la habilidad para empezar a tocar de repente el primer movimiento de *Interpretaciones* y *odas estivales* de Saprival.

—Siento decirle, mi señor, que no tengo formación clásica —dijo, con la sonrisa aún plantada en la cara. Orman agitó una mano despectiva.

—Yo también lo siento —dijo apesadumbrado—. Bueno, pues entonces supongo que tendremos que soportar lo inevitable. Quizás mi gente encuentre algo de diversión en tu actuación.

No parecía muy probable, después de semejante presentación, pensó Will, mientras pasaba la correa de la mandola por encima de su cabeza. Vaciló un instante, paseó la vista por la sala, registrando las expresiones impasibles de todos los presentes. Creo que estoy a punto de aprender lo que significa morir en el escenario, pensó para sí, mientras tocaba los primeros acordes de *Katy, ven a verme*, un *reel* animoso de Hibernia. Era una canción segura para él, una de las primeras que había aprendido en su vida, y la estrofa instrumental del inicio era simple pero estimulante.

Y, por supuesto, todavía furioso por la actitud de Orman, lo único que consiguió fue hacer una auténtica chapuza. Tocó con tal torpeza que tuvo que abandonar el punteo melódico y optar por rasgar los acordes. Le ardían las orejas de la vergüenza mientras continuaba testarudo con la canción, cometiendo error tras error, olvidando nota tras nota. Terminó con una nota fallida en la cuerda de bajo que resumía en un segundo la ineptitud de la actuación en su conjunto.

Como recompensa, recibió un silencio pétreo que pareció durar varios minutos. Y entonces, desde el fondo de la sala, llegó el sonido de unos sonoros aplausos.

Dieciocho

Will se giró para mirar hacia allí. Un grupo de cinco hombres, vestidos con ropa de caza, había entrado en el salón mientras cantaba. Ahora todos aplaudían, animados por el que obviamente era su líder.

No muy alto pero fornido, tenía un rostro cuadrado y abierto y una gran sonrisa. Empezó a caminar hacia Will por el centro de la sala, sin dejar de aplaudir mientras se acercaba. Al llegar hasta él, le tendió la mano para saludarle.

—¡Bien hecho, juglar, sobre todo a la vista de la gélida recepción que te han dado!

Will estrechó la mano que le ofrecían. El apretón fue firme y notó la mano dura y callosa. Will conocía ese tacto. Era la mano de un guerrero.

—¿Cómo te llamas, juglar? —preguntó el hombre. Era más alto que Will y parecía estar en la treintena. Iba bien afeitado, tenía el pelo oscuro y rizado y unos vivaces ojos castaños. Sus cuatro acompañantes se quedaron un poco por detrás de él. También guerreros, según pudo ver Will.

—Will Barton, mi señor. —La calidad de la ropa del hombre no le dejaba lugar a dudas de que esa era la forma correcta de dirigirse a él. No obstante, el título fue recibido con risas.

—No hay necesidad de tanta ceremonia, Will Barton. Keren es mi nombre. Sir Keren quizás, en ocasiones formales, pero Keren es suficiente en cualquier otra circunstancia. —Se volvió hacia la mesa principal y levantó la voz al dirigirse a Orman—. Disculpa nuestra tardanza, primo. Confío en que aún queden restos de comida para nosotros.

Keren, pensó Will, recordando el nombre. Era el sobrino de Syron y, según todos los informes, el que mantenía el castillo en pie en ausencia de su señor. Se decía que era un guerrero diestro y un buen líder. Y, si las primeras impresiones servían para algo, no tenía nada que ver con su primo.

Will se dio cuenta de que Orman estaba hablando, el desagrado bien patente en su voz.

—Estos comensales ya están acostumbrados a tus maleducadas llegadas con retraso, primo —dijo. Keren miró hacia Will y le regaló una sonrisa cómplice, acompañada de un histriónico levantar de cejas—. Si tenéis a bien ocupar vuestros puestos, haré que los sirvientes os traigan comida —continuó Orman.

Era obvio que los puestos vacíos en la mesa principal estaban destinados a Keren y a sus acompañantes, pero Keren declinó la sugerencia.

—Que nos pongan unas sillas aquí —dijo, señalando la mesa cerca de Will—. Comeremos mientras disfrutamos de la música de Will Barton. Ya es hora de que estas viejas paredes lúgubres vean algo de diversión —añadió, con un brillo de malicia en la mirada—. ¡Oigamos algo animado, Will! ¿No conocerás *Old Joe Smoke,* por alguna casualidad?

—Claro que sí —repuso Will. Se alegró de haber pasado las semanas previas ensayando las palabras correctas de esa canción. Ahora confiaba en no cometer el error de mencionar a «Halt Barbagris». Después de todo, Halt era un nombre famoso en todo el reino y no le haría ningún bien sugerir que tenía algún tipo de conexión con el legendario Guardián.

Era asombrosa la diferencia que podía suponer un pequeño grupo de espectadores interesados. Cuando empezó la marchosa melodía, los dedos de Will se movían con confianza y seguridad. Keren y sus amigos daban palmas y pisotones al compás, se unieron al estribillo y, poco a poco, contagiaron al resto de los presentes.

Excepto Orman, por supuesto. Cuando los aplausos por *Old Joe Smoke* se apagaron, Will oyó el ruido de una silla rascar contra el suelo en la mesa principal. Giró la cabeza para ver al señor del castillo abandonar la sala por una puerta lateral, una mueca de desagrado en la cara.

—¡Bueno, eso sí que ha aligerado el ambiente! —exclamó Keren en tono alegre. Will no estaba seguro de si se refería a la canción o a la marcha de su primo—. Oigamos otra, ¿qué decís vosotros? —Miró a sus compañeros de mesa. Por un momento, recibió poca respuesta de ellos. Keren se inclinó hacia delante. Esbozó una sonrisa aún más grande y habló con un poco más de énfasis—. He dicho que oigamos otra. ¿Qué decís vosotros?

Hubo un repentino arrebato de entusiasmo mientras coreaban sus afirmaciones. Will los miró con cierta sorpresa. Keren parecía extremadamente popular entre sus seguidores. Cualquier cosa que él quisiera, ellos parecían apoyarla. Y desde luego que Will no se iba a quejar. Después de los comentarios despectivos de Orman, sería un cambio agradable contar con un público entusiasta.

Sonrió a todos los presentes y flexionó los dedos de forma experimental. La noche iba a ir mejor de lo esperado, pensó. Mucho mejor.

La velada continuó durante otra hora y media. Después la gente empezó a retirarse a sus aposentos. Will, satisfecho tras su actuación, guardó la mandola, y estaba a punto de seguirlos cuando Keren le detuvo. La alegre sonrisa había desaparecido y su rostro se veía serio mientras agarraba el antebrazo de Will.

—Me alegro de que hayas venido, Will Barton —dijo en voz baja—. La gente de por aquí necesita algo de diversión que les haga olvidar sus problemas. Y obtienen muy poca de mi amargado primo. Dime si necesitas cualquier cosa mientras estés con nosotros.

—Gracias, Sir Keren —empezó Will, pero la mano le apretó el brazo un poco más fuerte y el joven se corrigió—. Keren, entonces. Haré todo lo que esté en mi mano para animar un poco a la gente. —La sonrisa fácil de Keren apareció de nuevo.

—Estoy seguro de que lo harás. Recuerda, si necesitas algo, solo pídelo.

Y con eso, se alejó con sus compañeros.

Cansado de repente por el bajón que todo artista siente después de una noche de éxito, Will arrastró los pies escaleras arriba hasta su habitación. La perra le recibió con una mirada inquisitiva y el habitual meneo de la cola.

—No ha sido una mala noche —le dijo—. Nada mala. Mañana puedes trabajar conmigo. —La perra apoyó la nariz en las patas delanteras y fijó la vista en él. Esa mirada penetrante tenía un mensaje inconfundible para él—. Oh, dime que no —suplicó esperanzado—. Seguro que puedes aguantar hasta mañana...

Los ojos de la perra permanecieron clavados en él. Will soltó un suspiro suave. Abrochó la hebilla de su cuchillo sajón y se echó la capa negra y blanca por encima de los hombros.

—Vaaale —le dijo a la perra—. Vamos.

La pastora le siguió obediente escaleras abajo. Salieron al patio del castillo. Era una noche fría y el cielo estaba despejado, con una insinuación clara de helada en el ambiente. En lo alto, las estrellas brillaban con fuerza, mientras que un cuarto de luna empezaba a asomar por el este.

Revitalizado por el aire frío, Will respiró hondo mientras miraba a su alrededor por el patio. Las estrellas y la luna proyectaban luz suficiente como para ver sombras nítidas al otro lado del recinto y Will pensó que ese podía ser un momento tan bueno como cualquier otro para echar un vistazo al vecindario.

La fina capa de nieve fresca que cubría los adoquines crujió bajo sus botas mientras caminaba hacia la poterna adyacente al enorme rastrillo. Uno de los centinelas le dio el alto al ver que entraba en el puesto de al lado de la puerta.

—¿Adónde te diriges, juglar? —preguntó. Su actitud no era ni amistosa ni lo contrario. Will se encogió de hombros.

—No puedo dormir —dijo. Luego señaló a la perra—. Y ella siempre está dispuesta a dar un paseo.

El centinela arqueó una ceja en su dirección.

—Este no es un buen sitio para dar paseos de noche —dijo—. Pero si te empeñas en salir, más vale que te mantengas alejado del Bosque de Grimsdell.

—¿El Bosque de Grimsdell? —dijo Will, adoptando un tono entre divertido y escéptico—. ¿No es ahí donde se reúnen los diablillos y los fantasmitas? —Le dedicó una alegre sonrisa al centinela para hacerle saber que ese tipo de supersticiones significaban poco para él. El centinela meneó la cabeza.

—Búrlate si quieres. Pero un hombre inteligente evitaría el bosque y todos sus alrededores.

—Bueno, quizás lo haga —dijo Will, sonando de todo menos sincero—. ¿Dónde está exactamente? Para asegurarme de que me mantengo alejado de él.

Se produjo una larga pausa mientras el soldado le miraba. Se había dado perfecta cuenta de su incredulidad y se había molestado un poco por el tono burlón que subyacía bajo las palabras del trovador. Juglares, pensó, siempre tan listillos, siempre tan rápidos para burlarse de las cosas. Al cabo de unos instantes, señaló hacia la izquierda.

—Está por ahí —dijo, reprimiendo su enfado—. A un kilómetro o así. Y lo reconocerás cuando lo veas, créeme.

Les diré a los centinelas de la muralla que has salido —añadió—, por si acaso consigues volver.

Y, con sensación de haber logrado decir la última palabra, abrió la pequeña poterna de al lado del rastrillo para dejar pasar a Will y a la perra. La puerta se cerró con fuerza a su espalda y Will oyó los cerrojos deslizarse de vuelta a su sitio casi de inmediato. En lugares como ese, nadie dejaba una puerta abierta más de lo estrictamente necesario una vez que el sol se había puesto.

Por la misma razón, el inmenso puente levadizo estaba levantado. No lo bajarían de nuevo hasta después del amanecer. Pero había un estrecho puente de acceso para cruzar el foso que protegía este lado del castillo. Constaba solo de dos tablones, pero Will lo cruzó con facilidad; la perra un poco menos. Will ya se había dado cuenta de que no le gustaba la sensación de tener un suelo inestable bajo las patas.

Echó la vista atrás para mirar el castillo, una masa achaparrada que se alzaba por encima de él. Pudo ver una o dos figuras oscuras moviéndose entre las almenas. Los guardias nocturnos, pensó.

Se resistió a la tentación de saludarlos desde abajo y echó a andar en la dirección que le había indicado el centinela. La perra le siguió. Entonces, Will chasqueó los dedos y dijo la palabra «libre», y la perra se adelantó. Corría a unos veinte metros por delante de él. Se paraba y olisqueaba los nuevos olores, levantaba una oreja ante los nuevos sonidos y miraba continuamente hacia atrás para asegurarse de que Will iba tras ella.

El paisaje tenía una belleza salvaje bajo su manto de nieve. El camino estaba cubierto únicamente por la fina capa de nieve que había caído esa noche, pero en los campos y los árboles del borde del sendero, la capa de nieve era espesa y pesada debido a nevadas anteriores. A Will siempre le había encantado ver el paisaje nevado de noche, así que paseó tan a gusto, pensando en los acontecimientos de la noche y la total disparidad de caracteres entre Lord Orman y su primo.

Poco a poco, las praderas y tierras de labor empezaron a dar paso a árboles y arbustos cada vez más espesos y más cercanos al camino. Allí todo era más oscuro, sin las praderas y su cubierta de nieve para reflejar la luz ambiental, y Will sintió como si los campos empezaran a cerrarse a su alrededor. Como si se cerniesen sobre él. Como si le observaran. Aflojó el cuchillo sajón en su funda y tocó el mango del cuchillo arrojadizo detrás de su cuello. Se dijo que eso no tenía nada que ver con la superstición. Era solo sentido común en una zona del país potencialmente peligrosa. Se dio cuenta de que el arco de exploración de la perra se había reducido. Era obvio que ella también prefería el campo abierto. En cualquier caso, pensó Will, ella percibiría si había alguien dispuesto a tenderles una emboscada y le avisaría, así que continuó adelante.

Y se encontró al borde del Bosque de Grimsdell.

Diecinueve

El Bosque de Grimsdell acechaba. No había otra palabra para describirlo. Los árboles eran más altos, más oscuros y frondosos, y estaban más juntos. Las sombras debajo de ellos eran densas e impenetrables. El bosque era siniestro y oscuro y parecía decidido a mantener sus secretos ocultos a los extraños.

El centinela tenía razón, pensó. Sí que lo reconoció al verlo.

Caminó despacio por el borde, tras chasquear los dedos una vez para llamar a la perra a su lado. Tenía las orejas alertas, según vio Will, y pasaba la vista de él al bosque y de vuelta otra vez. Daba la impresión de percibir dónde estaba centrada la atención de su amo.

Entonces, se le erizaron los pelos y gruñó con suavidad, los ojos fijos a un lado. Will miró en esa dirección, pero no vio nada entre la maraña de árboles y maleza. Se puso en cuclillas y, por un instante, vio un tenue resplandor rojo moviéndose entre las sombras. Fue solo un instante. Luego desapareció.

Sintió que se le ponían los pelos de punta mientras se levantaba una vez más. Sacudió la cabeza y se rio con suavidad.

—Es una luz —se dijo—. Nada más.

La perra gruñó de nuevo y, en esta ocasión, Will vio el movimiento por el rabillo del ojo. Un resplandor azul esta vez, que pareció brotar de repente de las cimas de los árboles y luego desapareció. Ni siquiera estaba seguro de haber visto algo, pero el comportamiento de la perra le confirmó que así era.

Entonces volvió a ver el resplandor rojo... y desapareció antes de que pudiera enfocarlo con claridad. Esta vez había aparecido en una zona del bosque a varios centenares de metros de donde lo había visto la primera vez. Will notó que se le aceleraba el corazón y su mano cayó otra vez sobre el cuchillo sajón.

—Vamos, chica —dijo—. En alguna parte debe de haber un camino para entrar en este bosque.

Encontró uno a unos treinta metros de distancia. Era estrecho y tortuoso, con apenas el espacio suficiente para un solo hombre. Quizás fuese un sendero hecho por animales. O quizás era obra de la mano del hombre. Fuera como fuera, lo tomó y se adentró en el bosque, la perra un paso o dos por delante de él, la cabeza gacha, la nariz pegada al suelo.

Después de unos veinte pasos, Will miró hacia atrás y ya no pudo ver el camino de salida. El sendero zigzagueaba tanto y la maleza y las enredaderas y los árboles se entrelazaban con tal densidad que su mundo estaba ahora confinado a un espacio de unos pocos metros. Continuó adelante, la mano aún sobre el mango del cuchillo sajón. Años de entrenamiento como Guardián significaban que se movía sin hacer prácticamente ni un ruido, y en ese momento, por instinto, empezó a utilizar los dibujos que trazaban las sombras para ocultar sus movimientos.

No hubo más signos de luces entre los árboles. Quizás, pensó, los portadores de esas luces habían huido cuando entró en el bosque. Esa idea logró relajarle un poco. A lo mejor él no era el único del bosque que estaba nervioso. Sonrió al pensarlo y siguió su camino.

Entonces empezaron los susurros.

Estaban justo en los límites de su audición, así que al principio no estaba del todo seguro de estar oyendo algo. Después, pensó que quizás era el viento entre las hojas; excepto que no había viento. Era un susurro casi imperceptible que parecía venir de ninguna parte y de todas a la vez. Miró a la perra. Se había quedado quieta, una pata delantera en el aire, la cabeza ladeada, escuchando. Así que era verdad que había un sonido. Pero era imposible determinar de dónde procedía, y eso hacía imposible distinguir si eran voces o solo un ruido. Iba y venía en el límite mismo de sus sentidos, a veces ahogado por el sonido acelerado de sus propios latidos, otras casi nítido, casi comprensible. Y entonces, en medio de ese musitar indeterminado, empezó a discernir palabras sueltas.

Palabras desagradablemente evocadoras. Una vez, pensó que había oído claramente una voz que decía *dolor*. Y luego los susurros se acallaron, hasta que oyó, o creyó oír, la palabra *muerte*. Y *sufrimiento*, *oscuridad* y *terror*. Luego más susurros sin sentido, sin palabras.

Miró a la perra otra vez. Permanecía alerta, pero las palabras que escuchaba, como era obvio, no tenían ningún significado para ella. Solo estaba reaccionando al sonido. La mente de Will volvió al terror que había sentido hacía años, cuando Halt y Gilan y él estaban dando caza a las malvadas bestias kalkaras en la Llanura Solitaria. Entonces, como ahora, el terror de unos sonidos desconocidos se había apoderado de él y había amenazado con sobrepasarle. Pero en aquella ocasión, contaba con la presencia tranquilizadora de Halt para calmar sus miedos. Ahora solo se tenía a sí mismo.

Respiró hondo. El cuchillo sajón silbó con suavidad al deslizarse de su funda engrasada y Will habló, con voz clara y firme, a las sombras que le rodeaban.

—Acero.

Los susurros se apagaron.

La perra le miró. Movió la cola una vez. Sus pelos erizados volvieron a su estado natural y Will se sintió mejor. *Enfréntate a tus miedos*, le había enseñado siempre Halt, *y la mayoría de las veces se desvanecerán como la niebla a la luz del sol.* Los susurros y las palabras eran una cosa, pensó. El contundente y afiladísimo cuchillo sajón era otra completamente distinta. Más práctica. Más real. Más convincente.

Y en general mucho más peligrosa.

—Adelante, perrita. Encontremos a esos susurradores. —Le hizo un gesto al animal para que continuara. Él caminaba unos pasos por detrás de ella, confiado en su capacidad para percibir el peligro.

Hizo bien en dejarle tomar la delantera. De otro modo, lo más probable es que hubiese caído sin darse ni cuenta en las aguas negras de la ciénaga que apareció de repente al girar en una curva.

El sendero la bordeaba por la derecha. Ubicada entre los árboles, era una extensión de agua negra de unos treinta metros de diámetro. Por el borde, las enredaderas bajaban hasta el agua y los árboles se inclinaban para encontrarse los unos con los otros, algunos tan altos que casi se daban la mano con sus vecinos del lado contrario, así que había cielo abierto solo sobre el centro de la laguna.

La superficie del agua despedía vapor, que se enroscaba en guirnaldas de fina neblina que acababa por dispersarse al subir entre los árboles. También había burbujas que rompían la superficie en zonas donde se pudría la vegetación bajo el agua. O donde respiraba alguna criatura grande, pensó Will. En el otro lado de la ciénaga, el lado opuesto a donde se encontraba él, la neblina parecía más densa y formaba lo que casi era una cortina. Se paró a estudiar el fenómeno, preguntándose por qué la neblina sería más espesa en ese punto. La perra se tumbó sobre la barriga, pero no dejó de mirarle con atención, lista para ponerse en marcha al instante si lo hacía él.

Y entonces, en un tenso momento de absoluto terror, una gigantesca figura brotó de la neblina y se alzó amenazadora por encima de la ciénaga. Parecía surgir de las mismísimas aguas negras.

Sucedió tan deprisa como eso. Un momento no había nada. Luego, en un abrir y cerrar de ojos, la figura estaba ahí, completamente formada. Enorme y amenazadora, negra contra la neblina, la sombra de un guerrero gigante con una antigua armadura con púas y un inmenso casco alado sobre la cabeza. Debía de medir unos doce metros de altura, pensó Will, mientras la miraba, clavado en el sitio de puro terror. El casco era un diseño de rostro entero, pero donde estaban las cuencas de los ojos, solo había un espacio vacío.

Dio la impresión de que la figura tiritaba un poco y, por un espantoso momento, Will creyó que se movía hacia él. Entonces se dio cuenta que era solo el movimiento de la cortina de niebla. El corazón de Will martilleaba bajo sus costillas, tenía la boca seca de miedo. Sabía que aquella no era ninguna figura mortal. Aquello era algo del otro lado, el oscuro mundo de la hechicería y los conjuros. Por instinto, supo que ninguna de sus armas podría hacerle daño.

La figura se alzaba imponente, inmóvil excepto por el ligero rielar de la neblina. Las cuencas vacías parecían buscarle. Entonces oyó la voz.

Era profunda y parecía resonar por toda la ciénaga negra, como si la estuviera oyendo en una especie de enorme caverna y no en un bosque al aire libre.

—¡Ten cuidado, mortal! —tronó—. No despiertes a la sombra del Guerrero Nocturno. ¡Sal de aquí mientras puedas!

La perra se puso en pie de un salto al oír el sonido de esa voz atronadora. Un gruñido retumbó en su garganta y Will la acalló con una voz quc estaba muy lejos de sonar calmada.

—¡Quieta, chica! —graznó, y el gruñido paró. Pero Will pudo ver que los pelos del cuello de la perra se habían erizado en una reacción primitiva de enfado o de miedo. Podía sentir sus propios pelos de la nuca erizados de manera parecida. Al otro lado del lago, la neblina dio la impresión de hacerse aún más densa y la aterradora figura pareció hacerse más y más sustancial, como si estuviera obteniendo poder de la neblina. Esta vez, cuando habló, la voz sonó aún más alta que antes.

—¡Márchate mientras aún te lo permita! ¡Vete!

La última palabra retumbó por toda la ciénaga y Will se encontró caminando involuntariamente en dirección contraria a la que había llevado hasta entonces. Empezó a desandar el camino recorrido, alejándose de esa laguna negra y de ese guerrero infernal. Se tropezó con la raíz de un árbol, bajó la vista para recuperar el equilibrio y, cuando miró hacia arriba, el Guerrero Nocturno había desaparecido.

Así, sin más. En un instante, como una vela que se hubiese apagado. Miró temeroso en torno a la ciénaga, se preguntaba si el guerrero reaparecería en algún lugar más cercano. Entonces volvió a oír la voz. Sonaba más baja esta vez, nada que ver con el volumen de la original, y ahora no había palabras. Solo una risita grave y amenazadora. Las últimas reservas de valor de Will le abandonaron.

—¡Corre, chica! —gritó, dio media vuelta y corrió como alma que lleva el diablo en dirección a la entrada del Bosque de Grimsdell. La perra pasó por su lado para adelantarle y encabezar su huida hasta que volvieron a ver el claro cielo nocturno y las brillantes estrellas en lo alto. Solo entonces dejó Will de correr. Su respiración alterada formaba irregulares nubecillas de vapor en el aire gélido y su corazón latía a mil por hora. Esperó unos minutos hasta que su respiración volvió a un ritmo más normal.

Cuando la avistaron, la mole negra del Castillo de Macindaw le pareció hospitalaria y acogedora. La antorcha que ardía al lado de la poterna era un símbolo de seguridad. Se apresuró hacia ella, ansioso por estar al otro lado de las murallas.

Veinte

Will durmió mal el resto de la noche, como era de esperar. Solo logró conciliar el sueño a ratos, con pesadillas protagonizadas por el imponente Guerrero Nocturno. Por fin, casi al amanecer, logró caer en un sueño profundo e, inevitablemente, poco después de hacerlo le despertaron los sonidos mañaneros del castillo.

Se quedó tumbado en la cama un momento, preguntándose si de verdad había visto y oído esa horripilante figura la noche anterior. Durante un minuto o dos, el cerebro embotado por el sueño, pensó que a lo mejor había sido una pesadilla. Se levantó, estiró los brazos y las piernas y se dio cuenta de que todos los músculos de su cuerpo se habían tensado mientras dormía. La perra, la barbilla apoyada sobre las patas, la barriga sobre el suelo de piedra caliente al lado de las brasas de la chimenea, levantó las orejas y meneó dos veces la cola a modo de saludo.

—Para ti es muy fácil —le espetó Will—. No tienes ni idea de lo aterrador que fue lo que sucedió ayer por la noche. —Abrió las contraventanas y contempló el nuevo día. Estaba despejado y soleado, la luz mañanera centelleaba sobre el paisaje nevado que rodeaba Macindaw. El entrenamiento y la disciplina requerían que se tomase un tiempo para repasar los acontecimientos de la noche anterior mientras aún estuvieran frescos en su memoria e intentara encontrarles una explicación lógica. Después de diez minutos de análisis llegó a la conclusión de que *sí* había visto esa figura. *Sí* había oído su voz. Y había sentido un terror como jamás había sentido antes.

La luz del día no le aportó ninguna explicación lógica, ninguna solución física. Había algo terrible en el Bosque de Grimsdell. Soltó un largo suspiro. Pensó otra vez en lo que le había dicho Halt y en su opinión de que, en noventa y nueve de cada cien casos, había una explicación para semejantes fenómenos.

—Supongo que voy a tener que volver y averiguar cuál es —dijo Will en voz baja.

No era de sorprender que tuviese poco apetito cuando fue a desayunar al comedor. Aun así, logró tragar un par de panecillos calientes untados con una conserva de frambuesas, y para cuando estaba a medio camino de su segunda taza de café, sus nervios alterados casi habían vuelto a su estado normal. Como no buscaba compañía, se sentó solo en una de las largas mesas de la sala, lejos de los pequeños grupos aislados que charlaban en voz baja mientras desayunaban. Fue ahí donde le encontró el paje.

—¿Juglar? —dijo con frialdad. Era mayor para ser un paje. Debía de estar ya en la cuarentena, lo que significaba que no tenía ninguna habilidad especial a ojos de sus superiores. La mayoría de los chicos jóvenes empleados como pajes en un castillo pasaban luego a ser escuderos o ayudantes de los maestros de oficios. Los que no lo hacían solían ser vagos, hostiles o estúpidos. O todo ello. Sus siguientes palabras indicaron a Will que la cuarta opción era la correcta. Cuando levantó la vista de su taza de café, el paje continuó—. Ve a ver a Lord Orman a las diez en punto.

Dio media vuelta y se alejó. Por un momento, Will se sintió tentado de llamar de vuelta al paje y darle una charla por su falta de educación. Como Guardián, estaba acostumbrado a que le trataran con respeto.

Entonces se dio cuenta de que en esos momentos no era un Guardián. Era un juglar. Con cierto rencor, decidió que el indisimulado desdén de Orman por los trovadores ambulantes debía de haberse contagiado a algunos miembros de su personal.

Había un reloj de agua en el comedor y vio que disponía de más de una hora antes de su entrevista con Orman. Por un instante se preguntó por qué querría verle el señor del castillo. Lo primero que pensó es que tenía algo que ver con lo sucedido en el Bosque de Grimsdell, pero entonces se dijo que probablemente su imaginación estuviera haciendo horas extras, ya que Grimsdell era en esos momentos lo más prominente en su cerebro.

Era más probable, pensó, que Orman quisiera verle por la escena de la víspera con su primo Keren. Cuanto más lo pensaba, más convencido estaba de que debía de ser eso. Habían avergonzado a Orman delante de todo el comedor y era muy probable que quisiera dar rienda suelta a su ira con Will, que decidió aceptar con filosofía lo que le esperaba. No podía hacer nada al respecto, así que no tenía ningún sentido preocuparse por ello. Pero se dio cuenta de que tendría que andar con pies de plomo en el futuro. No le serviría de nada ponerse al señor del castillo en contra, por desagradable que fuera.

Pasó el tiempo de espera en la biblioteca del castillo, situada en una de las torres de las esquinas. Buscó entre las polvorientas estanterías de libros y pergaminos a ver si encontraba alguna referencia a relatos locales sobre el Guerrero Nocturno, y echó un vistazo general en busca de obras sobre hechicería, brujería o conjuros. En ambas pesquisas, acabó con las manos vacías. Encontró solo un pequeño volumen sobre hechicería, aunque se percató de que había varios huecos vacíos en las estanterías cercanas. Y los pocos relatos generales e inconexos sobre historia local que encontró no mencionaban a ningún Guerrero Nocturno. Frustrado y distraído por el recuerdo de su reacción en el bosque la noche anterior, se encaminó hacia los aposentos de Lord Orman en el cuarto piso del torreón central.

El secretario de Orman, un hombrecillo pequeño y calvo excepto por unos mechones de pelo blanco encima de cada oreja, levantó la vista cuando Will entró en la antesala. Le recordó a una ardilla calva; movía la cabeza a toda velocidad de un lado a otro, como para ver mejor a Will.

—Lord Orman quería verme —dijo Will, escueto. No veía ninguna razón por la que debiera presentarse al secretario.

—Ah, sí, sí, eres el juglar ¿no? Ven conmigo, Lord Orman está libre en estos momentos.

Se levantó de detrás de su mesa, repleta de papeles, pergaminos medio desenrollados y gruesos libros de contabilidad, y llamó a la enorme puerta que daba a los aposentos de Orman. Desde el otro lado, Will oyó la aguda voz nasal contestar.

—Adelante.

El secretario le hizo un gesto a Will para que le siguiera, abrió la puerta y entró. Orman estaba al lado de la ventana, contemplando la vista del patio del castillo a sus pies. Era una sala grande, iluminada con velas y lámparas de aceite colocadas en puntos estratégicos a pesar de que entraba bastante luz del sol. Una chimenea en un rincón calentaba la habitación, cuyas paredes estaban revestidas de sólidos armarios de madera y estanterías atestadas de libros. Uno de los armarios estaba abierto y Will vio un surtido de pergaminos en su interior. Orman tenía reputación de intelectual, pensó. Su habitación desde luego que parecía dar crédito de ello.

—El juglar, mi señor —dijo el secretario, señalando a Will. Orman se apartó de la ventana y estudió a Will durante varios segundos sin decir nada.

—Eso será todo, Xander —dijo al fin, y el secretario hizo una reverencia y se marchó en silencio, cerrando la puerta a su espalda.

Orman, sin quitarle ojo a Will y sin parpadear siquiera, se sentó tras una mesa al lado de la ventana. Había otras dos sillas alrededor de la mesa, pero no invitó a Will a sentarse, así que se quedó de pie. Podía sentir como le iba subiendo el rubor por el cuello y la cara ante el arrogante tratamiento del señor del castillo. Se obligó a mostrarse despreocupado y apartó la vista de Orman. Dejó que sus ojos se pasearan por la habitación, tomó nota mental de los montones de papeles y libros abiertos sobre el inmenso escritorio pegado a una de las paredes interiores.

—Mi primo Keren es una mala influencia —dijo Orman al final—. Harías bien en recordarlo en el futuro.

Will no dijo nada, pero hizo una reverencia para demostrar que lo había entendido. Así que su predicción había sido correcta. Orman no parecía esperar ninguna respuesta y siguió hablando.

—Claro que es fácil ser «popular» cuando no tienes ninguna responsabilidad. Y hay gente en este castillo que querría ver a Keren al mando... —Dudó un instante y Will tuvo la extraña sensación de que el otro hombre casi esperaba que él hiciera algún comentario. Aun así, guardó silencio—. Pero no lo está —continuó Orman—. Yo soy la autoridad aquí. Nadie más. ¿Entendido?

Las últimas palabras las pronunció casi como si las escupiera, con una intensidad que sorprendió a Will. Un poco desconcertado, miró a los ojos iracundos del otro hombre e hizo otra reverencia.

—Por supuesto, mi señor —contestó. Orman asintió una vez o dos, luego se puso de pie y empezó a caminar por la habitación.

—Entonces, cuida tus modales en el futuro, juglar. A mí se me tratará con el respeto que mi posición exige. Puede que sea solo el señor provisional de este castillo, pero mi posición no será socavada... ni por ti ni por Keren. ¿Entendido?

—Sí, Lord Orman —dijo Will en tono neutro. Estaba confuso. Tuvo la extraña sensación de que, a pesar de su enfado, Orman parecía estar casi suplicando respeto y reconocimiento.

Orman hizo una pausa en su caminar y respiró hondo.

—Muy bien. Dicho esto, me doy cuenta de que no es tu culpa que no cumplas con los estándares que considero deberían ser la norma para un juglar. Las tonadillas tradicionales y las canciones populares están muy bien, pero no pueden sustituir a los clásicos. Esa clase de mala poesía simplista que cantas solo atrofia las mentes de la gente corriente. Yo creo que el deber de un artista es ilustrar a la gente. Elevar sus percepciones. Exponerlos a una grandeza más allá de sus propios horizontes limitados.

Se calló y miró a Will. Sacudió un poco la cabeza. Will no tenía ninguna duda de que Orman encontraba su potencial para la elevación muy deficiente. Hizo otra reverencia.

—Siento decirle que soy un simple trovador, mi señor —dijo. Orman asintió con amargura.

—Con énfasis en lo de simple, me temo —comentó.

Con la cabeza gacha, Will sintió que sus mejillas empezaban a sonrojarse. Supéralo, se dijo. Si quieres ser un juglar, tendrás que aprender a no ofenderte con las críticas. Respiró hondo varias veces para recuperar el control de sí mismo. Orman le observaba con atención. Will se dio cuenta de que la pulla había sido intencionada. El señor del castillo quería ver cómo reaccionaba.

—Y aun así —dijo Orman, con un reconocimiento casi reticente—, el instrumento que tocas es uno inusualmente bueno. ¿No será un Gilperon, por casualidad?

—Es una mandola —empezó Will, con su respuesta habitual—. Tiene ocho cuerdas, afinadas por... —No llegó más allá.

—¡Ya *sé* que es una mandola, por el amor de Dios! —le interrumpió Orman—. Te estaba preguntando si era obra de Axel Gilperon, probablemente el mejor lutier del reino. Pensaba que cualquier músico profesional habría oído hablar de él. Incluso tú.

Will supo al instante que había metido la pata. Intentó arreglarlo lo mejor que pudo.

—Mis disculpas, mi señor. Le había entendido mal. Mi instrumento lo hizo un artesano local en el sur, pero es conocido por copiar el estilo del maestro. Como es natural, un pobre músico rural como yo jamás podría permitirse comprar un Gilperon de verdad.

Will fingió reírse de sí mismo, pero Orman siguió mirándole, la sospecha bien patente en sus ojos. Se produjo un silencio incómodo, roto al final por una llamada a la puerta.

—¿Qué? —exigió saber Orman enfadado. La puerta se abrió lo justo para que su secretario asomara la cabeza con nerviosismo.

—Discúlpeme, Lord Orman —dijo—, pero Lady Gwendolyn de Amarle ha llegado e insiste en verle.

Orman frunció el ceño.

—¿No ves que estoy ocupado?

Xander abrió la puerta un pelín más y señaló con disimulo la antesala a su espalda.

—Está *aquí*, mi señor —dijo, con el tono de voz más bajo que pudo. Orman hizo un gesto de enfado al darse cuenta de que la dama de la nobleza ya estaba en su antesala.

—Muy bien, hazla pasar —dijo. Miró de reojo a Will, que había empezado a moverse hacia la puerta—. Tú espera. Todavía no he terminado contigo.

Xander asintió agradecido y se retiró. Unos segundos más tarde, abrió la puerta de par en par y entró. Se echó a un lado para dejar pasar a la recién llegada.

—Lord Orman, le presento a Lady Gwendolyn de Amarle. —Hizo una pronunciada reverencia cuando la dama entró en la habitación. Rubia, alta y preciosa. Iba vestida con un exquisito vestido de seda verde mar y se movía con la inconsciente dignidad y elegancia de una dama de noble cuna. Will reprimió una exclamación de sorpresa.

Lady Gwendolyn de Amarle era Alyss.

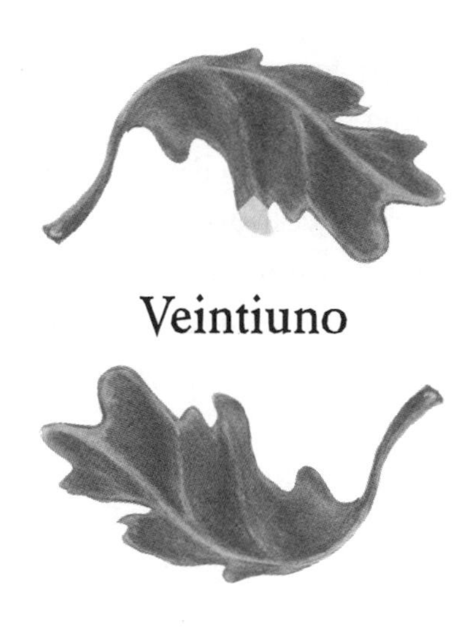

Veintiuno

Alyss se dirigió hacia el hostil señor del castillo ignorando a Will por completo.

—Lord Orman —dijo—, ¡cuán amable es usted de darme cobijo las próximas semanas! —Alargó una mano hacia Orman, con la palma hacia abajo, lo cual no dejaba lugar a dudas de quién consideraba que era superior en rango.

A regañadientes, Orman se inclinó sobre la mano y la rozó con los labios.

—¿Semanas, milady? —inquirió—. Pensé que era cuestión de unos pocos días. Una semana como mucho.

—¡Eso es imposible! —Alyss retrocedió un poco ante su falta de tacto—. Las carreteras hasta el castillo de mi prometido están bloqueadas por la nieve, ¡y he oído que hay lobos y osos en estas tierras! Es del todo impensable que siga mi viaje hasta que las carreteras estén despejadas… por impaciente que esté por reencontrarme con mi amado

Lord Farrell. Estoy segura, Lord Orman, de que no querrá traicionar la hospitalidad que me prometió su querido padre, el pobre.

Orman estaba atrapado. Era interesante, pensó Will, cómo funcionaba el orden jerárquico de la nobleza. Por muy amargado y maleducado que pudiera ser, y para colmo un asesino en potencia, Orman estaba azorado por la presunción de Alyss de ser su superior en rango.

—¡Por supuesto que no, Lady Gwendolyn! —dijo—. Era una simple pregunta, nada más.

Pero Gwendolyn ya no le prestaba atención; estaba mirando a Will como si fuese algún tipo de insecto inferior.

—¿Y a quién tenemos aquí? —preguntó, arqueando una ceja.

—Un juglar, mi señora. Recién llegado él también.

—¿Y tiene nombre este juglar? —continuó, fijando la vista en Will. Will vaciló. Le correspondía a Orman presentarle. Un plebeyo no podía iniciar una conversación con una noble como Gwendolyn. Mientras observaba el juego de poderes entre los dos, Will se quedó muy impresionado por la habilidad de Alyss para desempeñar el papel que le habían asignado.

—Will Barton, mi señora —dijo Orman. Al forzarle a presentarle a Will, Alyss había recalcado su superioridad una vez más. Will hizo una profunda reverencia—. A su servicio, mi señora —dijo. Alyss le miró pensativa, un codo apoyado en una de sus manos mientras sus dedos largos y elegantes acariciaban su mejilla.

—¿Eres buen artista, Will Barton?

Will miró de reojo a Orman.

—Soy un simple trovador, mi señora —dijo.

Orman sacudió la cabeza con desprecio.

—Me temo que todo lo que sabe son canciones populares y tonadillas tradicionales, mi señora. Nada que pueda considerarse de alto rango.

—¿Canciones populares? —preguntó Alyss, y soltó una risita aguda—. ¡Qué divertido! Muy bien, juglar, puedes entretenerme en mis aposentos dentro de una hora. Quizás tus tonadillas me ayuden a olvidar la pena de estar separada de mi amado. —Echó una miradita a Orman—. Supongo que no tendrá ningún inconveniente, Orman.

Orman se encogió de hombros.

—En absoluto, mi señora —dijo—. Por favor, disponga de nuestros servicios como más le convenga.

La ceja de Will salió disparada. Así que era un «servicio», ¿no? Por suerte, recuperó la compostura antes de que Orman se percatara. La atención del señor del castillo estaba centrada por completo en Alyss, mientras ella seguía adelante con su soberbia representación de una autoritaria mujer de la nobleza.

—Entonces, quizás también pueda pedirle a sus cocineros que me sirvan una comida ligera en mis aposentos, Orman —dijo Alyss—. Estoy cansada y hambrienta después de mi viaje a través de estas inhóspitas tierras suyas. Puede presentarme a su personal mañana. El resto del día de hoy preferiría descansar.

Orman hizo una reverencia.

—Por supuesto, mi señora. —Claro que había poco más que pudiese decir, pensó Will. Se dio cuenta de que Alyss le estaba mirando otra vez.

—Aunque, antes de retirarme, hay un par de cosillas sobre las que podríamos hablar, Orman... —dijo con cierto retintín.

Orman captó la indirecta y le hizo un discreto gesto a Will.

—Muy bien, Barton, puedes irte. Continuaremos nuestra conversación en otro momento.

Will hizo una reverencia profunda.

—Lady Gwendolyn, mi señor —dijo, y retrocedió hacia la puerta. Le ignoraron, cosa que era de esperar, mientras Orman le ofrecía una silla a Alyss.

—Recuerda, juglar —le dijo ella en tono imperioso justo cuando llegó a la puerta—, mis habitaciones dentro de una hora. Puede que aún no esté preparada para ti, así que a lo mejor tienes que esperar, pero estate ahí de todos modos.

Will hizo otra reverencia.

—Por supuesto, mi señora —contestó.

Mientras salía por la puerta, Will oyó a Alyss dirigirse a Orman con la voz cargada de preocupación.

—Y bien, Orman, ¡debe decirme qué aflige a su pobre y queridísimo padre! ¿Hay algo que yo pueda hacer para ayudar?

Xander cerró la pesada puerta detrás de Will antes de que pudiese oír la contestación de Orman.

Como correspondía al rango que había asumido, Alyss viajaba con un séquito nada desdeñable. El grupo constaba de un chambelán, dos doncellas y media docena de soldados. Estos últimos fueron acomodados en el dormitorio común del castillo, mientras que Alyss y los otros ocupaban una gran *suite* en el torreón central. Will se presentó en su antesala a la hora acordada. No estaba seguro de lo que se iba a encontrar, pues no sabía cuántos de los miembros del grupo de Alyss eran conscientes de su verdadera identidad. El chambelán le recibió con frialdad y le indicó que tomara asiento.

—Lady Gwendolyn dijo que debías esperar —dijo con aire de superioridad. Echó un rápido vistazo al estuche del instrumento cuando Will lo depositó en el suelo—. Veo que has traído tu laúd.

Will cogió aire, preparado para dar su habitual explicación, luego decidió darse por vencido. Si todos los habitantes del mundo mundial querían asumir que tocaba el laúd, ¿quién era él para discutírselo? El chambelán ya había perdido interés en él y desapareció en una sala interior, dejándole solo.

Varios sirvientes del castillo fueron y vinieron mientras Alyss le hacía esperar al menos media hora. Will era consciente de que el retraso tenía que ver con el papel que estaba desempeñando (los nobles rara vez tenían consideración alguna por los seres inferiores a los que pudieran estar haciendo esperar), pero le dio la sensación de que igual estaba exagerando un poco. Al final, el chambelán reapareció y le hizo un gesto para que entrara.

—Lady Gwendolyn ya está lista para ti —anunció. Will masculló entre dientes. Alguien con buen oído quizás hubiese distinguido las palabras «Pues ya era hora», pero el chambelán no pareció darse cuenta.

Will siguió al otro hombre a una gran sala de estar. Alyss estaba de pie al lado de la ventana, el rostro una máscara imperturbable hasta que el chambelán cerró las pesadas puertas a su espalda. Entonces su boca esbozó una cálida sonrisa y fue al encuentro de Will. Le cogió de las manos y rozó la mejilla de su amigo con labios suaves.

—Will —dijo Alyss con dulzura—, ¡qué alegría verte de nuevo!

El enfado de Will se evaporó al instante y le devolvió la presión de las manos.

—Lo mismo digo —contestó—. Pero ¿qué demonios te trae por aquí?

Alyss parecía sorprendida.

—Soy tu contacto —le explicó—. ¿No te lo dijo Halt?

Will dio un paso atrás, confuso.

—Dijo que sería alguien a quien reconocería. No tenía ni idea de que fueras a ser tú. No tenía ni idea de que tú… —Dudó un poco, no sabía muy bien cómo continuar. Alyss se rio con suavidad. Era su risa habitual, no ese relincho agudo medio histérico que asumía cuando hacía de Lady Gwendolyn.

—¿No tenías ni idea de que me veía envuelta en este tipo de asuntos de intriga y misterio, con capas y dagas? —preguntó. Cuando Will asintió, Alyss sonrió—. Bueno, ya viste mi daga. ¿Qué pasa, creías que los Correos solo llevan mensajes de un lado a otro del reino?

Will le devolvió la sonrisa.

—Pues… sí, de hecho eso creía. Pero bueno, esta es mi primera misión de este tipo.

Alyss le soltó las manos y se puso seria de repente.

—Estamos perdiendo el tiempo. Te lo explicaré más tarde. Pero primero, tenemos que oírte tocar.

Eso pilló a Will por sorpresa.

—¿Oírme tocar? —repitió, y Alyss asintió a toda velocidad, señalando el estuche del instrumento.

—Tu mandola. Porque es una mandola, ¿no? —añadió, y Will asintió. Por alguna razón, no le sorprendió que

Alyss supiera lo que era. Abrió los cierres, aún perplejo. Se dio cuenta de que el chambelán se había acercado un poco y observaba con atención mientras Will afinaba el instrumento. Rasgó una cuerda.

—Limítate a tocar el instrumento. No te molestes en cantar —dijo Alyss.

Will frunció el ceño y empezó la introducción de *Wallerton Mountain*. El chambelán se acercó aún más, la cabeza ladeada, para escuchar con gran concentración. Los ojos de Alyss estaban clavados en el hombre. Después de unos dieciséis compases de la vieja canción popular, el hombre levantó la vista hacia Alyss y le hizo un breve gesto afirmativo. Alyss le pidió a Will que parara. Aún confuso, tocó las últimas notas y frunció el ceño inquisitivo. Alyss señaló al chambelán y habló en voz baja.

—Dale la mandola a Max —dijo—. Él tocará mientras nosotros hablamos.

Will por fin entendió lo que pretendía y le pasó el instrumento al hombre más mayor. Max lo cogió y, sin ninguno de los complicados ajustes y retoques de afinación que hacían la mayoría de los músicos al coger prestado el instrumento de otra persona, empezó a tocar de inmediato. Will vio que estaba copiando su propio estilo a la perfección. Se oyó la ocasional nota fallida en los graves, y una ligera vacilación al subir por el mástil para tocar los arpegios más agudos... defectos que Will se esforzaba constantemente por corregir.

Alyss se lo llevó hacia un lado, más cerca de la ventana pero no tanto como para que pudieran verlos desde el exterior.

—Ahora podemos hablar —dijo—, mientras que cualquiera que pretenda escuchar lo que decimos solo oirá al juglar tocando para esa boba pija de Lady Gwendolyn.

—Por cierto, ¿a quién se le ha ocurrido el personaje de Lady Gwendolyn? —preguntó Will. Alyss negó con la cabeza.

—Oh, es real. Algo así como una intelectual de poca monta, pero leal hasta la médula. Cuando descubrimos que iba a viajar aquí este mes, aceptó dejar que yo ocupara su lugar. En realidad, era una situación ideal. Lord Syron le había invitado a pasar el invierno aquí antes de que todo este asunto empezara. Orman apenas podía oponerse a la oferta de hospitalidad de su padre. Me he pasado días practicando su risita tonta, ¿sabes? —añadió. Will sonrió.

—¿De verdad es necesario todo esto? —preguntó Will, señalando a Max, que acababa de trabarse un poco en la introducción de *Heart of the Wildwood*. Alyss se encogió de hombros.

—Quizás no. Pero no podemos saber quién puede estar escuchando o mirando y es mejor suponer que alguien lo hace. Por eso pensé que tenía que hacerte esperar. Por cierto, lo siento.

Will hizo un gesto para indicar que no hacía falta que se disculpara. Lo que decía tenía sentido. Recordó a los sirvientes del castillo que le habían visto en la antecámara. Cualquiera de ellos podía estar informando a Orman en esos mismos instantes. Miró a Max.

—Es muy bueno —dijo. Luego se corrigió—. Quiero decir, es muy bueno en ser malo. —Sonrió—. ¿De verdad toco tan mal?

Alyss le dio un golpecito en la mano.

—Oh, vamos. No eres tan malo. Pero no podíamos hacer que tocara como un virtuoso y esperar que la gente creyera que eres tú. Bueno, dime, ¿qué has averiguado hasta ahora?

Will negó con la cabeza.

—No gran cosa que no supiéramos ya. La población local está aterrorizada, desde luego. Nadie quiere hablar. No he visto a Syron, pero Orman parece un mal tipo en general.

Alyss asintió.

—Estoy de acuerdo. ¿Te fijaste en los libros de su escritorio? —preguntó. Will negó con la cabeza, así que ella continuó—. Uno era *Hechizos y encantamientos. Brujería y magia negra* era otro. Había más, pero esos son los únicos dos títulos que conseguí descifrar.

Will asintió. Ahora lo entendía.

—Eso explica los huecos vacíos en las estanterías de la biblioteca —comentó.

Alyss se sentó en un banco de dos plazas y remetió los pies debajo de ella. A Will le pareció un movimiento especialmente atractivo.

—¿Qué pasa con el primo? ¿Keren? —preguntó—. ¿Le has visto?

—Solo una vez. Parece un buen hombre para tener por aquí. Franco. Sensato. Práctico. Y él y Orman no se tienen mucho cariño. Orman prácticamente me ordenó que me mantuviera alejado de él justo antes de que llegaras —añadió. El rostro de Alyss adoptó una expresión pensativa.

—Entonces, ¿sería incómodo que te relacionaras más con él? —preguntó. Will asintió y Alyss continuó—. Quizás pueda hacerlo yo. Supongo que a Lady Gwendolyn le pegaría flirtear con él, sobre todo porque es su inferior en rango. Así no habrá posibilidad de que la cosa vaya a más.

Will se sorprendió un poco al descubrir que esa idea no le gustaba demasiado. Keren era guapo, simpático, y le daba la impresión de que las mujeres le encontrarían atractivo con su forma de ser abierta y cordial. Se dio cuenta de que Alyss le estaba sonriendo, como si pudiera leerle la mente.

—Solo sería Lady Gwendolyn la que flirteara, Will —le tranquilizó—. Y está prometida, se va a casar, así que no pasaría nada serio, como ya he dicho.

Puede que ella esté prometida, pero tú no, pensó Will para sus adentros. Entonces se sacudió ese pensamiento amargo. Alyss solo estaba haciendo su trabajo, pensó, y además ya estaba dándole más indicaciones.

—He dejado a un hombre a las afueras del pueblo por el que pasaste, por si necesitáramos ponernos en contacto con Halt o Crowley. Está acampado en el bosque con media docena de palomas mensajeras por si tenemos que informar de algo.

Will se aclaró la garganta, con cierto nerviosismo.

—De hecho, sí hay algo que creo que deberíamos contarles —dijo. Alyss hizo una pausa y levantó la vista hacia él con curiosidad. Will dudó un instante, a sabiendas de que lo que estaba a punto de decir iba a sonar ridículo. Pero lo dijo de todas formas—. Ayer por la noche vi al Guerrero Nocturno en el Bosque de Grimsdell.

Veintidós

Alyss escuchó con atención mientras Will le contaba lo acontecido la noche anterior. Era obvio que Max también estaba prestando atención, pensó Will. Cuando llegó al momento en el que la figura gigante había emergido de la neblina, se dio cuenta de que el músico se saltaba varias notas. Sonrió comprensivo. No le culpaba. Tenía el claro recuerdo de que su corazón había hecho más o menos lo mismo; y había seguido haciéndolo durante todo el tiempo que estuvo en aquel bosque oscuro y amenazador.

Mientras relataba su aventura, Alyss había tomado algunas notas en un diario con tapas de cuero. Ahora las estaba releyendo, el ceño un poco fruncido, la barbilla apoyada en una mano. Al final, levantó la vista hacia su amigo.

—Debió de ser aterrador —dijo.

—Lo fue. —Will no tenía reparos en reconocer su miedo ante ella. Se conocían desde hacía demasiados años como para intentar fingir lo contrario. Además, su entrenamiento y su naturaleza sincera le impelían a hacer un recuento veraz y preciso de los acontecimientos. Incluida su reacción a ellos. Alyss tamborileó con los dedos en la mesa durante unos segundos, examinando sus apuntes una vez más. Entonces llevó su pluma a uno de los puntos marcados.

—Por cierto, tu perra —empezó—, ¿cómo se llama?

Will vaciló un instante. Empezaba a cansarse de esa pregunta. Se devanaba los sesos en busca de un nombre, pero la inspiración le había abandonado.

—Estaba pensando en llamarla Blackie... —dijo.

—¿Blackie? —El tono de Alyss no dejaba lugar a dudas sobre lo que opinaba de su elección.

—Pero también tengo otras ideas —añadió Will a toda prisa. Alyss decidió dejarlo para otro momento. No era importante.

—Lo que sea. ¿Has dicho que gruñó cuando viste las luces moverse por primera vez?

Will pensó en la escena al lado del bosque. Intentó reconstruir con exactitud lo que había sucedido.

—Sí —dijo al final—. Tenía la cabeza ladeada, como hacen los perros cuando oyen algo extraño.

—Entonces... —Alyss hizo una pausa y volvió a consultar sus notas—. Viste al Guerrero Nocturno y *después* le oíste hablar, ¿no? —Will asintió—. ¿Cuánto tiempo pasó entre el momento en el que viste la figura y el momento en el que la oíste? ¿Hubo una pausa?

Will pensó con cuidado. Sabía lo importantes que podían ser los pequeños detalles y quería estar completamente seguro de que lo recordaba todo a la perfección.

—Sí, hubo una pausa clara —dijo—. De unos veinte segundos o así. No menos. Es difícil ser preciso. Estaba un poco distraído por todo lo que estaba pasando —añadió, y Alyss asintió comprensiva.

—No te culpo. Yo hubiera empezado a correr y a gritar como una loca mucho antes de llegar a ese punto —dijo. Entonces volvió al detalle que la inquietaba—. Has dicho que cuando la figura habló, la perra se levantó de un salto y gruñó.

—Eso es. —Y de repente se encendió una bombilla en su cabeza, una décima de segundo antes de que Alyss lo dijera.

—O sea que la aparición no la inquietó.

Will negó con la cabeza.

—No. Se puso de pie y gruñó cuando oyó la voz. Así que cuando apareció la figura, debía de estar tumbada... relajada.

Alyss le miró y asintió.

—Así que reaccionó a los ruidos y a las luces... y es lo que esperarías que hiciera un perro si fuesen reales... pero cuando se trataba de la figura del Guerrero de doce metros de altura...

Dejó su frase sin terminar y Will completó el pensamiento.

—No la vio. O, si lo hizo, no le resultó molesta ni amenazadora.

Alyss se echó hacia atrás en su asiento.

—¿Sabes, Will? No soy ninguna experta en fenómenos paranormales, pero siempre he oído que los animales sienten la presencia de manifestaciones mucho antes que los humanos. Y sin embargo, la perra se quedó ahí tumbada sin más, sin hacer nada, mientras tú estabas viendo a un guerrero gigante en la neblina.

—Es raro, pero sí que lo vi. Estaba ahí. —Will frunció el ceño mientras intentaba unir todas las piezas del puzle.

—Sé que lo viste. Sé que no eres ningún histérico. Lo que digo es que no era un espíritu. Era algún tipo de truco. Y la perra lo ignoró porque ella percibió que no era real. Los sonidos, las voces, las luces... eso eran todo cosas reales y físicas. Pero la figura era algún tipo de truco, una ilusión de algún tipo.

Se produjo un largo silencio durante el cual se limitaron a mirarse el uno al otro. Will sabía que los dos estaban pensando lo mismo.

—Voy a tener que ir allí otra vez y averiguarlo, ¿verdad? —dijo al cabo de un rato.

—*Vamos* a tener que ir y averiguarlo —le corrigió Alyss. Will agradeció la idea de tener compañía, y que la mente analítica de Alyss fuese a estar al servicio del enigma. Pero aun así...

—Esta vez, iré de día —dijo, y Alyss le sonrió de oreja a oreja.

—Después de lo que me has contado, ni unos caballos salvajes podrían arrastrarme al interior de ese bosque después de que ya haya anochecido —dijo.

Will tocó en el comedor otra vez esa noche. Alyss, como le había dicho a Orman, se quedó en sus habitaciones y no apareció en público, supuestamente para recuperarse del viaje. Había bastante interés por ella, sobre todo entre las damas del castillo. Lo más probable es que una noble del sur vistiese a la última moda, y las damas locales estaban impacientes por verla. Su ausencia fue una pequeña desilusión y, como consecuencia, fue una noche un poco sosa. Orman abandonó el comedor poco después de que los sirvientes recogieran la cena y antes de que Will empezara a tocar. Keren y su séquito no hicieron acto de presencia, y Will se preguntó si el joven y agradable guerrero habría recibido también una advertencia de su primo.

La actuación de Will fue adecuada, pensó. Empezaba a tener la suficiente experiencia como artista para ser capaz de evaluar el nivel de su propio trabajo. El público se divirtió sin entusiasmarse en exceso, cosa que le venía de perlas para sus planes. Él y Alyss habían quedado temprano a la mañana siguiente y no quería tener que quedarse hasta tarde en la atmósfera ahumada del comedor.

Como acordado, una hora después de salir el sol, cruzó a caballo por debajo del rastrillo. La enorme puerta se levantaba todos los días al amanecer, en cuanto era evidente que no había señal de enemigos en las inmediaciones. El guarda levantó la vista hacia él al verle pasar.

—¿Vas de caza, juglar? —preguntó, haciendo un gesto hacia el pequeño arco de caza que llevaba Will colgado del hombro y la aljaba de flechas enganchada a la montura.

—Nada como un par de liebres de las nieves o algún urogallo para aportar sustancia a una comida —le dijo Will, y el hombre arqueó una ceja mientras señalaba el arco.

—Tendrás que acercarte un montón con ese arco —dijo—. Además, hay poquísima caza ahora mismo.

Will sonrió alegre.

—Oh, bueno, se dice que cazar es solo una forma de estropear un buen paseo a caballo —dijo, y el centinela sonrió ante la vieja broma.

—En cualquier caso, buena suerte. Y ten cuidado. Hay rumores de que han visto un oso por aquí cerca.

—Nunca como oso —dijo Will con la cara muy seria. Por un momento, el guardia no se dio cuenta de que estaba bromeando. Cuando por fin lo entendió, se rio entre dientes.

Will tomó el camino noroeste para alejarse del castillo, pensando en cómo había cambiado su manera de relacionarse con la gente desde que había asumido el papel de trovador. Como Guardián, estaba acostumbrado a permanecer en silencio en presencia de otras personas, sin hacer jamás un comentario innecesario, no digamos ya una broma. Esa actitud tenía su utilidad: a la gente que no hablaba le resultaba más fácil escuchar lo que decían los demás, y la información era uno de los recursos principales de un Guardián. Sin embargo, como juglar, era totalmente coherente que se dedicara a hacer bromas a la menor oportunidad. Incluso bromas malas. Sobre todo malas, se corrigió.

Siguió hacia el noroeste durante varios kilómetros. La perra trotaba en silencio, en cabeza como siempre; de vez en cuando echaba un vistazo hacia atrás para asegurarse de que Tug y Will la seguían. El caballito observaba a su nueva acompañante con una tolerancia cordial.

Habían planeado todo al milímetro en las habitaciones de Alyss la noche anterior, concentrados en un mapa de la zona que Alyss había llevado consigo.

—Yo saldré con la primera luz del día e iré hacia el este —había dicho su amiga—. Tú sal hacia el noroeste una hora más tarde. Después, vuelve hacia atrás por este sendero de aquí y reúnete conmigo al borde del Bosque de Grimsdell.

Will encontró el estrecho sendero que le había indicado Alyss y maniobró a Tug para tomarlo. El día estaba nublado y el viento silbaba su lamento entre las copas de los árboles desnudos, pero aún se veían atisbos del acuoso sol. Will calculó su posición y decidió que iba un poco retrasado. Una ligera presión con las piernas y Tug pasó del trote a un galope corto. La perra, al oír el cambio de tranco, aceleró su propio ritmo en consonancia. Will la miró con interés. Mostraba una gran economía de movimiento, nunca iba más deprisa de lo necesario. Le dio la impresión de que, igual que los caballos de Guardián, la perra podría mantener ese ritmo constante todo el día si se lo pidiera.

Fue la perra la primera en registrar la presencia de Alyss cuando se acercaron al borde del Bosque de Grimsdell. La peluda cola de punta blanca empezó a menearse a un lado y otro a modo de saludo y corrió hasta la chica, medio escondida entre las sombras bajo un pequeño bosquecillo. Tug agitó un poco la cabeza, como para decir *yo también la había visto*, y Will le dio unas palmaditas en el cuello.

—Lo sé —le dijo.

El día anterior, Alyss iba vestida como una dama de la nobleza, con un refinado traje a la última moda. Ahora ya no quedaba ni asomo de esa elegante criatura. Hoy llevaba una túnica corta, mallas grises y botas de montar hasta la rodilla. De sus hombros colgaba una capa que le llegaba a la cintura y su reluciente pelo rubio estaba recogido bajo un sombrero de caza con plumas. Las mallas grises exhibían sus piernas largas y bien torneadas, y Will decidió que prefería esta Alyss a la elegante y perfectamente bien peinada Lady Gwendolyn. La daga larga de Alyss, en una preciosa funda de cuero repujado, colgaba de un ancho cinturón de cuero que recogía la túnica alrededor de su cintura. Sonrió a Will al verle acercarse.

—Llegas tarde —dijo, mientras le ofrecía la mano. Will la agarró por la muñeca y tiró al tiempo que ella saltaba para montarse a la grupa de Tug. Alyss se acomodó y pasó los brazos alrededor de la cintura de Will.

—¿Dónde está tu caballo? —preguntó Will; aunque no es que le importara que montara con él y tampoco es que le importara tener sus brazos alrededor de la cintura.

—Ha seguido adelante con mi escolta —dijo—. Y con una excelente muñeca de Lady Gwendolyn atada a la montura, cubierta con su capa de montar.

Will se giró un poco para mirarla.

—¿Eso era totalmente necesario? —preguntó. Alyss se encogió de hombros.

—Quizás no. Pero poco después de que se alejaran, un par de soldados del castillo pasaron por aquí tras ellos. Puede que fuera coincidencia, pero ¿quién sabe? ¿Eso es Grimsdell? —Señaló hacia la sombría y oscura línea de árboles que tenían delante. Will asintió.

—Sí, ahí está —dijo, y sintió que se le atenazaba el estómago.

Cabalgaron de vuelta hacia el sur por el borde del bosque hasta que localizaron el roble partido que marcaba el lugar por el que había entrado Will en Grimsdell hacía dos noches. A la luz del día, no le pareció necesario echar pie a tierra, así que se adentraron a caballo entre los árboles. De vez en cuando tenían que agacharse para evitar las ramas y enredaderas que crecían de lado a lado del estrecho camino; la perra se movía en silencio delante de ellos.

Los años de duro entrenamiento de Will demostraron ahora su utilidad. A pesar de su creciente nerviosismo por entrar otra vez en aquel lugar tan hostil, fue capaz de encontrar el camino que había seguido la otra noche.

—¿Dónde viste las luces? —preguntó Alyss. Will dudó unos instantes, lo pensó un poco y luego señaló.

—Se movían en esa dirección —dijo—. No sabría decir lo lejos que estaban.

Alyss miró con ojo crítico la maraña de árboles y enredaderas a su alrededor.

—No pudo ser muy lejos o jamás las hubieses visto a través de todo esto. Vamos —añadió, y echó pie a tierra. Will también desmontó y Alyss señaló en la dirección que Will había indicado—. Echemos un vistazo por ahí —dijo.

Will le hizo un gesto a Tug para que se quedara en el camino. Luego chasqueó los dedos y señaló para indicarle a la perra hacia dónde querían ir. Esta se adelantó, deslizándose con facilidad entre la maleza y por debajo de las ramas más bajas. A Will y a Alyss, en cambio, les costó un poco más, y después de solo unos metros, Will tuvo que desenvainar su cuchillo sajón y abrirse paso a machetazos entre la maleza. Alyss sonrió de manera inquisitiva al ver la forma en la que la gruesa hoja cortaba a través de duras enredaderas, todo tipo de plantas trepadoras e incluso pequeños arbolitos.

—Esa es un arma muy útil —comentó. Will asintió mientras daba un tajo a una gruesa rama y la apartaba a un lado.

—Es un arma y una herramienta —dijo. Y entonces, de repente, el camino estaba despejado.

—Vaya, mira qué tenemos aquí —dijo Alyss, asintiendo satisfecha.

La perra los estaba esperando, sentada en un camino estrecho pero que llevaba el sello inconfundible de la mano del hombre. Discurría a través del bosque, paralelo al camino principal que habían estado siguiendo ellos.

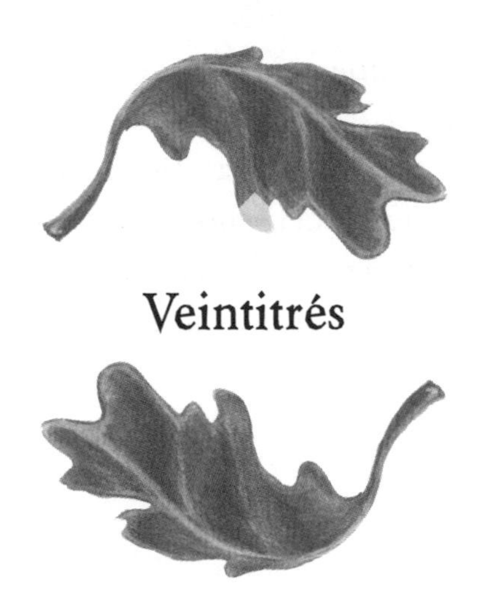

Veintitrés

Alyss miró a un lado y otro del estrecho sendero que alguien había abierto entre los árboles.

—¿Por dónde se movían las luces? ¿Puedes recordarlo? —preguntó. Will se esperaba esa pregunta y ya estaba asintiendo.

—No estoy seguro al cien por cien —contestó—, pero diría que se movían por este sendero.

Alyss señaló el suelo.

—Yo no soy ninguna rastreadora —dijo—, pero dicen que los Guardianes sí. ¿Alguna señal de tráfico por aquí?

Will apoyó una rodilla en el suelo y examinó el terreno. Después de unos momentos, frunció el ceño.

—Podría ser —dijo—. En realidad, es difícil estar seguro. Hay huellas tenues, pero eso sería de esperar en un camino como este, ¿no crees?

—¿Pero no son el tipo de huellas que dejaría alguien que corriese adelante y atrás con un farolillo? —preguntó, un ligero toque de decepción en la voz. Will negó con la cabeza. Después, recordó una de las primeras lecciones de Halt y levantó la vista hacia la cubierta de hojas por encima de su cabeza. *Siempre recuerda mirar arriba*, le había dicho su mentor. *Es la dirección hacia la que la mayoría de la gente no se le ocurre mirar.*

Will entornó los ojos al ver algo entre los árboles, algo fuera de lugar. Alyss vio que cambiaba de cara y también miró hacia arriba.

—¿Qué pasa? —preguntó, mientras Will se acercaba a uno de los árboles más grandes. Sus ojos encontraron enseguida los puntos de agarre y de apoyo que necesitaría.

—Lianas —dijo, al cabo de unos momentos—. Las he visto crecer desde las partes más altas de los árboles, pero rara vez las he visto crecer en ángulo recto con respecto a ellos.

Will era un escalador nato y trepó por el árbol en cuestión de segundos; a Alyss le dio la impresión de que se deslizaba por el tronco aparentemente liso. A cuatro metros del suelo, se detuvo, y Alyss vio como examinaba una enredadera verde que crecía a lo largo de una de las ramas más grandes y luego cruzaba hacia el árbol vecino, combándose entre ambos.

—Es una cuerda —le dijo a Alyss—. Teñida de verde para que parezca una liana, pero cuerda sin lugar a dudas. —Siguió con la vista la dirección de la cuerda, que iba de un árbol a otro y discurría por encima del sendero que acababan de descubrir. Asintió para sí, satisfecho, luego bajó deslizándose hasta el suelo al lado de Alyss—. No hacía falta que nadie corriese de acá para allá con la luz —explicó—. Pudieron colgarla de esa cuerda con una polea y moverla adelante y atrás con una cuerda más fina.

Alyss acarició la cabeza de la perra con cariño.

—Y esta señorita percibió a las personas que lo hacían. Quizás los olió o los oyó. Por eso gruñó —dijo—. Apuesto a que si buscamos, encontraríamos otros senderos como este y otras lianas creciendo en horizontal.

—Sí, pero eso no explica la figura del Guerrero Nocturno —destacó Will, y Alyss le sonrió.

—Quizás no. Pero si es real, ¿por qué molestarse en hacer trucos con las luces? —señaló—. Lo más probable es que fuese otro truco, incluso menos sustancial que las luces, vista la reacción de la perra. Venga, enséñame exactamente dónde estabas cuando lo viste.

Alyss encabezó la marcha de vuelta a donde Tug esperaba en el camino principal. El caballito los miró con ojos inquisitivos, como si se preguntara qué se había perdido. Will se dirigió al saco de dormir enrollado detrás de la montura y lo desató. Alyss le observó con curiosidad mientras Will extraía las piezas del arco recurvo. Las encajó y encordó el arco en una serie de movimientos diestros. Después probó la tensión y sonrió a su amiga con una expresión de fiera satisfacción.

—Así está mejor —comentó, cargando una flecha en la cuerda—. Si vamos a ir en busca de ese maldito Guerrero Nocturno, preferiría hacerlo con un arco en la mano.

Ahora fue Will el que se puso en cabeza hasta que llegaron a la orilla de la ciénaga. Incluso a la luz del día, era un lugar siniestro, el otro extremo medio oculto por cortinas de vaho. El agua en sí era como mármol negro, lisa e impenetrable a la vista. Por el centro, se veían burbujas que removían la superficie e insinuaban la presencia de criaturas que acechaban en las profundidades.

—Aquí —dijo Will—. Juraría que fue aquí. Y la figura estaba ahí delante... al otro lado de la ciénaga.

Alyss miró con interés en la dirección que señalaba, luego deslizó la vista por el borde de la ciénaga. El camino discurría por la orilla. En un punto, se internaba en un pequeño promontorio, cubierto de árboles y arbustos.

—Echemos un vistazo allí —dijo.

Will la siguió, cada vez más curioso.

—¿Qué tienes en mente? —preguntó. Estaba claro que Alyss ya tenía una teoría de algún tipo. Pero ella levantó una mano para que esperara un momento.

—Es solo una idea —dijo de manera vaga. Sus ojos escudriñaban el terreno delante de ellos y a ambos lados del camino—. A ti esto se te da mejor que a mí —dijo—. Comprueba el suelo en todas las zonas despejadas que veas.

Will obedeció y deslizó sus ojos de rastreador experto por el suelo. Había leves marcas de que alguien había estado ahí antes que ellos... quizás hacía tan solo dos noches, pensó.

—¿Estoy buscando algo en particular? —preguntó, mientras sus ojos examinaban cada centímetro del suelo.

—Marcas de quemaduras —dijo Alyss, y justo cuando oía las palabras, Will vio el gran parche en el suelo donde la nieve se había derretido y debajo de la cual la hierba estaba seca y chamuscada.

—Aquí —dijo. Alyss se reunió con él, se arrodilló y deslizó los dedos por la hierba seca y crujiente. Soltó un suspiro de satisfacción—. Bueno —dijo Will—, he encontrado tu hierba chamuscada. Ahora, ¿qué significa?

—Has visto espectáculos de linternas mágicas, ¿verdad? —preguntó. De niños, en el Hospicio del Castillo de Redmont, habían visto con frecuencia un espectáculo ambulante de linternas mágicas en el que se proyectaban las sombras de unas figuras recortadas (estrellas, medias lunas, brujas y sus gatos...) sobre las paredes de una habitación a la luz de las velas—. Se me había ocurrido —continuó— que tu Guerrero Nocturno podía utilizar el mismo principio.

—¡Pero era enorme! —protestó Will—. Y debía de estar a unos treinta o cuarenta metros de aquí. Necesitarías una luz superpotente para lograr eso.

Alyss asintió.

—Exacto. Y una luz potente significa muchísimo calor. De ahí el suelo chamuscado que tenemos aquí.

—Pero la distancia... —empezó Will. Después de todo, los espectáculos que habían visto de niños se habían representado dentro de habitaciones, con las sombras apenas a unos metros de la fuente de luz.

—Hay formas de enfocar la luz para que se convierta en un rayo y se proyecte a distancia, Will. Es posible, créeme. Es muy caro y solo hay unos pocos artesanos capaces de fabricar el equipo necesario. Pero puede hacerse. Una luz potente, un dispositivo de enfoque, una figura recortada y, abracadabra, tu guerrero gigante aparece a treinta metros de distancia.

Will seguía perplejo.

—¿Sobre qué? —preguntó—. Ahí no hay ninguna pared sobre la que proyectarla.

—En la neblina —dijo Alyss—. Es tan espesa que podría utilizarse como una cortina, y mira cómo asciende de la ciénaga en línea recta. Eso además le daría ese efecto rielante y palpitante que viste... a medida que la niebla se movía y ondulaba.

Tenía sentido, pensó Will. Estaba dispuesto a creerse lo que le decía Alyss de que era técnicamente posible. Y si eso era verdad, estaba decidido a hacerle pagar a quien fuese por el terror que había experimentado en el bosque dos noches antes.

—Alguien se está esforzando mucho en mantener a los visitantes lejos —murmuró Alyss pensativa—. Me pregunto por qué...

Will estaba cada vez más enfadado, aunque también empezaba a sentir cierto alivio; alivio de que todo aquello pudiese tener una explicación lógica y hubiese una persona de carne y hueso detrás de las visiones y los ruidos raros. En ese momento, lo único que de verdad quería era obligar a esa persona a dar explicaciones.

—Encontrémosle e interroguémosle —dijo Will muy serio, pero Alyss estaba mirando el sol de reojo y negando con la cabeza.

—Nos estamos quedando sin tiempo —dijo—. Mi escolta volverá en unos minutos a recogerme. Y puesto que los están siguiendo, no pueden dar vueltas por ahí sin sentido mientras yo retozo por el bosque.

—Perfecto —dijo Will—. Tú vuelve. Yo seguiré buscando a ese... quien sea.

Alyss puso una mano en su brazo y la mantuvo ahí hasta que Will la miró a los ojos. Sacudió la cabeza con suavidad, veía la ira y la determinación en los ojos de su amigo.

—Ahora no, Will —dijo—. Déjalo por el momento y regresaremos luego. Juntos. —Will no dijo nada y Alyss continuó—. Hagamos un poco más de investigación, averigüemos un poco más sobre todo esto. Cuanto más sepamos antes de ponernos a buscar, mejor. Lo sabes muy bien.

Will asintió a regañadientes. Su entrenamiento le había enseñado que cuando entras en territorio enemigo, lo mejor es averiguar todo lo posible de antemano. Alyss vio apagarse la chispa de ira de sus ojos y retiró la mano de su brazo. Le sonrió.

—Llévame de vuelta a la entrada del bosque en ese caballito tuyo.

—Tienes razón —dijo Will. Se montó en Tug y luego se agachó para ayudarla a subir detrás de él—. Es solo que quería que alguien pagara por la forma en que me sentí la otra noche.

Alyss, los brazos alrededor de la cintura de Will, le dio un apretoncito.

—No te culpo —dijo—. Y tendrás ocasión de hacerlo, créeme. —Se quedó callada unos momentos mientras cabalgaban por el bosque, inclinándose sobre el cuello de Tug de vez en cuando para esquivar las ramas y enredaderas más bajas que obstruían el camino. Entonces habló otra vez—. ¿Sabes? Igual sería buena idea que les mandáramos un informe a Halt y a Crowley para que supieran lo que hemos averiguado hasta ahora. Puede que tengan alguna idea al respecto. Podemos enviarles una paloma mensajera.

Palomas mensajeras. Will sabía que estaban entrenadas por el Servicio Diplomático para volver a su último lugar de descanso. Una vez que una paloma mensajera volaba de vuelta a su base, estaría preparada para regresar al punto desde el que la habían soltado. Nadie sabía cómo conseguían los pájaros fijar las posiciones en sus mentes, pero no tenían precio como medio de comunicación. Alyss continuó hablando.

—Me están observando, así que tengo que volver al castillo. Pero ¿podrías ir tú a buscar al encargado de las palomas y mandar un informe?

Will asintió. Había mucho que contarles a sus superiores... aunque aún no hubiesen llegado a ninguna conclusión concreta.

—¿Cómo reconoceré a tu hombre? —preguntó.

—Él te reconocerá a ti. Cuando te vea, se pondrá en contacto contigo.

Ya casi habían llegado al borde del bosque y el camino estaba más despejado. Will tocó suavemente con los talones a Tug y el caballito partió al galope. Cuando llegaron al pequeño bosquecillo donde se habían encontrado, Alyss se deslizó al suelo a toda prisa y miró a su alrededor con ansiedad. Sus acompañantes debían de aparecer por la carretera en cualquier momento. Hasta entonces, no había señal de ellos, y eso significaba que tampoco había señal de los hombres que los seguían.

—Deberías esconderte —dijo Alyss. Will asintió y condujo a Tug hacia las sombras bajo los árboles. La perra los siguió y se tumbó entre las hierbas.

Desde su posición, Will podía ver la curva del camino a unos doscientos metros de ahí. Entonces vio al primer jinete de la escolta de Alyss doblar la curva.

—Ahí están —dijo en un susurro, y Alyss corrió a toda velocidad hasta unos frondosos arbustos cerca del límite del bosque. Desató su capa corta y se quitó la túnica por encima de la cabeza de un solo movimiento. Debajo llevaba solo una fina camisola interior y Will se apresuró a apartar la mirada cuando captó un atisbo de brazos y hombros desnudos. Oyó un rápido frufrú entre los arbustos, luego la voz de Alyss.

—Ya puedes abrir los ojos. —Sonaba vagamente divertida por su bochorno.

Se había puesto un largo vestido blanco de amazona por encima de las mallas y las botas de montar. La capa, la túnica y el cinturón del cuchillo estaban hechos un ovillo a sus pies. La escolta de cuatro hombres, reunidos alrededor del maniquí atado al caballo de Alyss, casi había llegado a su altura. Desde su escondrijo entre los árboles, Alyss les hizo una seña. Se giró un instante y se despidió de Will con la mano, una sonrisa conspiratoria en la cara.

—Te veo en el castillo —susurró. Luego, en lo que era obviamente un acto de confusión ensayado al dedillo, los escoltas llegaron a su lado, dejaron que los caballos se movieran de acá para allá para embarullar la escena, y uno de los hombres soltó un nudo corredizo para dejar que el maniquí resbalara hacia un lado desde la montura. Antes de que tocara el suelo, Alyss ya se había encaramado en la silla. Otro miembro de la escolta se agachó con agilidad para recoger el maniquí y en cuestión de segundos el grupo había seguido su camino, con el maniquí ya medio plegado y fuera de la vista.

Mientras se alejaban, Will esperó, inmóvil, entre los árboles. Todavía los tenía a la vista cuando Tug puso las orejas tiesas y la perra dejó escapar un gruñido sordo.

—Quietos —les dijo Will a ambos. Como esperaba, dos soldados asomaron por la curva, miraban con cautela por el camino para asegurarse de que no se habían acercado demasiado al grupo al que seguían. Will se quedó sentado, inmóvil, mientras pasaban por delante de él. Les dio unos minutos de margen y luego salió del bosquecillo y se encaminó hacia el sur para encontrarse con el palomero de Alyss.

Veinticuatro

Esa noche, Will actuó en el barracón de los soldados. Era normal que un juglar se prodigara con unos y otros. Después de todo, si actuara en el salón principal todas las noches, ese público se aburriría enseguida de su repertorio. Y los soldados de un castillo remoto como Macindaw a menudo resultaban más que generosos. En un condado pequeño y dejado de la mano de Dios como ese, tenían poco en lo que gastar su dinero. En consecuencia, Will podía esperar engordar bastante su monedero si les gustaba su trabajo.

Además, aunque un trovador ambulante pudiera esperar recibir una pequeña recompensa en efectivo del señor del castillo al final de su estancia, su principal fuente de ingresos venía en forma de protección, comida y alojamiento. Por lo general, un artista que quisiera hacer caja de verdad, la haría entre los soldados o en la taberna local, si es que había una.

Aparte de todas esas excelentes razones, Will tenía otro motivo para acudir a los barracones esa noche. Quería hacer que los hombres hablaran y enterarse así de los cotilleos y rumores locales acerca del siniestro Bosque de Grimsdell y la ciénaga negra. Y no había nada que soltara más las lenguas de los hombres, pensó con ironía, que una noche de música y vino.

Tras varios días en el castillo, ya le aceptaban como parte de la vida en Macindaw, y la gente estaría más dispuesta a abrirse a él. Además, los soldados se sentirían más seguros que los campesinos que volvían a casa cada noche desde La Jarra Mellada a sus granjas y casas aisladas y sin protección alguna. En el castillo, los hombres estaban bien armados y relativamente seguros detrás de las sólidas paredes del castillo. Eso, al menos, ayudaría a soltar un poco más sus lenguas.

Le recibieron con alegría cuando llegó, más aún cuando sacó un gran botellón de *brandy* de manzana para animar la noche. Su repertorio estándar de canciones populares, gigas y *reeles* era exactamente lo que el público quería. Y añadió también unas cuantas de las piezas más obscenas que le había enseñado Berrigan: *La hija de Old Scully*, y una parodia bastante soez de *Los caballeros de oscura reputación* titulada *Los caballeros que perdieron el calzón*, entre otras. La noche fue un rotundo éxito y las monedas llovían en el estuche de su mandola a medida que pasaban las horas.

Al final, él y media docena de hombres se quedaron repanchingados alrededor de la chimenea moribunda, con jarras de *brandy* en las manos. Will había dejado la mandola a un lado. La actuación ya se había acabado por esa noche y los hombres estaban satisfechos. Will les había proporcionado un buen espectáculo y ahora, una vez más, sintió ese extraño fenómeno en el que, después de haber actuado para un público durante una hora o así, le aceptaban entre ellos como si le conocieran de toda la vida.

La conversación era la habitual cháchara aburrida de soldados. Giraba en torno a la escasez de mujeres disponibles en la zona y el tedio de la vida en un castillo remoto aislado por las nieves invernales. No obstante, era un aburrimiento con un toque de miedo. No había forma de saber cuándo lanzarían un ataque las tribus escotas del otro lado de la frontera y, por supuesto, estaba el inquietante misterio que rodeaba a la enfermedad del señor del castillo. A medida que a los hombres se les iba soltando la lengua, Will los tanteó con sutileza y descubrió que tenían poco respeto por su hijo, Orman.

—No es ningún guerrero, eso desde luego —dijo uno en tono reprobatorio—. Dudo que sea capaz de sujetar una espada, no digamos ya blandirla.

Hubo un murmullo de afirmaciones entre los demás.

—Keren es a quien necesitamos —dijo otro—. Él es un hombre de verdad, no como Orman, un empollón venido a más, con la nariz siempre metida en un pergamino.

—Eso cuando no mira despectivamente a personas como nosotros —refunfuñó un tercero, y hubo otro murmullo enfadado de confirmación—. Pero mientras siga siendo el heredero de Syron, estamos condenados a aguantarle —añadió el hombre.

—¿Qué tipo de hombre es Syron? —se aventuró a preguntar Will. Los ojos de todos los presentes se volvieron hacia él, pero esperaron a que contestara el de mayor rango, el sargento mayor.

—Un buen hombre. Un buen terrateniente y un luchador valiente. Y también un líder justo. Pero ahora está en cama y con pocas posibilidades de recuperarse, si es que quieres mi opinión.

—Y ahora le necesitamos más que nunca, con Malkallam por ahí suelto otra vez —intervino uno de los soldados. Will le miró y reconoció al centinela con el que había hablado cuando salió del castillo hacía varias noches.

—¿Malkallam? —repitió—. ¿Es ese hechicero del que se habla, verdad?

Se produjo un momento de silencio y varios de los hombres miraron a sus espaldas, hacia las sombras más allá de la parpadeante luz del fuego. Fue el centinela el que le contestó.

—Sí. Ha lanzado un maleficio sobre nuestro Lord Syron. Acecha en ese bosque suyo, rodeado por sus criaturas... —Se quedó callado, sin saber si había dicho demasiado.

—Pasé por ahí la otra noche —admitió Will—. Picaste mi curiosidad con tus advertencias. Y os digo, lo que vi y oí allí es suficiente como para mantenerme alejado del Bosque de Grimsdell en el futuro.

—Sí, pensé que lo harías —dijo el centinela—. Los jóvenes siempre sabéis más que los que intentan advertiros. Tienes suerte de haber podido salir. Otros no lo lograron —añadió en tono lúgubre.

—Pero ¿de dónde ha salido este Malkallam? —preguntó Will. Esta vez, otro de los hombres se unió a la conversación, un veterano soldado cuya barba y pelo canosos dejaban constancia de sus largos años de servicio en el castillo.

—Estuvo entre nosotros durante años —explicó—. Todos creíamos que era inofensivo, solo un simple herbolario y curandero. Pero estaba esperando su momento, dejando que nos confiáramos. Entonces empezaron a ocurrir cosas raras. Hubo un niño que murió, aunque todos sabíamos que Malkallam podía haberle curado. Dicen que le dejó morir. Y otros dicen que utilizó su espíritu para sus fines malvados. Hubo quien quiso hacerle pagar por sus pecados, pero antes de que pudiéramos hacer nada al respecto, huyó al bosque.

—¿Y ahí acabó todo? —preguntó Will.

El soldado negó con la cabeza.

—Se oían historias, historias siniestras, de que se rodeaba de monstruos. Seres deformes y horripilantes, según parece. Criaturas con ojos malignos y la marca del demonio. De vez en cuando se las veía al borde del bosque. Sabíamos que trabajaba mano a mano con el diablo, y cuando Lord Syron cayó presa de un hechizo, supimos quién era el responsable.

—Eso está claro —confirmó el centinela. Los demás asintieron.

—¿Y qué hace Orman? —continuó el soldado veterano—. Se dedica a leer esos extraños pergaminos suyos hasta altas horas de la noche, cuando la gente decente está en la cama. Mientras que lo que necesitamos es liderazgo… y alguien con las agallas para enfrentarse a Malkallam y echarle de Grimsdell de una vez por todas.

—Necesitaremos más hombres si queremos hacer eso —comentó el sargento mayor—. Solo una docena de soldados no podremos derrotar a sus monstruos. Orman debería estar reclutando más. Al menos Keren ha estado haciendo algo al respecto.

El hombre más mayor sacudió la cabeza.

—No estoy muy seguro de que me guste lo que está haciendo —dijo—. Algunos de esos hombres que ha reclutado son poco más que bandidos, si quieres mi opinión.

—Cuando necesitas hombres para luchar, Aldous Almsley, aceptas cualquier cosa —dijo el sargento mayor—. Es obvio que no son ningunos niños, pero reconozco que Keren no tiene ningún problema para controlarlos.

Will aguzó los oídos ante todo aquello. Esto era nuevo, pensó. En cualquier caso, tuvo cuidado de conservar una actitud indiferente. Incluso consiguió bostezar antes de preguntar, de la manera más casual que pudo:

—¿Keren está reclutando hombres?

El sargento mayor asintió.

—Como dice Aldous, no querrías indagar demasiado en sus pasados. Pero supongo que llegará el momento en el que necesitemos a hombres duros, y no creo que entonces les pongamos demasiadas pegas.

Will miró por el barracón a su alrededor.

—¿No se alojan aquí? —preguntó.

Esta vez fue Aldous el que contestó.

—Keren los mantiene separados. Tienen habitaciones en el torreón. Keren dijo que así era mejor, que evitaría que se produjeran roces.

Daba la impresión de que los miembros de la guarnición normal habían aceptado ese razonamiento sin cuestionarlo. Will dio unos golpecitos con la jarra contra sus dientes mientras lo meditaba. Quizás tuviese sentido, pensó. Juntar a dos grupos independientes de luchadores en las condiciones más bien básicas de los barracones podía ser la receta perfecta para un problema. Aun así, había algo en el arreglo que resultaba un poco inquietante.

—Por otra parte —continuó el sargento mayor—, si piensas en la situación entre Sir Keren y Lord Orman, a lo mejor Sir Keren piensa que es sensato contar con un grupo de hombres leales a él... Y no es que nosotros fuéramos a darle ningún problema, eso está claro.

—Aunque —intervino Aldous—, hemos jurado obedecer las órdenes del legítimo señor del castillo. Y con Lord Syron fuera de juego, ese señor es Orman, nos guste o no.

—Con juramento o sin él —aportó un tercer soldado—, dudo que encontrara a ninguno de nosotros dispuestos a actuar en contra de Keren.

Los otros murmuraron afirmaciones varias. Pero fue un murmullo bajo, y uno o dos de los hombres miraron a su espalda una vez más, conscientes de la peligrosa naturaleza de los sentimientos que estaban expresando. El grupo se sumió en un silencio denso y Will pensó que era momento de cambiar de tema. No quería que nadie cayera en la cuenta de que había estado sonsacándoles información.

—Oh, bueno —comentó—, una cosa está clara: con los hombres de Keren en el torreón, hay menos hombres con los que compartir este *brandy*. Y queda poquísimo.

—¡Aquí, aquí! —pidieron los soldados, y el botellón pasó de mano en mano. La mente de Will corría a mil por hora. La velada le había dado mucho en lo que pensar y empezaba a desear haber esperado otro día antes de enviar un informe a Halt y a Crowley.

Al sur, lejos de ahí, los dos veteranos Guardianes estaban estudiando el informe que la cansada paloma les había entregado hacía apenas media hora. Había soportado tormentas y vientos fuertes durante su trayecto hacia el sur, pero el recio pajarillo había volado contra los elementos hasta llegar al Castillo de Araluen empapado y casi exhausto. Uno de los cuidadores de las palomas había retirado con suavidad el mensaje de su pata y había puesto al fiel animalillo en un nido caliente de una de las altísimas torres del Castillo de Araluen. Ahora, con las plumas ahuecadas y la cabeza escondida debajo de un ala, dormía, su tarea completada.

No así Halt y Crowley. El comandante de los Guardianes caminaba de un lado a otro de la habitación mientras Halt releía las frases truncadas de Will una vez más. Después de un rato, el Guardián de barba gris levantó la vista hacia su jefe con el ceño fruncido.

—Me encantaría que dejaras de pasear —dijo en tono amable. Crowley hizo un gesto irritado.

—Estoy preocupado, maldita sea —mascullό, y Halt arqueó una ceja.

—No me digas —dijo, con cierta ironía—. Bueno, pues ahora que hemos constatado ese hecho y yo he reconocido que, efectivamente, estás preocupado, quizás puedas suspender tu interminable caminar.

—Si paro, apenas podría considerarse interminable, ¿no crees? —le contestó Crowley. Halt señaló una silla al otro lado de la mesa.

—Solo dame ese gusto y siéntate —dijo. Crowley se encogió de hombros e hizo lo que le pedía. Se sentó durante cinco segundos enteros, después se levantó y empezó a caminar otra vez. Halt murmuró algo entre dientes. Crowley supuso, con acierto, que era algo poco halagador y optó por ignorarlo.

—El problema es —dijo— que el informe de Will plantea más preguntas que las que responde.

Halt asintió. Estaba a punto de salir en defensa de su antiguo aprendiz, pero se dio cuenta de que Crowley no estaba criticando el informe de Will. Solo estaba constatando un hecho. Había muchas preguntas sin responder en el breve mensaje: extraños avistamientos y sonidos en el bosque, aparentemente causados por una o varias personas desconocidas; fricciones en el castillo entre Orman y su primo; la aparente incapacidad de Orman para estar al mando del castillo; y el hecho de que alguien, supuestamente Orman, había hecho que siguieran a Alyss en su paseo matutino a caballo. En la mayoría de los castillos, hubiesen sido una serie de acontecimientos interesantes. En un punto estratégico y vulnerable como Macindaw, próximo a una frontera hostil, era sumamente peligroso. Y aun así…

—Todavía es pronto —dijo Halt al final, y Crowley se dejó caer de nuevo en la silla, de medio lado, con una pierna por encima del reposabrazos. Soltó un gran suspiro, consciente de que Halt tenía razón.

—Lo sé —dijo—. Solo me pregunto si ahí arriba hay más de lo que Will y Alyss puedan manejar ellos solos. —Halt lo pensó un poco.

—Confío en Will —dijo y Crowley hizo un gesto que indicaba que estaba de acuerdo. A pesar de su juventud, Will estaba muy bien considerado entre los Guardianes; mejor considerado de lo que él mismo podía imaginar—. Y Pauline dice que Alyss es una de sus mejores agentes. — Lady Pauline era uno de los miembros de mayor rango del Servicio Diplomático. Fue ella la que reclutó a Alyss y la que se encargó de su formación. Alyss era su protegida en la misma medida que Will era el de Halt.

—Sí. Son los mejores para esta tarea, lo sé. Y si enviamos a demasiada gente, corremos el riesgo de mostrar nuestras cartas y hacer más mal que bien. Es solo que... tengo un mal pálpito sobre todo el asunto. Como si hubiera alguien detrás de mí y pudiera sentirle pero no verle. ¿Me entiendes?

Halt asintió.

—Yo siento lo mismo. Pero como dices, si sobreactuamos, nos delataremos. —Se produjo un silencio largo entre ellos. Los dos estaban de acuerdo, pero también tenían la misma sensación de inquietud—. Claro que siempre podríamos enviar a una persona más para ayudarles en caso de necesidad... —sugirió Halt.

Crowley le miró.

—Una persona más no sería sobreactuar —concedió a toda prisa.

—Alguien que pudiese aportar algo de músculo, si lo necesitaran —continuó Halt—. Para cubrirles las espaldas, por así decirlo.

—Creo que me sentiría un poco mejor sabiendo que tienen siquiera un pelín de apoyo —dijo Crowley.

—Aunque, por supuesto —añadió Halt—, si enviamos a la persona correcta, podría proporcionar más que un pelín.

Los ojos de los dos hombres se cruzaron por encima de la mesa. Eran viejos camaradas y amigos. Se conocían desde hacía décadas, había servido juntos en más campañas de las que cualquiera de los dos podía recordar. Cada uno sabía a la perfección lo que el otro estaba pensando y cada uno estaba completamente de acuerdo con el otro.

—¿Estás pensando en Horace? —preguntó Crowley, y Halt asintió.

—Estoy pensando en Horace —confirmó.

Veinticinco

Will no tenía ni idea de que sus superiores hubiesen decidido mandarles ayuda a él y a Alyss. La paloma que había llevado su mensaje era la única que se había aprendido la ruta entre el Feudo de Norgate y el Castillo de Araluen, así que era la única que podía llevarles de vuelta una contestación, y tardaría entre tres y cuatro días en recuperar la fuerza suficiente para emprender otro viaje. Y entonces, por supuesto, regresaría al último sitio en el que había anidado, con el hombre de Alyss, a cierta distancia del castillo. Hasta que Will contactara con él, no sabría nada de que hubiera ayuda en camino.

Si lo hubiese sabido, a lo mejor se hubiese sentido un poco más seguro. Horace era solo un hombre, pero había demostrado su valía muchas veces. Como aprendiz, había sido un guerrero de talento extraordinario; un innato, según sus maestros. Derrotó al caudillo rebelde Morgarath en combate singular y después sirvió con gran distinción en la guerra de los escandianos contra los jinetes temujáis. Además, se había forjado una reputación temible por su habilidad en los combates singulares; el nombre del Caballero de la Hoja de Roble aún se pronunciaba con temor reverencial por toda la Galia. Sus hazañas eran tales que el rey Duncan no dudó en nombrarle caballero antes de que completara la mitad del tiempo fijado para su aprendizaje.

Así que la noticia de que Horace estaba en camino bien podría haber contrarrestado la inquietud que sentía Will aquella brillante mañana de invierno. Seguía dándole vueltas a la conversación que había mantenido en el barracón y planeaba ver a Alyss para contárselo todo en cuanto encontrara una excusa razonable. De hecho, estaba medio dispuesto a buscar la ayuda de Sir Keren. Después de todo, era obvio que el joven comandante de la guarnición no tenía buena relación con su primo y contaba con una fuerza armada independiente a sus órdenes que podía resultar muy útil. Pero antes de que Will pudiese dar un paso tan radical, tendría que hablarlo con Alyss.

También estaba impaciente por que fijaran un momento en el que continuar su investigación sobre el misterioso Malkallam; puesto que tenía que ser él el que estaba detrás de las luces, las imágenes y los intentos de disuadir a los visitantes de entrar en el Bosque de Grimsdell. Pero una vez más, antes de que pudiera dar otro paso en ese sentido, tenía que encontrar una forma de que Alyss le hiciera llamar. Como vulgar juglar, no sería correcto que impusiera su presencia en los aposentos de una dama sin ser invitado.

Mientras tanto, había ido a los establos para asegurarse de que Tug estaba bien atendido. Y, puesto que la perra empezaba a mostrarse inquieta en las dependencias pequeñas y algo cargadas de Will en el castillo, se la había llevado también a las cuadras para que le hiciera compañía al caballo. Los dos animales parecían contentos con el arreglo cuando los dejó juntos. Tug había adoptado una actitud divertida de superioridad con respecto a la perra, mientras que ella, a su vez, parecía aceptar al desgreñado caballito de Guardián como un sustituto razonable del propio Will. Will sabía que la perra no se alejaría, pero en los establos del castillo había un montón de olores y ruidos nuevos y extraños y rincones inexplorados para mantenerla entretenida.

Y menos mal que la dejó ahí. Mientras cruzaba el patio, una figura vagamente familiar salió de la garita y se dirigió a grandes zancadas hacia el torreón. Era un hombre alto, con barba y pelo oscuro. Desde lo lejos, Will no pudo distinguir bien sus facciones, pero la forma en la que se movía, su porte, le resultaba familiar. Igual que la pesada lanza de guerra que llevaba en la mano derecha y que manejaba con soltura a pesar de su peso considerable. Después de unos segundos de vacilación, Will hizo la conexión en su mente.

John Buttle. El hombre que había dejado con la tripulación escandiana en el lejano Feudo de Seacliff.

—¿Qué demonios está haciendo él aquí? —masculló Will en voz baja. Se apresuró a darse la vuelta y se arrodilló para fingir que se ataba los cordones de una bota. Por fortuna, Buttle no estaba mirando en su dirección. Entró en el torreón y Will se enderezó, su mente iba a toda velocidad. Buttle tendría que haber estado ya instalado en Skorghijl con la tripulación escandiana, varios cientos de kilómetros al noreste y bien lejos del reino. Que hubiese aparecido ahí era un gran problema. Después de todo, había oído la conversación entre Will y Alyss y sabía que...

Se detuvo a medio pensamiento. ¡Alyss! Si Buttle la veía, la reconocería con facilidad. Bueno, razonó, su peinado y su ropa eran ahora mucho más elaborados, como debía ser para una dama de la nobleza. Cuando Buttle la vio por última vez, Alyss vestía el traje simple pero elegante de un correo y llevaba el largo pelo suelto por la espalda. Pero Alyss era una chica despampanante y, con algo de tiempo, lo más probable es que acabara recordándola. Si lo hacía, sabría que no era la bobalicona Lady Gwendolyn, sino un Correo del Servicio Diplomático.

Que reconociera a Will era más dudoso. No esperaría verle con la llamativa y estrafalaria ropa de un juglar. Sabía que Will era un Guardián y esperaría encontrárselo con la ropa anodina de colores insulsos de un miembro del Cuerpo. Como le había enseñado Halt, la gente tiende a buscar lo que espera ver. Además, había habido mala luz entre las sombras al lado de la puerta donde habían peleado, pero una vez que reconociera a Alyss, sería solo cuestión de tiempo que hiciera la conexión con el otro desconocido del castillo.

El primer paso de Will estuvo claro entonces: tenía que avisar a Alyss de inmediato. Simplemente tendría que mantenerse fuera de la vista de cualquiera hasta que encontraran una solución para esta nueva situación tan incómoda. Empezó a dirigirse hacia la puerta del torreón, luego dudó. Buttle había entrado por ahí y Will no tenía ni idea de dónde podía estar en ese momento. Quizás estuviese justo a la entrada, en la sala principal. O podría estar a punto de salir de nuevo. Will miró a su alrededor en busca de una entrada alternativa al torreón. Sabía que las cocinas daban a la parte de atrás del patio. Iría por allí.

Antes de que pudiera moverse, una mano pesada cayó sobre su hombro. Dio media vuelta y se encontró mirando al rostro serio del sargento mayor. Otros dos miembros de la guarnición estaban junto a él, las manos sobre las empuñaduras de sus armas. No había señal alguna de la cordialidad de la noche anterior. Los tres hombres obedecían órdenes.

—Un momento, juglar —dijo el sargento mayor—. Lord Orman quiere hablar contigo.

Will evaluó la situación. El sargento mayor era viejo y lento, aunque un guerrero experto. Los otros dos eran meros soldados, su habilidad con las armas no debía de ser muy grande. Will estaba seguro de que podría noquear al menos a dos de ellos antes de que pudiesen desenvainar sus armas. Pero eso aún dejaría a uno para dar la voz de alarma. Y la garita y el puente levadizo estaban a treinta metros de distancia, protegidos por otros tres o cuatro hombres armados. Si se resistía ahora, jamás lograría salir del castillo. Lo único que podía hacer era intentar tirarse un farol. Todos esos cálculos los hizo en apenas medio segundo.

—Muy bien, sargento mayor —contestó con una sonrisa—. Iré a verle en cuanto termine.

La mano no se movió de su hombro.

—Ahora —dijo el sargento mayor en tono firme, y Will se encogió de hombros.

—Por supuesto, cómo no, ahora también me viene bien —dijo—. Llevadme ante él. —Le hizo un gesto al soldado para que pasara delante, pero el hombre más mayor se mantuvo firme. No había ni asomo de diversión en su mirada.

—Detrás de ti, juglar —dijo.

Will se encogió de hombros otra vez con lo que esperaba que fuese un gesto de despreocupación y echó a andar por el patio. Los tres soldados se colocaron a su alrededor, el sargento mayor detrás de él y los otros cada uno a un lado. Sus pesadas botas repicaban sobre los adoquines a medida que se acercaban a la puerta.

Will rezó una plegaria silenciosa por que no se toparan con Buttle saliendo del edificio. Un hombre al que escoltaban de un modo tan evidente llamaría seguro su atención, y si Buttle le miraba bien, había bastantes opciones de que le reconociera, con ropa de juglar o sin ella.

Por fortuna, su exprisionero no estaba por ahí cuando entraron. El sargento mayor le incitó a caminar con un objeto duro y romo, y Will se dio cuenta de que ahora blandía la pesada maza que llevaba colgada del cinturón. Sin más dilación, se dirigieron a las escaleras que conducían a las habitaciones de Orman.

Como era costumbre, las escaleras se curvaban hacia la derecha, para que un atacante que intentara abrirse paso hacia arriba tuviera que dejar expuesto todo su cuerpo para utilizar su espada mientras que un defensor por encima de él podía golpear dejando al descubierto solo su brazo y costado derechos. Will oyó al sargento mayor resollar detrás de él a medida que subían y los dos hombres que le flanqueaban tuvieron que quedarse atrás debido a la estrechez de las escaleras. Se dio cuenta de que no le costaría nada escapar de ellos. Pero seguía estando la pregunta de a dónde podía ir. Una vez más, decidió esperar a que se le presentara una oportunidad mejor. Una vez que intentara escapar, sabía que habría perdido cualquier opción de fingir inocencia. Decidió esperar a que sus posibilidades de tener éxito fuesen mayores. Allí, en el corazón del castillo de Orman, con hombres armados a su espalda y ningún sitio al que ir excepto hacia arriba, esas posibilidades no parecían demasiado alentadoras.

Llegaron a las habitaciones de Orman en el cuarto piso. Will vaciló un instante ante la puerta de la antesala, pero la maza volvió a empujarle hacia delante.

—Pasa —le ordenó la voz seria del sargento mayor y, sin otra opción más que obedecer, Will hizo lo que le decían.

Xander estaba detrás de su mesa en la antesala. Levantó la vista cuando entraron sin llamar. Si le sorprendió ver al juglar escoltado por tres hombres armados, no dio ninguna muestra de ello. Levantó una mano para indicarles que se detuvieran, luego salió de detrás de su mesa repleta de papeles y abrió la puerta que daba a la oficina interior. Will oyó su voz queda.

—Los hombres ya están aquí; han traído a Barton, mi señor —anunció. Se oyó un murmullo incoherente desde el interior de la habitación, Xander hizo un breve gesto de respeto con la cabeza y emergió de nuevo. Invitó al sargento mayor y a Will a entrar mientras abría la puerta de par en par.

La maza volvió a golpear a Will en la espalda. Esa pequeña manía empezaba a molestarle y sintió la tentación de quitarle la maza al sargento mayor y darle unos golpecitos alentadores él mismo. La verdad sea dicha, sentía curiosidad por saber qué quería Orman de él, y mientras no llamara a más guardias, Will confiaba en poder escapar en el momento en el que eligiera hacerlo.

Orman estaba detrás de su propia mesa de trabajo. Will vio que los libros de magia seguían entre sus papeles, uno de ellos abierto por una hoja marcada con un marcapáginas de cuero. Orman llevaba su habitual túnica oscura y parecía estar encorvado en la gran butaca de madera. Se movió de una forma extraña al indicarle a Xander que se retirara, casi como si sufriera algún dolor. Al hablar, su voz confirmó las sospechas de Will. Daba la impresión de que le costara formar las palabras y su respiración era pesada y laboriosa.

—Bien hecho, sargento mayor. ¿Le ha puesto alguna pega?

—Ninguna, señor. Vino tranquilo y sin ofrecer resistencia —anunció el soldado. Orman asintió despacio.

—Bien. Bien —murmuró para sí mismo. Se produjo una pausa mientras respiraba hondo, luego agitó los dedos de una mano en dirección al sargento mayor para que se retirara—. Muy bien, sargento mayor. Puede dejarnos. Espere fuera, por favor.

El viejo soldado vaciló.

—¿Está seguro, mi señor? —preguntó dubitativo—. Puede que el prisionero intente... —Se detuvo a media frase. No estaba seguro de lo que Will podría hacer. De hecho, ni siquiera estaba seguro de que fuese un prisionero. Le habían ordenado que escogiera a dos hombres y lo llevara ahí de inmediato, así que había asumido que algo grave debía pasar. Ahora, cuando Orman le dijo que se retirara, empezó a preguntarse si aquello no sería más que un asunto social y recordó con cierto remordimiento los golpecitos de ánimo que le había estado propinando durante toda la subida por las escaleras.

—Está bien. Márchese. —La voz de Orman sonó como un susurro bajo, pero el deje de enfado en ella se percibió claramente. Era obvio que le dolía algo, pensó Will. Oyó al soldado cuadrarse detrás de él, luego sus botas al dirigirse a la puerta. Hizo una pausa al llegar, todavía con dudas sobre la situación.

—Entonces esperaré fuera, mi señor —dijo, luego añadió— ; con mis hombres.

—Sí. Sí. Haga eso si lo cree oportuno —le dijo Orman. La puerta se cerró detrás del sargento mayor. Orman se levantó con dificultad, poniendo más peso sobre el lado izquierdo. Will pudo ver ahora que llevaba el brazo izquierdo pegado al costado casi como si tuviese alguna costilla rota. Hizo varias muecas mientras salía de detrás de la mesa para ponerse delante de Will. Respiraba con dificultad, como si recorrer esa corta distancia hubiese sido un esfuerzo enorme para él. Will hizo ademán de acercarse a él.

—Lord Orman, ¿se encuentra bien? —dijo, pero Orman levantó una mano para detenerle.

—No. Como puedes ver, no estoy bien. Pero hay poco que puedas hacer al respecto.

—¿Está herido? —preguntó Will—. Puedo hacer que venga su médico. —Pero Orman estaba negando con la cabeza y una risa áspera escapó de sus labios.

—Dudo que ninguno de los curanderos de este castillo puedan ayudarme con lo que tengo —dijo—. No. Necesito ayuda de otra clase. —Hizo una pausa y sus ojos se clavaron en Will mientras añadía—: Necesito la ayuda de un Guardián.

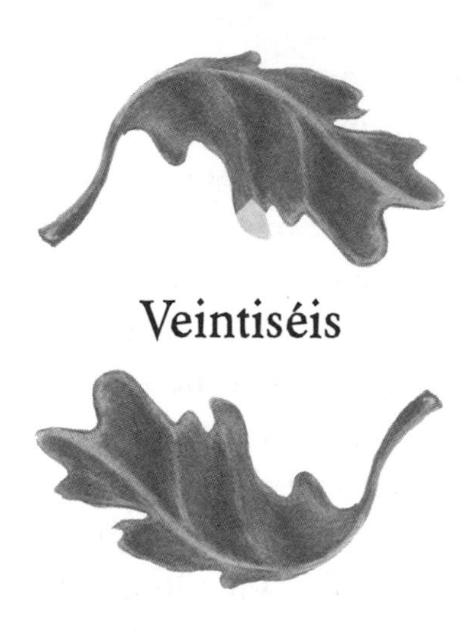

Veintiséis

La habitación se sumió en un silencio absoluto. Will se quedó sin palabras. Era la última cosa que esperaba oír de boca de Orman. Recuperó la compostura al instante, a sabiendas de que su reacción llegaba demasiado tarde, pero decidido a intentar hacerse el loco de todos modos.

—¿Un Guardián, Lord Orman? —preguntó—. Yo solo soy un simple juglar. —Forzó una sonrisa autocrítica y continuó—. Y, como usted mismo ha señalado varias veces, uno bastante mediocre.

Orman hizo un gesto despectivo y se dejó caer dolorosamente en una de las sillas de respaldo recto de delante de su mesa.

—No discutas conmigo. No tengo fuerza suficiente. Mira, necesito ayuda y la necesito ya. Por fin han llegado hasta mí, igual que llegaron hasta mi padre. Como puedes ver, estoy enfermo, y más pronto que tarde caeré en coma, y entonces no habrá nada que pueda detenerlos.

—¿A quiénes? —preguntó Will—. ¿De quién está hablando?

Orman gimió de nuevo, se sujetó el costado y el estómago y se dobló por la cintura cuando sintió otra oleada de dolor. Will pudo ver como se formaban gotas de sudor en el rostro del hombre. Era obvio que sufría.

—¡Keren! —boqueó Orman al final—. ¿Quién diablos crees, si no? Él es quien está detrás de la enfermedad de mi padre. ¡Él es quien intenta apoderarse del castillo!

—¿Keren? —repitió Will—. Pero… —Se quedó callado y Orman, más fuerte ahora que la punzada de dolor había cedido un poco, continuó enfadado.

—Oh, por supuesto. A ti también te ha engatusado, como a todos los demás. Supongo que imaginabas que yo estaba detrás de todo el ardid para deshacerme de mi padre. —Levantó la vista hacia Will para confirmar sus sospechas. Al ver la confirmación en los ojos del joven, asintió con resignación—. La mayoría de la gente piensa lo mismo. Es muy fácil pensar así cuando uno no es popular, ¿verdad?

No había nada que Will pudiese decir. Esa era precisamente la forma en la que él había reaccionado, ahora que lo pensaba. No le gustaba Orman, y esa animadversión le había llevado a la conclusión de que el señor provisional de Macindaw no era de fiar. En cambio, el carácter abierto y cordial de Keren le había llevado a considerarle un aliado en potencia. Aunque, aun así… ahora mismo no tenía más que la palabra de Orman como prueba. El hombre de rostro macilento continuó hablando.

—Mira, puedes ser muchas cosas, pero dudo que seas un juglar de verdad. —Levantó una mano para cortar la protesta automática de Will—. Tienes el talento suficiente, supongo, aunque tu música no sea de mi gusto. Pero te delataste el otro día cuando te entrevisté.

—¿Me delaté? —El cerebro de Will repasó a toda velocidad la conversación que había mantenido con Orman justo antes de la llegada de Alyss.

—Te pregunté por tu mandola, ¿recuerdas? Te pregunté si era una Gilperon.

—Sí —dijo Will despacio. Se preguntó a dónde quería ir a parar. Recordó unos momentos de confusión cuando Orman le hizo aquella pregunta, momentos en los que intentó disimular el hecho de que no había oído hablar del maestro lutier Gilperon—. Es solo que no me acordé de su nombre en ese momento, Lord Orman —dijo—. Como le expliqué entonces, un músico de poca monta como yo jamás podría permitirse un verdadero instrumento Gilperon, así que simplemente no recordé su nombre durante unos segundos.

—No existe ningún Gilperon. El nombre del maestro lutier es Gilet —dijo Orman sin ninguna emoción—. Cualquier juglar lo hubiese sabido.

Will cerró los ojos por un instante, enfadado. Era un truco muy viejo el que le había hecho Orman, pero había funcionado. Y ahora no veía forma de salir del atolladero.

Orman continuó hablando.

—Así que fui a ver tu caballo. Es muy parecido a la raza que emplean los Guardianes. Y parece muy bien domado. Incluso tu ropa me sirvió como pista. —Señaló la llamativa capa negra y blanca que llevaba Will—. Se parece a las capas de camuflaje que llevan los Guardianes. Es obvio que los colores son diferentes, pero en un paisaje invernal como el que tenemos aquí, el negro y el blanco serían ideales. Supongo que podrías desaparecer en el campo en un santiamén si decidieras hacerlo.

—Es una teoría fascinante, mi señor —dijo Will—, pero por desgracia, no son más que una serie de coincidencias. —Will vio un breve destello de ira en los ojos de Orman. Luego el otro hombre le contestó.

—No me hagas perder el tiempo. No me queda demasiado. Han conseguido envenenarme igual que hicieron con mi padre. El dolor es cada vez más intenso y en cuestión de horas estaré inconsciente. Y entonces tendrán todo lo que quieren. Tienes que sacarme de aquí.

—¿Quiere salir de aquí? —preguntó Will, la sorpresa evidente en su voz. Esa era la última cosa que se esperaba.

—Tengo que hacerlo, ¿acaso no lo ves? —dijo Orman desesperado—. He intentado resistirme a ellos durante las últimas semanas, pero poco a poco se han infiltrado en el castillo. Keren está reclutando a sus propios hombres y se está deshaciendo paulatinamente de los que son leales a mí. Ahora mismo tengo apenas una docena de hombres en los que pueda confiar, mientras que él debe de tener veinte hombres o más que le son leales.

En ese momento, sufrió otro espasmo de dolor y se dobló por la cintura, gimiendo de agonía. Fue incapaz de hablar durante un rato. Luego continuó con voz débil.

—Keren quiere el castillo. Es un primo ilegítimo, así que no hay forma humana de que vaya a poner las manos en él jamás de manera legal. Desde hace algún tiempo, sospecho que ha llegado a un acuerdo con un caudillo escoto: le entregará el condado, siempre y cuando él se pueda quedar con el castillo. Si estoy en lo cierto, cuando la nieve se derrita, los escotos cruzarán los desfiladeros y ocuparán el condado entero. Sin Macindaw para amenazar sus vías de suministro, podrán sitiar Norgate y todo el feudo caerá en sus manos antes de que la primavera toque a su fin. ¿Es eso lo que quieres? —añadió con amargura.

Podía ver a Will vacilar a medida que hablaba.

—Si Keren nos tiene a mi padre y a mí en su poder, no dudará en matarnos a ambos y hacerse con el control. Oh, no lo hará de manera muy obvia. No es lo bastante poderoso como para salirse con la suya de ese modo. Aún. Por eso ha desenterrado la vieja leyenda del hechicero. Sabe que cuando la gente tiene miedo busca un liderazgo fuerte... que es lo que él les puede proporcionar. Ha envenenado a mi padre. Le mantiene inconsciente y ahora está planeando hacer lo mismo conmigo. Si los dos morimos por el supuesto conjuro del hechicero, tendrá vía libre para hacerse con el control... y nadie se opondrá a él. Se convertiría en el único pariente vivo.

»Pero si yo logro escapar, no podrá reclamar el título de Señor de Macindaw. Mientras yo siga con vida, está en un callejón sin salida y no gana nada con matar a mi padre. Al contrario, lo más probable es que lo mantenga con vida como rehén. Hasta que los escotos lleguen aquí, Keren tiene que jugar sus cartas con mucho cuidado. Si es demasiado descarado, los campesinos se levantarán en armas contra él. Pero una vez que tome posesión del castillo como Señor de Macindaw, todo será distinto. Entonces, para cuando lleguen los escotos para apoyarle, ya será demasiado tarde.

—¿Cómo le ha envenenado? —preguntó Will, y Orman se encogió de hombros.

—Tengo que comer y que beber. ¿Quién sabe? He intentado tener cuidado y hacer que me prepararan la comida por separado. Pero puede que hayan embaucado a mis sirvientes. O quizás hayan echado su maldito veneno en el agua. —Hizo un gesto hacia los libros de Magia Negra que estaban sobre su mesa de trabajo—. Hace días que lo veo venir. Lo hacen despacio, ¿sabes? He estado repasando esos malditos libros para intentar encontrar alguna pista, algún antídoto, pero hasta ahora no he tenido ningún éxito.

Will miró los libros cuando el otro hombre señaló hacia ellos.

—Oh, ya veo —dijo—. Pensé… —No terminó de dar voz a su pensamiento. Orman le sonrió con tristeza.

—¿Pensaste que era un hechicero? ¿Pensaste que estaba detrás de la enfermedad de mi padre? —preguntó. Will asintió. No servía de nada negarlo.

—Parecía una teoría lógica —se defendió. Orman asintió cansado.

—Como ya he dicho, cuando una persona es impopular, es fácil pensar mal de ella. —Se levantó de la silla con esfuerzo, el dolor bien patente en el rostro—. Ahora, mi mayor esperanza es que seas un Guardián, porque necesito ayuda para salir del castillo y dudo que un simple juglar esté a la altura de semejante desafío. —Hizo una pausa y luego añadió—. Supongo que Lady Gwendolyn también es más de lo que parece.

—¿Cómo ha…? —empezó Will, luego se calló, aunque sabía que ya había dicho demasiado. Orman sonrió.

—No des por sentado que porque una persona sea impopular, también es estúpida —dijo—. Los dos aparecisteis prácticamente al mismo tiempo. Luego, Lady Gwendolyn te citó en sus aposentos. Muy conveniente. Y después, qué casualidad, los dos salisteis a caballo el mismo día a la misma hora. No soy tonto.

Los acontecimientos habían discurrido a tal velocidad en los últimos minutos que Will se había olvidado de la necesidad de advertir a Alyss de que se mantuviera fuera de la vista. Tomó una decisión drástica. Puso a Orman al día de la situación y le contó lo de la repentina aparición de John Buttle. El señor del castillo frunció el ceño pensativo.

—Eso es un problema —dijo—. Es uno de los hombres de Keren, por supuesto, uno de los nuevos reclutas. Keren parece tener un arte especial para encontrar a todo ladrón y asesino sin ataduras que pasa por el condado. Gravitan hacia él. Al mismo tiempo, se está deshaciendo de los hombres que siguen siendo leales a mí. Enviaré a Xander a darle a Lady Gwendolyn tu advertencia. Creo que lo mejor es que ese hombre, Buttle, no te vea a ti tampoco. Después, pensaremos en cómo podemos salir los tres de aquí.

Alargó la mano hacia una campanilla de plata en su mesa y la hizo sonar. Hubo una pausa, luego la puerta se abrió y entró Xander. Orman le dio instrucciones a toda prisa mientras Will garabateaba una nota corta para que se la entregara a Alyss. El secretario, con aire de preocupación, dobló la nota, la remetió por la parte de arriba de su jubón y salió de la habitación. Will recordó otra cosa que le había estado inquietando.

—El Guerrero Nocturno... —dijo, de repente—. Las apariciones del Bosque de Grimsdell... ¿También está Keren detrás de eso? ¿Qué gana con ello?

—Oh, o sea que las has visto... —comentó Orman. Se encogió de hombros—. Para ser sincero, no lo sé. Quizás sea ese antiguo curandero, Malkallam, el que está detrás de todo ello. O quizás sea Keren. A lo mejor incluso están trabajando juntos. O también puede que Keren simplemente haya aprovechado las apariciones para utilizar la vieja leyenda en su propio beneficio. —Se estremeció de dolor otra vez—. En cualquier caso, vamos a tener que averiguar qué trama Malkallam —dijo.

Will le miró con ojos inquisitivos. Orman se explicó.

—Es muy probable que sea el único que pueda curarme. Necesito que me lleves con él.

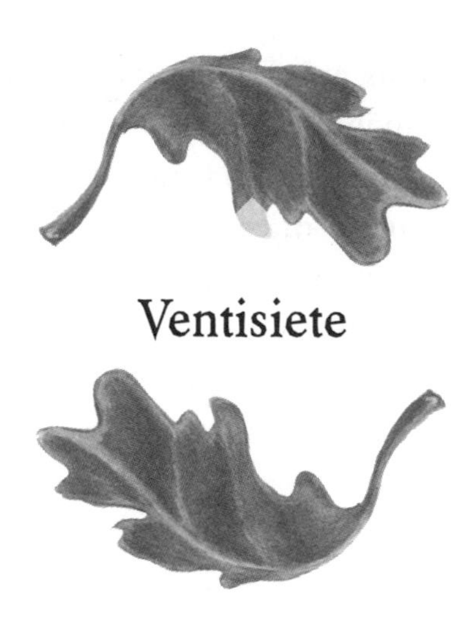

Ventisiete

—¿Está loco? —Will elevó el tono de voz al oír lo que decía Orman—. ¿Cree que Malkallam le ayudará? ¡Es enemigo declarado de toda su familia!

—Pero Orman se limitó a negar con la cabeza, y solo ese esfuerzo pareció costarle un mundo.

—Solo si crees en cuentos de hadas —dijo—. No creo que Malkallam esté detrás de todo esto. Tampoco creo que sea un hechicero. Durante años, el hombre trabajó como curandero, un herbolario, y uno muy bueno además. Pero entonces algo se torció y desapareció de la faz de la Tierra. La gente dice que se fue al bosque y se rodeó de apariciones y fuerzas oscuras.

—¿Qué se torció? —preguntó Will, y Orman se encogió de hombros. En cuanto lo hizo, se arrepintió de ello y soltó un pequeño gemido de dolor antes de contestar.

—¿Quién sabe? Quizás en algún punto la gente empezó a confundir sus habilidades con la brujería. Ya ha ocurrido otras veces, ¿sabes? Alguien desarrolla una habilidad que se sale un poco de lo común y enseguida la gente empieza a pensar que es magia. —Hizo una pausa para respirar y miró a Will con ojos perspicaces—. Como Guardián, deberías entender a qué me refiero.

Will se vio obligado a asentir. Era justo lo que la gente pensaba de los Guardianes. Y se dio cuenta de que Alyss y él ya habían constatado que gran parte de la supuesta hechicería de Malkallam consistía en elaborados trucos mecánicos. Pero aun así...

—¿Puede permitirse correr ese riesgo? —preguntó—. Después de todo, está dando muchas cosas por supuesto.

Orman le dedicó una sonrisa tensa. No había gran diversión en ella.

—La pregunta es más bien: ¿puedo permitirme *no* correr ese riesgo? Malkallam es la única persona en cientos de kilómetros a la redonda que quizás tenga los conocimientos suficientes como para reconocer este veneno y encontrar un antídoto. Sin él, caeré en coma y al cabo de un tiempo moriré.

Will frunció el ceño pensativo mientras digería esas palabras. Se dio cuenta de que el señor del castillo tenía razón. Malkallam era su última esperanza. No había ninguna otra salida para Orman.

La puerta se abrió para dar paso a Xander. En cuanto el secretario entró en la oficina, Will vio la expresión de su cara y supo que traía malas noticias.

—Mi señor, no he podido llegar hasta ella. Los hombres de Keren están por todas partes —explicó.

Orman maldijo mientras otro espasmo se apoderaba de él. Cuando Xander hizo ademán de atenderle, Will se interpuso en su camino. Sintió una mano fría cerrarse en torno a su corazón.

—¿Quieres decir que te impidieron el paso? —preguntó sin respeto alguno, para añadir con un mordaz tono acusatorio—: Ni siquiera intentaste llegar hasta ella, ¿verdad?

El enjuto secretario le miró a los ojos sin vacilar.

—Una vez que los vi, no lo intenté, no. Porque sabía que ellos me verían a mí. Y no quería implicar a Lady Gwendolyn —dijo.

Will agarró el jubón del hombrecillo con ambas manos y tiró de él hasta tenerle a escasos centímetros.

—¡Cobarde! —le increpó Will—. ¿Qué quieres decir con *implicarla?*

Xander siguió mirándole a los ojos sin dar ninguna muestra de temor. Tampoco hizo ningún esfuerzo por liberarse del agarre de Will.

—Piénsalo, Guardián. Me ven ir corriendo a entregarle algún tipo de mensaje a Lady Gwendolyn. Después, en cuestión de una hora, nosotros tres escapamos del castillo. ¿Crees que Keren no sumará dos más dos y se dará cuenta de que ella trabaja contigo?

Poco a poco, Will aflojó el puño y el secretario dio un paso atrás mientras enderezaba el cuello arrugado de su jubón. Tenía razón, pensó Will. En esos momentos, cualquier intento de advertir a Alyss solo la pondría en peligro. Aun así, si se topara con Buttle, si Buttle la reconociera... de algún modo, tenía que avisarla.

—Tengo que ayudarla —dijo.

Orman sacudió la cabeza casi sin fuerzas.

—Es demasiado tarde para eso —dijo—. Si Xander está en lo cierto y los hombres de Keren están por todas partes, quizás mi primo esté a punto de mover ficha. Solo disponemos de unos minutos para salir de aquí.

La ira de Will entró en ebullición y rebosó por todos los poros de su piel.

—¿Solo es capaz de pensar en eso? —le increpó—. ¿En su propio pellejo? ¡Pues entonces no le necesito! Yo no dejo tirados a mis amigos cuando me necesitan.

Orman no dijo nada, pero Will se sorprendió cuando Xander dio un paso hacia él y puso una mano en su brazo.

—Lord Orman tiene razón —dijo—. Tu mejor opción es sacarle de aquí de inmediato. Si os pillan en el castillo, nada impedirá a Keren mataros a todos, ¿es que no lo ves?

Will se dio cuenta de que Xander estaba en lo cierto. Su primera obligación ahora que sabía que Orman no era un rebelde era llevarle a un lugar seguro. Pero hacerlo significaba que debía dejar a Alyss en peligro, y odiaba la idea de hacerlo.

—Estamos perdiendo el tiempo —dijo Orman en voz baja—. Mira, quizás cojan a tu amiga. O quizás no. Pero si nos cogen también a nosotros, no habrá ningún motivo para que Keren la mantenga con vida, sobre todo cuando se entere de que es un Correo. Pero si no me tiene a mí, no puede reclamar el castillo, y tendrá que jugar sus cartas con sumo cuidado. Puedes incluso ofrecerle intercambiarme a mí por Lady Gwendolyn. Eso te garantizará que la cuida bien. —Hizo una pausa para dejar que Will lo pensara—. Supongo que Gwendolyn no es su verdadero nombre.

—Es Alyss —dijo Will, distraído. Estaba pensando en lo que había dicho Orman. Tenía sentido. Si los cogían a todos prisioneros, Keren no tendría ninguna razón para dejarlos vivir, a ninguno de ellos. Pero si él y Orman conseguían escapar, podría usar a Orman como moneda de cambio. Mientras lo pensaba, se preguntó si de verdad cambiaría al señor del castillo por Alyss. Decidió que si llegaba el caso, lo haría.

—Muy bien, de acuerdo —dijo de repente—. Lo haremos. —Hizo una pausa, ordenó sus pensamientos y después empezó a dar órdenes a toda prisa—. Recoja sus cosas —le dijo a Orman—. Viajaremos ligeros, o sea que coja solo lo estrictamente esencial. Ropa abrigada, una buena capa y botas. Dormiremos al aire libre, supongo. Yo iré a las cuadras y ensillaré dos caballos. —Will hizo otra pausa, miró al secretario y se corrigió—. Tres caballos. Xander, ¿conseguirás llevar a Lord Orman a la puerta este del torreón sin llamar demasiado la atención?

La puerta este era la que daba al patio justo enfrente de las cuadras. El menudo secretario asintió.

—Hay unas escaleras de servicio. Bajaremos por allí —dijo. Will asintió, era una buena opción.

—Bien. Estén allí en diez minutos. Tendré los caballos preparados dentro de la cuadra y cuando les vea los llevaré hasta la puerta.

—¿Y entonces qué? —preguntó Orman.

—Entonces galopamos como alma que lleva el diablo hasta la puerta principal —dijo Will. El rostro del otro hombre se retorció en una sonrisa sardónica, a pesar de su dolor.

—No es exactamente un ejemplo clásico de ingenio, ¿verdad? —comentó. Will se encogió de hombros.

—Si lo prefiere, podemos excavar un túnel secreto. O quizás podamos encontrar unos buenos disfraces. Pero para cuando lo hayamos hecho, estaremos todos muertos.

Nuestra mejor opción es actuar deprisa y cogerlos por sorpresa. Supongo que algunos de sus hombres estarán en las murallas, ¿no?

Orman asintió.

—Algunos serán hombres míos. Pero no muchos.

—Vale. —Will miró a Xander—. Sácale de aquí ahora y usa esas escaleras de servicio. Si Keren y sus hombres vienen a buscaros, no quiero que os quedéis atrapados aquí dentro. Pero si no os encuentran, a lo mejor eso nos da algo de tiempo. Puede que no se den cuenta aún de que los hemos calado. Diez minutos —repitió.

Los otros dos hombres asintieron al unísono. Will corrió hacia la puerta, la abrió una rendija y se asomó con cuidado. No había nadie en la antesala. Aparentemente, Xander les había dicho al sargento mayor y a sus hombres que podían marcharse. Will cruzó a toda prisa hasta la puerta que daba al exterior, volvió a asomarse con cuidado y salió. El pasillo estaba desierto. Había dos guardias en el extremo opuesto, pero aparte de una mirada desinteresada en su dirección, no le prestaron mayor atención. Se obligó a andar con calma, fue hasta las escaleras y empezó a bajar.

Tenía los nervios a flor de piel mientras cruzaba el vestíbulo principal y luego el patio exterior. Todas las fibras de su cuerpo querían echar a correr, llegar a los establos lo antes posible. Pero hizo un esfuerzo supremo por caminar de manera casual para evitar llamar la atención. Esperaba ver en cualquier momento alguna señal de que había saltado la alarma.

Una vez envuelto en la penumbra de los establos, sin embargo, todo disimulo desapareció. Esprintó hasta la cuadra de Tug y cogió a toda prisa la montura y la cabezada del soporte que había a su lado. Tanto Tug como la perra le oyeron llegar y se alertaron por su comportamiento. Tug se quedó quieto mientras Will le ponía el sudadero y la montura y apretaba la cincha. La perra estaba en guardia, pues percibía que ocurría algo fuera de lo normal. Una vez que Tug estuvo ensillado y listo, Will sacó las piezas de su arco de las alforjas y las ensambló a toda prisa. La aljaba de flechas estaba ahí mismo, así que la colgó del pomo de la silla. Luego sacó a Tug de la cuadra.

Se apresuró a buscar en las cuadras adyacentes un par de caballos adecuados. Su propia yegua de carga era un animal bastante robusto, pero sería demasiado lenta si hubiese algún tipo de persecución. Vio varios caballos de batalla disponibles, pero los ignoró. No creía que Orman y Xander fueran a ser capaces de manejar unos animales tan poderosos. Al entrar, había visto una yegua castaña con buena pinta, así que la sacó y la ensilló lo más deprisa que pudo. Era tranquila y dócil, pero parecía que alcanzaría una velocidad decente. La ató al lado de Tug y corrió por el pasillo de las cuadras en busca de un tercer caballo.

Al final del edificio, encontró un castrado tordo que no parecía demasiado inquieto o asustadizo. Lo ensilló, luego apretó las cinchas de la yegua y el castrado; no sería muy útil que las sillas resbalaran cuando Orman y Xander fueran a montar. Con los caballos listos, se encaminó a la entrada de las cuadras y abrió un pelín la puerta de doble hoja. Se asomó por la estrecha rendija hacia el torreón. Vio un atisbo de movimiento en la entrada este y se dio cuenta de que era Xander, justo al otro lado de la puerta entreabierta, entre las sombras del interior. Se veía una figura oscura justo detrás de él. Will esperaba que fuera Orman.

Luego cayó en la cuenta de que bien podía ser uno de los hombres de Keren. Se encogió de hombros. Solo había una forma de averiguarlo.

—Muy bien —murmuró. Miró de reojo a la perra, que no le quitaba los ojos de encima, expectante, las orejas atentas y expresión inquisitiva—. Sígueme —dijo Will—. Silencio —añadió. Reforzó la orden verbal con la seña visual que le había enseñado. La perra, contenta ahora que sabía lo que se esperaba de ella, se sentó, lista para moverse.

Sin pensárselo dos veces, Will ató el extremo de una cuerda larga a los otros dos caballos y el otro extremo a la montura de Tug. Luego se apresuró hasta la puerta una vez más y abrió una de las dos hojas de par en par. Corrió de vuelta con los caballos, se encaramó de un salto en Tug y le tocó con los talones.

Hubo un tirón momentáneo de la cuerda mientras la yegua y el castrado se resistían al movimiento, pero enseguida sus cascos repicaron sobre los adoquines detrás de Tug, que ya iba a un trote rápido. La perra se deslizó por el patio al lado de Tug, una sombra negra y blanca que corría con la barriga casi pegada al suelo.

Xander ya estaba ayudando a Orman a bajar los tres escalones que llevaban hasta la puerta del torreón. El señor del castillo parecía estar muy mal, se tenía en pie solo por el brazo de su secretario alrededor de los hombros. Hubo un momento de confusión cuando Will tiró de la cuerda larga para que los caballos se detuvieran. Tug percibió lo que tenía en mente y bloqueó sus robustas patas para frenar a los otros dos caballos, que se chocaron con él y empujaron y tironearon aturullados durante unos segundos interminables. Entonces, Xander agarró las riendas de la yegua y la mantuvo quieta mientras Orman intentaba encaramarse en la montura. Will oyó su dolorida exclamación ahogada y oyó también una voz desde las almenas cuando el repentino torbellino de movimiento por fin llamó la atención de los guardias. Sacó una flecha de la aljaba que colgaba del pomo de la silla y la cargó en el arco. Xander tendría que ayudar a Orman por su cuenta. La labor de Will sería dar debida cuenta de cualquier oposición que pudiera presentarse.

Mientras lo pensaba, oyó gritos apagados desde el interior del torreón, y el ruido de pies que corrían. Bajó la vista hacia Xander, que forcejeaba con el peso muerto de su señor mientras la yegua caminaba asustada en medio círculo. Will empujó a Tug a acercarse a la yegua, sujetó el arco en una mano, se agachó con el otro brazo estirado y agarró a Orman por el cinturón. Tiró de él hasta subirle a la montura mientras Xander le empujaba desde abajo. El señor del castillo gimió de dolor, pero ya estaba montado, y Xander intentaba meter el pie en el estribo mientras el castrado bailoteaba nervioso, afectado por la tensión y todo aquel movimiento.

Detrás de él, Will oyó el traqueteo del cierre del torreón; después, alguien abrió de par en par la pesada puerta desde el interior. Se giró en la montura y, sin apenas apuntar, disparó una flecha que se incrustó con fuerza en la madera de la jamba de la puerta a la altura de la cara. Oyó un grito de sorpresa y la puerta se cerró otra vez de un portazo.

—¡Vamos! —gritó. No había más tiempo que perder. Tocó a Tug con los talones y el caballito partió al galope por los adoquines, arrastrando a los otros tras de sí atados a la cuerda larga. Will echó un vistazo a su espalda y vio a Xander medio a caballo medio no, aferrado desesperadamente a la crin del tordo. Will no podía dedicarle al hombre menudo ni un segundo más de su tiempo, ni de su cerebro.

La garita de la entrada estaba ante ellos y uno de los centinelas corría dubitativo hacia el gigantesco estopor que movía el rastrillo. Will disparó una flecha que pasó silbando por al lado de la oreja del hombre y le vio tirarse al suelo para ponerse a cubierto.

Ahora se oían más gritos a su espalda y, por el rabillo del ojo, Will vio movimiento en las almenas delante de ellos. Oyó un virote de ballesta impactar y deslizarse por los adoquines delante de Tug.

Sin pensarlo siquiera y aparentemente sin apuntar, disparó de nuevo y una figura cayó dando volteretas desde el parapeto hasta el patio a sus pies. Su ballesta se estrelló contra el suelo de piedra a su lado.

Entonces, los cascos de los caballos ya estaban atronando sobre la madera del puente levadizo y la tensión de la cuerda larga casi había desaparecido, pues la yegua y el castrado, azuzados por la excitación del momento, mantenían sin problema el mismo ritmo que Tug. Entraron disparados en la oscuridad bajo la enorme torre de la entrada y luego salieron al sol invernal. En cuestión de segundos, los cascos tamborileaban sobre el duro suelo congelado del final del puente y tenían vía libre. Will percibió el zumbido de virotes de ballesta por el aire, pero eran muy pocos. Habían cogido a los centinelas por sorpresa... o eran sobre todo hombres de Orman y se habían negado a disparar contra su señor. Will miró a su espalda y vio que Xander por fin había logrado subirse al caballo. Cabalgaba muy cerca de Orman, el hombre más alto iba encorvado en la montura, muerto de dolor pero aferrado al pomo.

Pasarían unos minutos antes de que los hombres de Keren pudiesen lanzarse en su persecución, y Will sabía dónde quería estar cuando vinieran a por él.

Veintiocho

Will tiró de las riendas cuando llegaron a la ya familiar entrada al Bosque de Grimsdell. Dejó que los otros caballos llegaran a la altura de Tug y miró a Orman con ojo crítico. El señor del castillo oscilaba en la montura, los ojos medio cerrados, la mirada distante. Movía la boca, pero por ella no salía sonido alguno.

Xander observaba a su señor angustiado.

—Tenemos que llevarle hasta Malkallam lo antes posible —dijo—. Está casi inconsciente.

Will asintió. Apartó la vista de Orman para mirar hacia la curva del camino por la que aparecerían sus perseguidores. Porque no tenía ninguna duda de que habría perseguidores.

—Llévale hacia el centro del bosque —dijo—. Yo me quedaré aquí y le quitaré las ganas a cualquiera de seguirnos demasiado de cerca. —Señaló el estrecho sendero que Alyss y él habían seguido en su anterior exploración del bosque—. Sigue ese sendero unos cien metros o así y esperadme allí. Para entonces estaréis fuera de la vista.

Xander vaciló un instante.

—¿Y qué pasa contigo?

Will le sonrió. El pequeño secretario tenía una valentía inesperada. Se echó la capucha por encima de la cabeza e instó a Tug a refugiarse más profundo entre las sombras moteadas bajo las ramas desnudas de un roble.

—Ahora ya no se me ve —dijo. Y cuando Xander siguió titubeando, le hizo un gesto para que se marchara—. Vamos. Estarán sobre nosotros en cualquier momento.

El secretario vio que era una sugerencia muy lógica. Le hizo un gesto afirmativo a Will, cogió el ramal del caballo de Orman y condujo a su señor, semiinconsciente, hacia la penumbra de las sombras del Bosque de Grimsdell. Quince metros más allá, Will ya no podía verlos. Asintió para sí con satisfacción y se quedó inmóvil a lomos de su caballito. La perra estaba bien pegada al suelo al lado de Tug. Emitió un gruñido sordo y retumbante.

—Quieta —le dijo Will, y ella meneó la cola obediente.

Unos segundos más tarde, las orejas de Tug se movieron inquietas y dio un golpe seco al suelo con un casco. Will aún no había oído nada y se maravilló ante la agudeza de los sentidos de sus dos animales. Tranquilizó a Tug y, satisfecho de que su dueño había registrado su advertencia, el caballito se relajó.

Pasó otro medio minuto antes de que el grupo de jinetes doblara la curva de la carretera. Había ocho, todos armados y encabezados por una figura alta y familiar.

—Buttle —murmuró Will. La perra se permitió otro gruñido casi inaudible, luego se asentó de nuevo.

El grupo frenó a sus caballos a unos doscientos metros de donde estaba Will sentado. Uno de los hombres era claramente algún tipo de cazador y se apeó para estudiar las huellas del camino. Miró hacia la pradera cubierta de nieve que separaba la carretera del Bosque de Grimsdell, donde el camino que habían seguido los tres caballos a través de la nieve había quedado marcado con gran claridad. Señaló hacia el bosque y volvió a montarse en su caballo.

Buttle ordenó a sus hombres que avanzaran, pero no movieron ni un músculo. Will oyó voces altisonantes cuando Buttle se giró hacia ellos y repitió la orden. Will sonrió para sus adentros. Era obvio que Buttle no había oído nada sobre los horrores de Grimsdell, pensó. Por un momento, lamentó la ocasión perdida. Si hubiesen avanzado, podría haber esperado a que estuviesen todos en medio del prado y luego haber empezado a disparar. Así, lo más probable es que hubiese podido reducir las fuerzas disponibles de Keren en ocho efectivos. Luego desechó la idea. Algunos de esos hombres bien podían ser soldados de Orman, obligados a acatar las órdenes contra su voluntad. E incluso aunque no lo fueran, sabía que le costaría mucho asesinar a ocho hombres a sangre fría, independientemente de lo peligrosos que pudiesen ser. Eso no era para lo que le había entrenado Halt durante años hasta alcanzar el nivel de destreza que ahora poseía.

Buttle, sin embargo, era tema aparte por completo. Su absoluta falta de escrúpulos y la naturaleza básicamente malvada del hombre le convertiría en un valioso lugarteniente para el taimado usurpador. Will sabía que los hombres como Keren necesitaban a hombres como Buttle. Necesitaban hombres que obedecieran órdenes de matar y robar y destruir sin vacilar. Ese tipo de hombres hacía más fácil que otros siguieran su ejemplo. Will no tenía ninguna duda de que Buttle ya se había establecido como uno de los principales compinches de Keren.

Y ahí estaba, a solo doscientos metros de Will, que ya tenía una flecha cargada en el arco.

Era un disparo largo para un arco y había un ligero viento cruzado. Will podía verlo agitar las cimas de los alisos desnudos que bordeaban la carretera en el lado opuesto. La mayoría de los arqueros hubiesen abordado un disparo semejante con dudas, pero Will era un Guardián, y para los Guardianes, un disparo de doscientos metros era pan comido. Y sabía muy bien que las dudas eran el principio de un disparo fallido. La ansiedad por fallar el tiro a menudo recibía precisamente la recompensa que pretendía evitar. Will levantó el arco para apuntar.

La flecha pareció deslizarse hacia atrás sin esfuerzo, arrastrada por los potentes músculos de su espalda y hombros, con una facilidad fruto de miles de repeticiones. Will visualizó el tiro, se concentró en el objetivo, no en la flecha ni en el arco. Eso eran solo dos partes integrantes de la escena general que culminaba en la figura de Buttle sentado a caballo a doscientos metros de ahí.

Will continuó levantando el arco hasta que estuvo seguro de que la elevación era la correcta para esa distancia. En ese momento, si alguien le hubiese preguntado cómo *sabía* que era correcta, no hubiera podido contestar. Ya era algo instintivo para él, otra consecuencia de todos esos años de práctica. Hizo un pequeño ajuste en función de la fuerza y dirección del viento y se quedó quieto un momento. Su mano izquierda sujetaba el arco con soltura y relajación, de modo que la forma de la empuñadura se ajustaba al hueco entre pulgar e índice, apoyado pero no realmente agarrado. El pulgar de su mano derecha descansaba contra la comisura de su boca, los primeros tres dedos sujetaban la cuerda en la posición de máxima tensión, uno por encima y los otros dos por debajo del punto de encoque.

Espiró la mitad del último aire que había inspirado, vagamente consciente de los latidos de su corazón y los ritmos naturales de su cuerpo, y dejó que la cuerda se soltara de sus dedos, ambas manos pasivas, sin asomo de sacudida o rotación. Todo el proceso, una vez que había levantado el arco, duró menos de cuatro segundos.

El arco vibró y la flecha salió volando.

Irónicamente, fueron los años de práctica los que le traicionaron.

El disparo era excelente. Para cualquier otro arquero, se consideraría un éxito. Pero Will estaba usando el arco de tres piezas, no el arco largo de madera de tejo con el que había entrenado durante los últimos tres años de su formación. A lo largo de los doscientos metros de vuelo (aunque en realidad cubrió más distancia por el aire, pues dibujó una curva suave), la flecha cayó más de lo que había previsto. En lugar de impactar contra el cuerpo de Buttle, surgió de la nada para clavarse en su muslo. Atravesó la parte carnosa de la pierna y la clavó al duro cuero de la montura.

Buttle dio un alarido por la repentina agonía ardiente de su muslo. Su caballo se encabritó de miedo, al igual que varios de los otros. Sus hombres, ya recelosos de tener que aventurarse hacia el Bosque de Grimsdell, echaron un solo vistazo al astil emplumado que había atravesado a su líder, dieron media vuelta y huyeron hacia la protección de la curva del camino. Buttle, entre maldiciones dirigidas tanto al dolor como a sus hombres, giró impotente a su caballo y luego, furioso, se rindió a lo inevitable y partió al galope en pos de los otros, tambaleándose en la montura por el dolor.

—Maldita sea —dijo Will sin gran pasión al verle alejarse. Recordó las palabras de Halt acerca del arco. Una trayectoria plana al principio, pero luego caería más deprisa de lo que estaba acostumbrado—. No más disparos largos —le dijo a Tug, que agachó las orejas contra la cabeza a modo de respuesta. Will bajó la vista hacia la perra, que le observaba y movía la cola despacio. Parecía que ella estaba contenta de ver la flecha clavarse en Buttle, fuera donde fuera, pensó Will.

Volvió a mirar hacia la carretera. No había indicios de que los hombres fuesen a reanudar la persecución, así que apretó una pierna para hacer girar a Tug y tomó el sendero para adentrarse en el bosque.

Se reunió con los otros unos cien metros más allá, donde le había dicho a Xander que esperara. Orman se estaba sumiendo cada vez más profundo en el coma que él mismo había predicho. Oscilaba en la silla de montar, casi inconsciente, intentaba pronunciar palabras sin sentido y emitía pequeños gimoteos.

—¿Cómo está? —le preguntó a Xander, aunque la pregunta era claramente innecesaria. El secretario frunció el ceño.

—No disponemos de mucho tiempo —dijo—. ¿Tienes alguna idea de dónde puede tener Malkallam su cuartel general?

Will sacudió la cabeza.

—Supongo que estará justo en el centro del bosque —dijo—. Pero dónde está exactamente... eso es una incógnita.

Xander miró a su señor con ansiedad.

—Tendremos que hacer algo —comentó, la preocupación obvia en su voz.

Will miró a su alrededor con impotencia, rezando por que se le ocurriera algo. Sabía que, a pesar de sus habilidades como Guardián, podían dar tumbos durante días por ese tupido bosque, con sus estrechos senderos serpenteantes y entrecruzados. Y disponían de horas, en el mejor de los casos.

Sus ojos se posaron en la perra, que aguardaba paciente, la cabeza ladeada, observándole a la espera de instrucciones. Se dio cuenta de que tenían una oportunidad.

—Vamos —le dijo sin más a Xander, y puso a Tug en marcha por el camino que Alyss y él habían recorrido solo un día antes. Habían sucedido tantas cosas desde entonces, pensó. Caminaron por el borde de la siniestra ciénaga negra hasta llegar al punto en donde habían encontrado la hierba chamuscada. Will se detuvo y echó pie a tierra. Xander, después de un momento de vacilación, le siguió. Miró las marcas de quemaduras.

—¿Qué ha causado esto? —preguntó. Will le contó la teoría de Alyss sobre una linterna mágica gigante. Xander arqueó las cejas, pero asintió pensativo.

—Sí, podría tener razón —dijo—. Aunque eso sí, necesitarías una lente casi perfecta para lograr ese efecto.

—¿Una lente? —preguntó Will.

—El mecanismo de enfoque que crearía un rayo de luz. Jamás he visto una del tamaño que necesitarías para esto, pero supongo que sería posible construirla.

—También necesitarías una fuente de luz de mil demonios —le dijo Will, pero el hombre menudo le restó importancia a esa objeción.

—Oh, hay un montón de formas de conseguir eso —dijo—. Rocablanca, por ejemplo.

—¿Rocablanca? —preguntó Will. La palabra era desconocida para él. Xander asintió de nuevo.

—Es una roca porosa que libera un gas inflamable cuando echas agua sobre ella. El gas arde con una intensa llama blanca. Muy caliente también... justo como lo que fuera que causó estas quemaduras. —Asintió para sí varias veces—. Sí. Diría que la rocablanca sería perfecta para esto. Bueno, en cualquier caso, ¿qué pretendes hacer? —añadió.

Will chasqueó los dedos y la perra se acercó, los ojos clavados en él a la espera de instrucciones.

—He pensado que si aquí hubo algún tipo de lámpara, debió de haber gente para manejarla. Y la gente deja olor. Quizás la perra sea capaz de seguirlo. Lo más probable es que si conseguimos encontrarlos, encontremos también la guarida de ese hechicero. —Acarició las orejas de la perra y señaló al suelo a su alrededor—. Busca —le dijo.

La cabeza negra y blanca se agachó y empezó a olisquear el suelo a la orilla de la ciénaga. Después de unos minutos, amplió su radio de acción más y más. De repente, se paró, levantó una pata delantera con la nariz pegada al suelo. Olisqueó un par de veces más, luego ladró una vez, un sonido cortante y urgente.

—¡Buena chica! —exclamó Will. Xander no parecía muy convencido.

—¿Cómo sabes que no ha olido un ciervo, o un tejón? —preguntó. Will le miró unos instantes.

—Si tienes una idea mejor, ahora es el momento de mencionarla.

Xander hizo un gesto de disculpa con las manos.

—No, no. Adelante —dijo con suavidad. Will se volvió hacia la perra que, como siempre, le estaba mirando a la espera de nuevas órdenes. Will se acercó a ella, señaló al suelo donde había detectado el olor y dijo:

—Síguelo.

La perra ladró una vez y echó a correr. Avanzó unos metros, luego se detuvo y miró a su amo. Ladró otra vez, el mensaje era obvio: *Poneos en marcha si vais a venir. No tenemos todo el día.*

Veintinueve

El camino viraba y reviraba y parecía dar vueltas sin sentido. También había senderos laterales y bifurcaciones, y Will empezó a preguntarse si de verdad la perra sabía lo que hacía o si solo estaba paseando sin rumbo. Parecía haber tantas opciones, tantas direcciones diferentes que tomar. Pero cuando vio lo concentrada que estaba en su tarea, supo que seguro que estaba siguiendo un rastro. Aunque la pregunta seguía siendo la misma: ¿sería el correcto? Will pensó que Xander bien podía estar en lo cierto. Quizás estuvieran corriendo por todo el bosque en busca de un tejón o algún otro animal.

A pesar de su experiencia en bosques de todo tipo, no transcurrió demasiado tiempo antes de que Will estuviese totalmente desorientado, y sabía que le costaría un mundo encontrar el camino de vuelta si tuviese necesidad de hacerlo. Cayó en la cuenta de que la vida de Orman dependía ahora por completo de la perra y, por las miraditas de preocupación que no hacía más que lanzarle Xander, supo que el secretario también era consciente de ese hecho. Pero ninguno de los dos dijo nada. No serviría de nada dar voz a sus temores, y la naturaleza abrumadora del oscuro bosque no invitaba a la conversación baladí. Era como si Grimsdell en sí mismo tuviese presencia. Carácter. Oscura, deprimente y amenazadora, su presencia los oprimía, aliviada solo por algún claro ocasional o atisbo casual del cielo en lo alto.

Will calculó que llevaban como una hora andando cuando llegaron a una bifurcación en el camino. Por primera vez desde que se pusiera en marcha, la perra dudó. Enfiló por el camino de la derecha unos metros, luego se detuvo, la nariz pegada al suelo, una pata delantera en el aire, titubeante. Olisqueó el camino de vuelta al cruce y probó por el camino de la izquierda.

—Oh, Dios mío —dijo Xander en voz baja—, ha perdido el rastro. —Miró a su señor con expresión temerosa. Se tambaleaba en la montura, los ojos cerrados, la cabeza flácida, seguía a caballo solo porque le habían pasado una cuerda alrededor de las manos y la habían atado al pomo de la silla. Si se perdían en el bosque, dando vueltas sin rumbo ni dirección, Xander sabía que sería el final para Orman.

La perra le lanzó una mirada de reproche, luego soltó un ladrido breve y echó a correr por el camino de la izquierda, todo asomo de duda ahora desaparecido. Will y el secretario azuzaron a sus caballos para que la siguieran. Habían recorrido cincuenta metros (aunque el sendero era tan enrevesado que lo más probable es que solo hubiesen avanzado unos veinte) cuando Will oyó a Xander soltar una exclamación ahogada.

Levantó la vista de golpe; había estado tan centrado en la perra que ni siquiera miraba por dónde iban. Y entonces vio lo que había causado el grito de alarma. Había una calavera ensartada en una pica a un lado del camino, un poco más adelante. Un burdo tablón cubierto de líquenes debajo de ella portaba un mensaje indescifrable escrito en runas antiguas. Las palabras puede que fueran enigmáticas, pero el mensaje estaba claro.

—Es una advertencia —dijo Xander.

Will sacó una flecha de la aljaba y la cargó en la cuerda del arco.

—Entonces, considérate advertido —dijo en tono seco—. Yo personalmente, si planeo tenderle una emboscada a alguien, lo último que hago es hacérselo saber con antelación.

Se inclinó hacia delante para examinar la calavera con más atención. Se había amarilleado con los años. Y no era del todo humana. La mandíbula de abajo parecía sobresalir más que la de un hombre y tenía unos grandes caninos tipo colmillos a cada lado.

La perra esperaba impaciente y Will le hizo una seña para que siguiese adelante. Retomó el sendero otra vez y, de repente, echó a correr a toda velocidad, dobló la siguiente curva y desapareció de la vista.

Will apretó las piernas y Tug partió al galope en pos de la perra. Doblaron la curva tras de ella…

… y se encontraron en un gran claro, con un edificio de una sola planta y un tamaño considerable en el otro extremo, construido en madera oscura y con el tejado de paja. Will oyó a los otros dos caballos llegar sin ninguna discreción y luego detenerse en seco a su lado.

—Parece que hemos llegado —dijo Will en voz baja. Xander miró a su alrededor por el claro, en busca de alguna señal de vida humana.

—Pero ¿dónde está Malkallam? —preguntó.

Entonces vieron algo moverse entre los árboles del otro lado del claro y, como si el nombre del hechicero las hubiese invocado, unas figuras empezaron a salir del bosque.

Debía de haber más de treinta. Y justo cuando lo estaba pensando, Will vio que había algo inusual en ellas. Eran... Buscó el término apropiado y dudó unos momentos. No estaba totalmente seguro de lo que estaba viendo. Incluso en el claro, la luz era tenue y difusa, y la gente, si es que era gente, se mantenía cerca de la oscura masa del bosque detrás de ellos, donde las sombras eran densas y profundas. Oyó a Xander contener la respiración, luego el secretario habló en voz baja.

—Míralos —dijo—. ¿Son humanos?

Entonces Will se dio cuenta de qué era lo que le había hecho dudar. Sí que eran humanos, pensó. Pero era como si todos fuesen caricaturas horribles de personas normales. Estaban terriblemente deformados, todos ellos. Algunos eran como enanos, de poco más de un metro de altura, otros eran altos y angustiosamente flacos. Uno era inmenso: debía de medir dos metros y medio, y tenía un pecho y unos hombros enormes; su piel era de una extrema palidez y, aparte de unos pocos mechones de pelo amarillento, estaba calvo.

Otros estaban encorvados, sus cuerpos retorcidos y deformes. Había varios jorobados, sus movimientos extraños y angustiosos mientras arrastraban los pies por el suelo.

A Will se le secó la garganta al ver que, entre las más de treinta personas que tenía ante él, no había ni una sola que pudiera describirse como «normal». Obviamente, aquello era el resultado de la magia negra de Malkallam, pensó, y al mismo tiempo que lo pensaba se daba cuenta de que habían cometido un error al llevar al inconsciente Orman hasta ahí. Un hechicero dispuesto a crear semejantes deformidades en la gente no parecía la mejor opción para ayudar al señor del castillo a recuperarse del veneno que le estaba destruyendo.

Después de su primer movimiento para salir de la sombra de los árboles, las criaturas se detuvieron, como en respuesta a alguna orden silenciosa. Will miró a la perra sentarse despacio delante de él. Podía sentir el retumbar sordo y continuo de advertencia en el pecho de Tug. Se dio cuenta de que habían llegado a un callejón sin salida. No había señal del hechicero, a menos que fuese una de las criaturas deformes que le miraban desde el otro lado del claro... y por alguna razón, lo dudaba.

—Guardián... —La voz de Xander sonó bajita y teñida de miedo. Will le miró de reojo y el hombrecillo hizo un gesto con la cabeza hacia el otro lado del claro. Will siguió la dirección de su mirada y sintió que su propia garganta se cerraba de miedo.

El gigante de piel pálida había empezado a avanzar hacia ellos por el claro, un pesado paso tras otro. Mientras avanzaba, entre sus compañeros brotó un murmullo de ánimo, sordo y sin palabras. Will levantó el arco despacio. Lo llevaba apoyado sobre el pomo de la montura, una flecha aún cargada y lista para ser disparada.

—Ya has avanzado lo suficiente —dijo en tono neutro.

El gigante había recorrido ya casi medio camino. Dio otro paso. Ahora estaba en el mismo centro del claro y Will tenía la sensación de que no podía dejarle acercarse más. Esas manos gigantescas podían hacerles pedazos a él, a Xander y a Orman, extremidad a extremidad. Y probablemente también a sus caballos, pensó.

—Alto —dijo, levantando un poco la voz y con un tono más imperioso.

El gigante le miró a los ojos. Aunque Will estaba sentado a lomos de Tug, sus ojos estaban al mismo nivel. El gigante frunció el ceño y Will vio como tensaba los músculos para dar otro paso. Tiró de la cuerda del arco y lo tensó del todo. Por instinto, apuntó al pecho del gigante, justo donde estaría el corazón.

—Por grande que seas, esta flecha te atravesará de lado a lado a esta distancia —dijo, manteniendo a propósito la voz calmada.

La criatura vaciló un instante. Will vio que la arruga de su frente se profundizaba. ¿Perplejidad? ¿Ira? ¿Miedo? ¿Frustración? No estaba seguro. Las grotescas facciones eran tan raras que era difícil descifrar su expresión con algo de precisión. Lo importante era que el gigante había dejado de moverse hacia ellos. De entre los observadores silenciosos del borde del claro, oyó un suspiro colectivo. ¿Le impelían a avanzar? ¿Le advertían de que parara? Una vez más, Will no tenía ni idea.

¿Y ahora qué?, se preguntó. ¿Nos quedamos aquí sentados hasta la siguiente nevada, mirándonos de un lado al otro del claro? No tenía ni idea de lo que hacer. Si estuviese solo, confiaría en Tug para sacarle de aquel embrollo. Pero no podía abandonar a Xander y a Orman.

—¡Guardián, mira! —dijo Xander en un susurro urgente.

Will apartó la vista del gigante que, como era comprensible, había acaparado toda su atención. Xander estaba señalando a la perra.

Se había levantado de donde estaba tumbada delante de ellos y avanzaba por el claro hacia el gigante. Will cogió aire para llamarla, pero entonces paró y relajó la tensión del arco al darse cuenta de algo.

La gruesa cola de la perra se movía despacio de un lado a otro mientras avanzaba.

El gigante bajó la vista hacia ella al ver que se acercaba y se paraba justo delante de él. Tenía la cabeza gacha y seguía moviendo la cola. La arruga desapareció de la frente del rostro de la enorme criatura, puso una rodilla en el suelo y alargó una enorme manaza hacia la perra.

El animal avanzó otro poco para sentarse a sus pies y el gigante le acarició las orejas y le rascó debajo de la barbilla. La perrilla tenía los ojos medio cerrados de placer y giró un poco la cabeza para lamerle la mano.

Y entonces Xander llamó la atención de Will hacia otro detalle extraordinario más en un día totalmente extraordinario.

—¡Está llorando! —dijo con suavidad. Y en efecto, unos gruesos lagrimones le rodaban por las palidísimas mejillas—. ¿Sabes? Creo que es bastante inofensivo. Gracias a Dios que no le disparaste.

—Debo decir que estoy de acuerdo —dijo una voz desde detrás de ellos—. Y ahora, ¿os importaría decirme qué demonios estáis haciendo en mi bosque?

Treinta

Will se giró bruscamente en la montura al tiempo que levantaba el arco, la cuerda tensa de nuevo. Y entonces, por segunda vez, vaciló. No tenía una idea clara del aspecto que había esperado que tuviera Malkallam. Si hubiese tenido que apostar, hubiera supuesto que el hechicero sería de algún modo más grande que la vida misma. Quizás extremadamente alto y delgado, o enorme y grotescamente obeso. Seguro que iría vestido con una voluminosa túnica negra, quizás adornada con enigmáticos símbolos místicos o con soles y lunas girando en espiral.

Y por supuesto, llevaría un sombrero alto y puntiagudo que le haría medir en total unos tres metros de altura.

Lo que no esperaba era a una persona pequeña y delgada que era incluso unos centímetros más bajita que el propio Will. Tenía el pelo canoso, ralo y fino, peinado por encima de una coronilla calva, una nariz y unas orejas bastante grandes, y la barbilla un poco remetida. Su túnica era un simple hábito marrón hecho a mano, parecido al de un monje, y llevaba sandalias en los pies, a pesar del frío invernal.

Pero la mayor sorpresa de todas fueron sus ojos. Los ojos de un hechicero debían ser oscuros e intimidantes, llenos de misterio y peligro arcano. Estos eran color avellana, y había una inconfundible chispa de humor en ellos.

Confuso, Will bajó el arco.

—¿Quién es usted? —preguntó. El hombrecillo se encogió de hombros.

—Pensaba que era yo el que debía hacer esa pregunta —dijo con calma—. Después de todo, esta es mi casa.

Xander, sin embargo, alarmado por el rápido deterioro de su señor, no estaba de humor para andar malgastando palabras.

—¿Es usted Malkallam? —preguntó sin miramientos. El hombrecillo inclinó la cabeza hacia el secretario, los labios un poco fruncidos mientras sopesaba la pregunta.

—Me han llamado así, sí —dijo, y la chispa de humor desapareció de sus ojos.

—Entonces, necesitamos su ayuda —dijo Xander—. Mi señor ha sido envenenado.

Las pobladas cejas de Malkallam se fruncieron y su voz adoptó un tono amenazador.

—¿Estáis suplicando ayuda del hechicero más temido de estos lares? —preguntó—. Entráis en mi territorio, hacéis caso omiso de mis señales de advertencia, os arriesgáis a sufrir la ira del aterrador Guerrero Nocturno que me protege, ¿y luego pedís mi ayuda?

—Si de verdad es Malkallam, sí —repuso Xander, sin dejarse amilanar por el tono amenazador de sus palabras.

Las cejas del hechicero volvieron a su posición normal y sacudió la cabeza con cierta admiración.

—Bueno, desde luego que tenéis valor —comentó, en un tono más ligero—. En ese caso, quizás debamos echarle un vistazo a Lord Orman.

—¿Sabe quién es? —preguntó Will, mientras el hombrecillo se acercaba a Orman, que se tambaleaba medio inconsciente en la montura, farfullando soniditos inconexos. Malkallam soltó una breve carcajada.

—Pues claro que lo sé, Guardián —dijo. Will dejó caer los hombros derrotado. Pues sí que había servido de mucho su tapadera. Primero Orman y ahora Malkallam; ambos habían descubierto su verdadera identidad casi de inmediato.

—¿Cómo sab...? —empezó, pero el hechicero le mandó callar con un gesto de la mano.

—Bueno, no es alquimia exactamente, ¿verdad? —dijo en tono seco—. Llevas un par de días husmeando por mi bosque. Vas montado en el tipo de caballo que montan los Guardianes. Llevas un arco y tienes ese gran cuchillo sajón colgado a la cintura... y apuesto a que tienes un cuchillo arrojadizo en alguna otra parte del cuerpo. Además, esa capa tuya tiene la más desconcertante costumbre de mimetizarse con el entorno. ¿Qué otra cosa podías ser? ¿Un juglar?

Will abrió la boca para responder, pero no le salieron las palabras. Xander, sin embargo, estaba menos predispuesto a guardar silencio.

—*¡Por favor!* —imploró—. Mi señor podría estar muriéndose mientras vosotros dos estáis de cháchara.

Una vez más, las cejas de Malkallam salieron disparadas hacia el cielo.

—Un Guardián y un hechicero —dijo con un deje de asombro—, y nos dice que estamos de cháchara. Desde luego que el tipo tiene valor.

Aun así, mientras hablaba, sus ojos astutos estudiaban el rostro de Orman. Se estiró para tocar al señor del castillo, pero no llegaba a alcanzarlo.

—¡Trobar! —llamó en voz alta—. Deja al perro un momento y bájame a Lord Orman, ¿quieres?

Contra su voluntad, el gigante se levantó de donde aún estaba acariciando a la perra y arrastró los pies hacia el caballo de Orman. Xander echó pie a tierra y se interpuso entre su señor y la enorme figura. Will, con la sensación de que las cosas se estaban moviendo un poco demasiado deprisa para él, también desmontó. Intercambió una mirada de perplejidad con Tug. El caballo dio la impresión de encogerse de hombros. *¿Y yo qué sé?*, decía el movimiento. *Solo soy un caballo.*

Trobar se detuvo delante de la figura decidida que le bloqueaba el paso.

—No le hará daño —dijo Malkallam un poco impaciente—. Si queréis mi ayuda, será más rápido que dejes que Trobar lleve a tu señor adentro.

A regañadientes, Xander se apartó. Trobar se acercó al caballo, aflojó las cuerdas que mantenían a Orman en el sitio y dejó que el hombre inconsciente resbalara de la montura para acunarle entre los brazos. Miró con ojos inquisitivos a Malkallam, que señaló hacia la casa.

—Llévale dentro, a mi estudio.

Trobar echó a andar, llevaba al hombre inconsciente en brazos como si no pesara más que una pluma. Xander trotaba a su lado, y Will y Malkallam los siguieron de cerca.

—Es interesante la forma en la que ha reaccionado a tu perro —comentó el hechicero en tono amistoso—. Claro que tuvo un border collie de pequeño, antes de que los aldeanos le echaran del pueblo. Era su único amigo. Creo que se le rompió el corazón cuando murió.

—Ya veo —dijo Will. Le pareció la respuesta más segura. Malkallam le miró de reojo. Tan joven, pensó, y tanta responsabilidad. Sin que le viera el joven Guardián, sonrió para sí. Señaló hacia un banco en la veranda.

—No hay ninguna necesidad de que entréis mientras examino a Lord Orman —dijo. Will asintió y se dirigió al banco. Xander, sin embargo, se irguió tan alto y recto como pudo.

—Yo voy con usted —dijo. Su tono no dejaba lugar a discusiones y Malkallam se encogió de hombros.

—Como quieras. Pero después de todo, vosotros sois quienes le habéis traído aquí. Es un poco tarde para empezar a preocuparse de que vaya a hacerle daño de algún modo.

—No estoy preocupado por eso —dijo Xander muy tieso—. Solo estoy… —Dejó que las palabras se perdieran.

Malkallam esperó expectante, invitándole a terminar la frase. Cuando no lo hizo, el hechicero la terminó por él:

—… preocupado de que vaya a hacerle daño de algún modo.

Xander se encogió de hombros. Era exactamente lo que pensaba, pero creía que no sería educado decirlo cuando estaba pidiendo la ayuda del hechicero.

—Solo recuerde que le estaré observando —dijo un poco incómodo. Su mano cayó sobre la empuñadura de la daga que llevaba en la cadera, pero era muy obvio que no era un hombre acostumbrado a usar armas. Malkallam le sonrió.

—Estoy seguro de que tu señor estaría orgulloso de ti. Si decido hacerle algo terrible, tendré que convertirte en un tritón antes.

Xander le miró con suspicacia durante unos segundos, luego decidió que probablemente estuviese de broma. Probablemente. Sin una palabra más, siguió a Malkallam al interior.

Will se sentó en el banco y apoyó la espalda agradecido contra las toscas paredes de troncos de la casa. El sol justo empezaba a colarse por debajo del alero del tejado y le calentó los pies y las piernas cuando las estiró. De repente, estaba exhausto. Los rápidos acontecimientos del día, la huida del castillo, la búsqueda de la guarida de Malkallam y el subsiguiente encuentro con el hechicero habían mantenido un flujo constante de adrenalina por su organismo. Ahora que no había nada más que hacer por el momento, se sentía completamente agotado.

Los otros habitantes de los dominios de Malkallam continuaron observándole. Intentó ignorarlos, no percibía ninguna amenaza por su parte, solo curiosidad.

Levantó la vista al notar un movimiento en la puerta. Trobar, el gigante, estaba saliendo de la casa. Miró a su alrededor por el claro, vio a la perra tumbada y atenta donde la había dejado y fue hasta ella. Se arrodilló a su lado y le acarició la cabeza con ternura. La perra cerró los ojos, dichosa, e inclinó la cabeza hacia él.

—¡Perra! —dijo Will, con un poco más de fuerza de la que había pretendido.

Los ojos de la perra se abrieron y se puso alerta al instante. Will señaló a la veranda a su lado.

—Ven aquí —dijo.

La perrilla se levantó y se sacudió, luego empezó a cruzar el claro despacio hacia él. Will miró a Trobar y vio la inconfundible tristeza en su rostro desfigurado.

—Oh, vale —le dijo a la perra—. Quédate donde estás.

Vio la sonrisa dibujarse otra vez en la cara del gigante cuando la perra dejó que la acariciara una vez más. Will cerró los ojos, agotado. Se preguntó qué iba a hacer con Alyss.

Treinta y uno

Alyss había oído la conmoción en el patio, debajo de su ventana del torreón: gritos y cascos de caballos tronando sobre los adoquines. Había llegado a la ventana a tiempo de ver a tres jinetes a galope tendido hacia la puerta del rastrillo.

Reconoció a Will al instante y, mientras contemplaba la escena, vio su rápido disparo, que hizo caer a un ballestero de las murallas del castillo. Detrás de él cabalgaban otros dos hombres, uno de ellos se bamboleaba en la montura como si apenas estuviera consciente. Con gran sorpresa, reconoció a Orman.

¿Qué demonios estaba haciendo? Era obvio, por la forma en que reaccionaron los guardias, que estaba huyendo de su propio castillo. ¡Aunque la mismísima idea era ridícula!

Y Will iba con él. Alyss frunció el ceño. No vio ningún indicio de que Will estuviese actuando bajo coacción.

De hecho, iba en cabeza. Por un momento, jugueteó con la posibilidad de que Orman de verdad supiese magia negra y hubiese hechizado o embrujado a Will de algún modo. Luego descartó la idea. Como la mayoría de personas con estudios, no creía realmente en la brujería o la magia.

Aun así... ¿qué otra explicación podía haber?

Se quedó junto a la ventana y unos minutos después una partida de hombres salió a caballo en pos de los tres fugitivos. Su primer instinto fue vestirse y correr abajo para averiguar qué estaba pasando. Luego lo pensó mejor y se sentó, tamborileó con los dedos sobre la mesa mientras pensaba. Lady Gwendolyn no se comportaría de ese modo. Lady Gwendolyn era una cotilla frívola y egocéntrica que no se tomaría el menor interés por nada que no tuviera que ver con nuevos peinados, zapatos o modas.

Se levantó y fue hacia la puerta que daba a la antesala de su *suite*.

Sus dos doncellas charlaban en voz baja mientras doblaban y guardaban un montón de ropa recién lavada. Max estaba sentado en un rincón, fruncía el ceño mientras examinaba un manuscrito. Los tres levantaron la vista sorprendidos por su repentina aparición.

Les hizo un gesto impaciente para que se relajaran.

—Sentaos, sentaos —dijo, instalándose sobre el reposabrazos de una silla. Luego continuó—. Lord Orman y el juglar Barton acaban de salir a caballo del castillo, perseguidos por un grupo de hombres armados. —Los tres la miraron sorprendidos. Puede que fuesen sirvientes, pero estaban al tanto de su misión y de su verdadera identidad. Y también conocían la verdadera identidad de Will—. Max, baja al gran salón y mira a ver qué puedes averiguar.

No seas demasiado descarado, solo husmea por ahí a ver si logras oír algo.

—Muy bien, mi señora. —Se levantó y se dirigió hacia la puerta. Por el camino, cogió su sombrero blando con plumas de una mesita lateral. Alyss se dio perfecta cuenta de que las dos doncellas ardían en deseos de hacerle más preguntas, pero sacudió la cabeza en su dirección y regresó a su habitación para esperar el informe de Max.

El tiempo pasó despacio. *Muy* despacio. Max volvió al cabo de una hora o así. Lo que había conseguido oír no aportaba nada de luz a lo que Alyss ya sabía. El castillo era un hervidero de rumores y actividad. Todos sabían ya que, por alguna razón, Lord Orman, su secretario y el juglar Barton habían huido a caballo.

—Todo el mundo parece tan perplejo como nosotros, mi señora —le informó Max. Alyss empezó a caminar de acá para allá, sumida en sus pensamientos. Max, que no sabía si quería que hiciera algo más, tosió dubitativo—. ¿Es eso todo, mi señora? —preguntó, y Alyss se volvió hacia él con gesto de disculpa.

—Sí, claro, Max. Gracias. Puedes retirarte. —Apenas se había marchado de su habitación cuando alguien llamó a la puerta—. Adelante —dijo en voz alta, y se sorprendió cuando la puerta se abrió para dejar pasar a Keren—. ¡Sir Keren! —exclamó—. ¡Qué sorpresa más agradable! ¡Pase, pase! —Luego, levantando la voz, se giró hacia la antesala—. ¡Max, tráenos algo de vino, por favor! El blanco bueno de la Galia, por ejemplo.

En la sala exterior, Max se apresuró a coger el vino de la mesita lateral mientras Keren entraba en la habitación y miraba a su alrededor. Vio el revoltijo de vestidos, tocados, maquillaje y zapatos de los que se rodeaba Lady Gwendolyn. Alyss le invitó a sentarse en una silla al lado de la chimenea.

—Siento molestarla, Lady Gwendolyn —empezó Keren—, pero me preguntaba si oyó una ligera conmoción hace una hora o así.

—Bueno, ¡de hecho, sí! —respondió—. Caballos al galope y hombres gritando. ¿Quiénes eran? ¿Ladrones? ¿O bandoleros, quizás?

Keren estaba sacudiendo la cabeza con expresión triste.

—Peor que eso, mi señora. Mucho peor. Me temo que eran traidores a la corona.

Alyss se echó hacia atrás, su boca una perfecta O de sorpresa. Por un momento, se planteó revelar su verdadera identidad y su misión a Keren. Después de todo, parecía un tipo decente y sabía que Will había estado a punto de confiarse a él. Pero un instinto repentino la detuvo.

—¿Traidores, Sir Keren? ¿Aquí en Macindaw? ¡Qué aterrador! ¿El castillo está a salvo? ¿Es seguro? —añadió la última pregunta con una ligera expresión de alarma en la cara. Keren se apresuró a tranquilizarla.

—Muy seguro, mi señora. Lo tenemos todo bajo control. Pero me temo que hay noticias graves: Lord Orman era uno de ellos.

—¿Lord Orman? —repitió Alyss.

Keren asintió con ademán sombrío.

—Parece ser que ha estado tramando entregar el castillo a un ejército escoto antes de la primavera. Y el Juglar Barton estaba trabajando codo a codo con él.

—No. Él… —empezó Alyss antes de poder evitarlo. Pero Keren la interrumpió.

—Me temo que sí. Parece ser que ha estado pasando mensajes de los escotos para Lord Orman durante las últimas tres semanas… incluso antes de llegar aquí.

Alyss cerró la boca con firmeza.

Podía creer lo que decía Keren de Orman. Era bastante posible que el extraño comandante provisional estuviese confabulando con los escotos. Pero ¿por qué mentiría Keren acerca del papel de Will en la traición? Se dio cuenta de que Keren estaba esperando algún tipo de reacción por su parte.

—Pero… tiene una voz tan bonita cuando canta… —comentó. Pensó que sería el tipo de respuesta tonta que daría Lady Gwendolyn. Keren arqueó un poco una ceja. Sin duda él pensaba lo mismo.

—Sea como sea, mi señora, es un espía. Me pareció que lo más adecuado era mantenerla informada. Estoy seguro de que se preguntaba a qué se debía la conmoción en el patio.

—Claro que me lo preguntaba, Sir Keren. Y gracias por su consideración. Estaré…

No llegó a decir cómo iba a estar porque otra llamada a la puerta la interrumpió.

—Adelante —dijo Keren. Eso era un poco presuntuoso por su parte, pensó Alyss, y no del todo acorde con el solícito caballero que había ido a tranquilizarla. Empezaba a albergar dudas acerca de Keren.

El cierre traqueteó y la puerta se abrió de golpe con bastante violencia. Un hombre entró cojeando visiblemente. Alyss vio que llevaba una gruesa venda en el muslo derecho. Era obvio que buscaba a Sir Keren porque, en cuanto entró, se dirigió a él de inmediato.

—Se han escapado, malditos sean. Se adentraron en ese maldito bosque. —Se volvió hacia Alyss y ella no pudo reprimir un respingo de sorpresa.

Era John Buttle.

Treinta y dos

Malkallam reapareció más de una hora después. Will se había quedado dormido en el banco, mientras cada vez más rayos de sol se colaban por debajo del alero y le acariciaban con su calor. Se despertó sobresaltado cuando el cierre de la puerta repiqueteó y el enjuto hombre salió a la veranda y fue hasta él. Malkallam sonrió al ver la pregunta en los ojos de Will.

—Se pondrá bien —dijo—. Aunque si hubieseis esperado más tiempo, no sé si lo habría logrado. Su sirviente todavía está dentro, cuidando de él —añadió. Will asintió. No creía que Xander fuese a separarse de su señor hasta que se recuperase.

—Entonces, ¿le drogaron? —preguntó.

Malkallam asintió.

—Le envenenaron, para ser más precisos. Con una toxina especialmente maligna llamada *corocore*. Es muy rara, no se incluye en ninguno de los textos más importantes y conocidos sobre hierbas y venenos. Tarda como una semana en hacer efecto, así que lo más probable es que la echaran en la comida o la bebida de Orman en algún momento de los últimos diez días. Con una pequeña dosis es suficiente. No ocurre nada durante días, pero luego, para cuando notas los síntomas, suele ser demasiado tarde.

—¿Cómo es posible que los curanderos del castillo no lo supieran? —preguntó Will.

—Como ya he dicho, es muy rara. La mayoría de los curanderos ni siquiera habrán oído hablar de ella, y si lo han hecho, no creo que conocieran el antídoto.

—Pero ¿usted sí? —quiso saber Will. Malkallam sonrió.

—Yo no soy como la mayoría de curanderos.

—No, eso se ve. ¿Qué es, exactamente, si es que puedo preguntar?

Malkallam le miró con atención durante unos segundos antes de responder. Entonces le hizo un gesto a Will para que se echara a un lado en el banco.

—Hazme un poco de hueco y hablaremos de ello —dijo.

Se sentó al lado de Will y miró hacia el claro. Trobar seguía jugando con la perra, tirándole una pelota de cuero para que fuera a buscarla. Cada vez que la recuperaba, la llevaba de vuelta y apoyaba la nariz en las patas delanteras, la pelota entre ellas, sus cuartos traseros y la cola en el aire. Así retaba a Trobar a quitársela. La mayoría de los otros habitantes del pequeño asentamiento de Malkallam se habían dispersado mientras Will dormía. Unos pocos se afanaban en tareas mundanas de la vida diaria, como acarrear agua o cortar y apilar leña.

—Bueno, empecemos pues —dijo Malkallam—. ¿Qué sabes sobre mí?

—¿Saber? —repitió Will—. Muy poco. He oído los rumores, por supuesto, de que es un hechicero... la reencarnación del mago negro Malkallam que asesinó al antepasado de Orman hace más de cien años. He oído que vive en el Bosque de Grimsdell, que es a su vez el hogar de extrañas apariciones e imágenes y sonidos. Yo mismo he visto y oído algunos de ellos.

—Sí —dijo Malkallam—, sé que visitaste mi bosque hace varias noches. ¿No te asustó el aterrador Guerrero Nocturno?

—Casi me muero de miedo —reconoció Will.

—Pero volviste.

Will se permitió una sonrisa irónica.

—No de noche. A la luz del día. Entonces fue cuando vimos que las apariciones las causaba algún tipo de gigantesco espectáculo de linternas mágicas.

Malkallam arqueó las cejas.

—Muy bien —dijo—. ¿Cómo averiguaste eso?

—Fue Alyss la que lo dedujo. Encontramos los parches de hierba quemada donde estuvieron sus linternas.

—Entiendo que Alyss es la joven que te acompañó el otro día, ¿estoy en lo cierto? —preguntó Malkallam. Frunció el ceño—. ¿Qué ha sido de ella?

—Todavía está en el castillo —dijo Will.

Malkallam arqueó las cejas.

—¿La dejasteis allí?

Ahora fue Will el que frunció el ceño.

—No por mucho tiempo —dijo. Resultó obvio que era un tema delicado, así que Malkallam le hizo un gesto tranquilizador con la mano.

—Habrá tiempo de sobra para eso. Suena como una joven extraordinaria.

—Lo es. Pero estábamos hablando de usted —le recordó Will, decidiendo que ya le había despistado lo suficiente. Malkallam le sonrió.

—Es verdad. Bueno, como pareces haber deducido ya, no soy ningún hechicero. Solía ser un curandero. —Su voz se tornó melancólica—. De hecho, se me daba muy bien. —Asintió una vez o dos mientras rememoraba tiempos pasados—. Realmente disfrutaba de la vida por aquel entonces. Sentía que estaba haciendo algo que merecía la pena.

—¿Qué pasó para que aquello cambiara? —preguntó Will. Malkallam suspiró.

—Alguien murió —dijo—. Era un chico de quince años, un joven encantador que caía bien a todo el mundo. Tenía una simple fiebre y sus padres me lo trajeron. Era el tipo de cosa que había curado docenas de veces... debía de haber sido pan comido. Excepto que él no respondió a las hierbas que le di. Peor aún, reaccionó mal a ellas, y en cuestión de un día había muerto.

Se le quebró un poco la voz y Will le miró de reojo. Una única lágrima rodaba por su mejilla. Vio que Will le miraba y se giró hacia él mientras secaba la lágrima con el puño de la manga.

—A veces pasa, ¿sabes? Una persona puede morir sin razón aparente —explicó Malkallam.

—¿Y los aldeanos le culparon de su muerte? —preguntó Will. Malkallam asintió.

—No de inmediato. Empezó como una campaña susurrada. Había otro hombre que quería ocupar mi puesto como curandero. Estoy seguro de que él lo empezó todo. Dijo que, simplemente, había dejado morir al chico. Poco a poco, noté que cada vez menos gente acudía a mí. Iban a ver al hombre nuevo.

—Supongo que él les cobraba por sus servicios, ¿no?

Malkallam asintió de nuevo.

—Por supuesto. Yo también solía cobrar. Después de todo, incluso un curandero tiene que comer. Poco a poco los rumores se volvieron cada vez más desquiciados, y si una persona del pueblo moría después de ver al otro curandero, él tenía una excusa conveniente: decía que yo la había maldecido.

—Eso es ridículo —intervino Will—. No pretenderá decirme que la gente se lo creía.

Malkallam se encogió de hombros.

—Te sorprendería saber lo que la gente llega a creer. Por lo general, cuanto más grande y más improbable sea la mentira, más propensos son a creérsela. A menudo es una cuestión de *eso es tan escandaloso que debe de ser verdad*. En cualquier caso, la gente empezó a murmurar cuando pasaba por su lado. Todo el mundo me lanzaba miradas asesinas y decidí que mi propia salud mejoraría si abandonaba el pueblo. Un día desaparecí en silencio y vine al Bosque de Grimsdell. Viví en una tienda de campaña durante meses mientras construía esta casa. Sabía que los lugareños no querrían seguirme al interior del bosque. Después de todo, se supone que el Malkallam original tenía aquí su guarida.

—¿Por qué adoptó el mismo nombre? —quiso saber Will, y el curandero soltó una breve risita desdeñosa.

—Yo no lo adopté. Fue la gente la que me bautizó así —dijo—. Mi nombre es Malcolm. Cuando desaparecí, los lugareños sumaron dos más dos y les dio siete. Decidieron que Malcolm no era más que una forma encubierta de decir

Malkallam. Desde ahí, fue fácil dar el siguiente paso: yo era el infame hechicero que había regresado de entre los muertos.

»Debo admitir que me aproveché de la situación para protegerme. Monté las apariciones y los trucos que viste. Si alguien hacía acopio del valor suficiente para venir a Grimsdell, lo perdía rápidamente cuando veía a mi Guerrero Nocturno u oía mis voces.

—¿Cómo hace las voces? —preguntó Will—. Parecían venir de todas partes a mi alrededor cuando las oí.

Malcolm sonrió.

—Sí. Es un efecto bastante bueno, ¿verdad? Se hacen con una serie de tubos huecos colocados entre los árboles. Hablas por un extremo y la voz sale por el otro. Y al final hay una gran campana con forma de trompeta que amplifica el sonido. Esa solemos colocarla en una parte hueca del árbol para ocultarla a la vista. Luka, ese de allí, pone la voz.

Señaló a un hombre que estaba recogiendo leña menuda al otro lado del claro. Tenía un torso enorme, pero las piernas que lo soportaban eran cortas y deformes, de modo que se bamboleaba y cojeaba al andar. Uno de sus hombros parecía una joroba y sus facciones estaban retorcidas hacia un lado. El hombre se había dejado crecer una frondosa barba y una larga melena en un intento infructuoso de disimular su deformidad.

—Tiene la voz más maravillosa —continuó Malcolm—. Ese pecho suyo con forma de barril produce un sonido de una fuerza y un timbre tremendos. Puede proyectar palabras con gran claridad y volumen a través del sistema. Eso sí, no está acostumbrado a que la gente le conteste. Le provocaste un miedo considerable cuando empezaste a agitar ese inmenso cuchillo tuyo la otra noche.

—Él me provocó a mí mucho más, puedo asegurárselo —dijo Will, mirando con interés al hombre deforme—. Dígame, ¿de dónde viene toda esta gente? Luka y Trobar y los demás.

—Supongo que pensaste que los había creado yo... —dejó caer Malcolm, una sonrisa un poco amarga dibujada en los labios. Will se movió incómodo en el banco.

—Bueno... de hecho, ese pensamiento sí que se me cruzó por la mente —admitió. El rostro de Malcolm se tiñó de tristeza.

—Sí. La gente a veces los ve y piensa lo mismo. Que son mis súbditos deformes. Mis criaturas. Mis monstruos... La verdad es que son marginados. Gente normal a la que no quieren en sus propios pueblos porque no parecen normales. Tienen un aspecto diferente o suenan diferente o se mueven de manera diferente. Algunos nacen así, como Trobar o Luka. Otros se queman o escaldan o desfiguran en accidentes y la gente decide que simplemente no los quieren por ahí.

—¿Y cómo llegan hasta usted? —preguntó Will. El curandero se encogió de hombros.

—Yo voy a buscarlos a ellos. Trobar fue el primero. Le encontré por casualidad cuando tenía ocho años. De eso ya hace dieciocho años. Le habían echado de su pueblo porque había crecido de manera desmesurada. Le desterraron al bosque para que muriera. Intentó llevarse a su perro con él. Era su único amigo en el mundo. A él no le importaba que fuera feo y deforme. Le quería porque Trobar le quería a él. Los perros son así. No juzgan.

—¿Qué le pasó al perro? —preguntó Will, aunque creía saber la respuesta.

—Intentó defenderle, por supuesto, y uno de los aldeanos lo mató. Trobar se lo llevó en brazos al bosque y al final los aldeanos renunciaron a perseguirle. Cuando le encontré, acunaba su cuerpecito y lloraba desconsolado. Enterramos al perro juntos y me lo traje aquí conmigo. Luego, a lo largo de los años, se nos han unido más y más personas. Veíamos que los echaban de sus pueblos e íbamos a buscarlos y los traíamos aquí. A veces, necesitaban el tipo de tratamiento que yo podía darles, con hierbas y pociones. Otras veces, necesitaban otro tipo de cuidados.

—Que usted también les da... —conjeturó Will, y Malcolm asintió.

—Lo intento. A veces basta con que sepan que pertenecen a algún sitio. Que hay otras personas que no los juzgan por su aspecto. Eso sí, lleva tiempo. Es mucho más fácil curar un cuerpo herido que un alma dañada.

Will sacudió la cabeza mientras pensaba en su historia.

—O sea que lleva casi veinte años cuidando así de la gente, ¿y todavía le consideran un brujo malvado?

Malcolm se encogió de hombros.

—En parte es mi culpa, supongo. Yo creé la ilusión para mantener a la gente alejada. Pero a lo largo del último año, alguien más parece haberse dado cuenta de que podía aprovechar la fábula de Malkallam en su propio beneficio.

—¿Keren?

—Eso parece. La pregunta es: ¿qué pretende obtener con todo ello?

—En cuanto lo averigüe —dijo Will muy serio—, me aseguraré de hacérselo saber.

Treinta y tres

Alyss se quedó inmóvil en su silla un segundo mientras la mirada de Buttle pasaba por encima de ella. ¿Qué demonios estaba haciendo él ahí? ¿Cómo había llegado hasta ahí? ¿La había reconocido? Las preguntas se amontonaban en su cabeza y tuvo que recurrir a todas sus habilidades como actriz para mantener la fachada de bobalicona Lady Gwendolyn.

—Se han escapado, ¡malditos sean! —exclamó Buttle bruscamente. Al ver a Alyss, gruñó lo que pareció una disculpa por haber interrumpido. Después se volvió hacia Keren, aunque una ligera arruga surcó su frente. Había algo familiar en esa chica. Luego descartó la idea—. Me dijeron que estaba aquí con ella —comentó, señalando a Alyss con el pulgar.

—Lady Gwendolyn —le corrigió Keren—. La dama es una invitada en el castillo, la prometida de Lord Farrell de Gort.

Había un deje de advertencia solapado en su voz. *No digas demasiado delante de ella.* Alyss lo notó. Esbozó una sonrisa vacua y le ofreció una mano lánguida a Buttle, con la palma hacia abajo.

—No creo que haya tenido el placer, señor —dijo. Buttle miró la mano algo desconcertado, luego se encogió de hombros. Volvió a gruñir. Parecía su método de comunicación preferido, pensó Alyss.

—Lady Gwendolyn, le presento a John Buttle, uno de mis nuevos empleados —dijo Keren, suavizando el rudo comportamiento de Buttle. Este se encogió de hombros y se rascó el sobaco. Alyss retiró la mano.

—Entonces, Sr. Buttle, ¿estaba persiguiendo a los traidores? ¡Qué valiente! —exclamó, y aleteó las pestañas mientras le miraba con fingida admiración.

Buttle frunció el ceño por un instante.

—¿Traidores? —preguntó, sin saber muy bien qué decir. Miró dubitativo a Keren—. No eran tr…

—Justo le estaba contando a Lady Gwendolyn —le interrumpió Keren a toda prisa— como Lord Orman y el juglar estaban planeando entregar el castillo a los escotos.

Buttle frunció el ceño aún más. Se quedó callado un momento. Luego, solo un pelín demasiado tarde, la comprensión se reflejó en su rostro.

—¿Eh? Oh… sí. Sí, eso es. Traidores, desde luego. Suerte que los pillamos a tiempo, sí. Vamos, si no lo hubiésemos hecho, estaban dispuestos a…

—Sí, sí. Estoy seguro de que Lady Gwendolyn no quiere oír todos los detalles sórdidos —se apresuró a decir Keren. Tenía poca fe en la habilidad de Buttle para improvisar una historia antes de que se le fuese de las manos.

Mejor mantenerlo todo simple. Una vez más, Alyss se percató de la apresurada intervención, y creía saber la razón. Sintió un inmenso alivio de no haberle confiado su identidad a Keren. Daba la impresión de que muchas cosas en el Castillo de Macindaw no eran lo que parecían.

—¡Oh, madre mía, Sr. Buttle, parece que le han herido! —exclamó ahora—. ¡Tenga cuidado, podría manchar la alfombra de sangre!

Buttle bajó la vista hacia la sangre que se filtraba a través de la burda venda que llevaba en el muslo. Maldijo entre dientes y apretó el vendaje; volvió a maldecir cuando el aumento de la presión provocó una punzada de dolor en la herida.

Alyss respiraba un poco más aliviada. Después de todo, pensó, habían pasado semanas desde que Buttle la viera, y aquel día llevaba el pelo suelto. Hoy estaba recogido en una trenza que formaba una corona prieta alrededor de la cabeza, rematada por un sombrero alto y puntiagudo con velo incorporado. Alyss sabía que era la última moda, aunque personalmente la encontraba absurda. Pero le habían enseñado el valor de un peinado distinto cuando de disfrazarse se trataba. Además, su ropa tampoco tenía nada que ver. Ahora llevaba un vestido bastante elaborado, engalanado con adornos y aditamentos etéreos de encaje, con unas mangas ridículamente largas y anchas, y con broches enjoyados allá donde había un hueco libre. Como Correo aquel día, llevaba un sencillo vestido blanco.

Para completar el efecto, estaba manteniendo su característica voz grave en un registro más alto para imitar los tonos ligeramente chillones de la clase alta que le hubiesen salido de forma natural a alguien como Lady Gwendolyn.

Como consecuencia, Alyss empezaba a sentirse cada vez más confiada. Y además, veía una oportunidad de obtener información de aquella situación.

—¿El traidor Orman le atacó con su espada? —preguntó, con fingida preocupación por el hombre. Buttle bufó con desdén.

—¡Ese ratón de biblioteca sin agallas! No podría blandir una espada ni para salvar su propia vida. No, fue ese juglar quien me hirió, ¡maldito sea su apestoso trasero!

—Ese lenguaje, Buttle —le advirtió Keren. Buttle le miró sin entender a qué se refería, y Keren hizo un gesto sutil hacia Alyss.

—¿Eh? Oh... sí. Da igual, ese cobardica me disparó. No quiso enfrentarse a mí como un hombre. Me acechaba, oculto a unos tres o cuatrocientos metros de distancia, y me clavó una flecha en la pierna.

Debió de errar el tiro, pensó Alyss. Qué pena.

—¿Trescientos metros? —preguntó Keren con un toque de incredulidad en la voz—. Vaya, eso sí que es un buen disparo.

Buttle se encogió de hombros. Era del tipo de hombres que siempre exageran.

—Bueno, a lo mejor no eran trescientos. Pero sí estaba muy lejos. No es ningún juglar, eso seguro. Jamás he visto a un juglar que sepa disparar así.

Alyss sintió un pequeño escalofrío de alarma.

—A mí me parecía un juglar excelente —dijo, con la esperanza de poder desviar la conversación de terreno peligroso—. Después de todo, tenía una voz muy agradable, ¿verdad, Sir Keren?

Keren asintió pensativo. No se le había ocurrido dudar de la identidad o profesión de Barton. Por lo que había visto, el hombre era un juglar bastante aceptable.

—Desde luego parecía bastante profesional —admitió—. Y el perro también estaba bien educado para actuar.

Oh, Dios, pensó Alyss. Buttle levantó la vista picado por la curiosidad.

—¿Perro? ¿Qué perro?

Keren hizo un gesto con la mano como para restarle importancia al asunto. Qué más da, parecía indicar.

—Oh, tenía un perro pastor blanco y negro. Solía participar en la actuación.

Oh, Dios, pensó Alyss de nuevo. Tuvo que hacer un gran esfuerzo para evitar que su rostro revelara su pánico creciente. Las cejas de Buttle se habían contraído en una profunda V de concentración, mientras sumaba dos más dos. Un arquero experto; de hecho, mucho más que experto. Y un perro pastor blanco y negro. De repente, dio un paso hacia Alyss y su dedo salió disparado para señalarla. ¡Sabía que le sonaba de algo!

—¡Ponte de pie ahora mismo! —exigió. Keren le miró con un sutil gesto de alarma. El hombre parecía haber perdido la cabeza.

Alyss le miró con una sonrisa despectiva, como convenía a una dama de la nobleza que acababa de recibir una orden de un plebeyo.

—Perdone, ¿cómo dice, Sr. Buttle? —dijo con gran dignidad. Se volvió hacia Keren—. En serio, Sir Keren, mi prometido tendrá conocimiento de est…

—¡Que te levantes he dicho! —repitió Buttle, gritándole ahora. Keren se puso en pie y dio un paso hacia él. Apoyó una mano en su brazo.

—Buttle, en nombre de Dios, ¿qué te pasa?

—Ya me parecía que la había reconocido. ¡Me parecía que había algo familiar en ella! —dijo. Alyss se quedó sentada, con aspecto de estar tan tranquila, una expresión de ligera diversión y desdén en el rostro. Sabía muy bien por qué quería Buttle que se levantara. Su altura era la única cosa que no podía disimular.

—Sir Keren, ¿le importaría llevarse a este hombre de mis habitaciones?

La puerta que daba a la antesala se abrió y Max, alarmado por los gritos de Buttle, asomó la cabeza.

—¿Mi señora? —dijo—. ¿Va todo bien?

Su mano levitaba cerca de su daga. Alyss le hizo un gesto para que se retirara. Lo último que quería era un enfrentamiento físico. Su mejor opción era seguir haciéndose la tonta.

—Puedes retirarte. Sir Keren se encargará de este hombre tan grosero —dijo. Max miró por la habitación dubitativo. Alyss consiguió cruzar la vista con él y asintió, de manera casi imperceptible. Max se encogió de hombros y retrocedió, cerrando la puerta a su espalda.

Keren se interpuso entre Buttle y Alyss. Estaba furioso con su esbirro por su ridícula confrontación. Lady Gwendolyn debía seguir su camino en una semana o así, pero si se viera obligado a retrasar su partida, era posible que su prometido viniera en su busca. Probablemente con una partida de hombres armados. Esa era la última cosa que Keren quería en ese momento, con su plan a punto de culminarse con éxito.

—Buttle —dijo, en voz muy baja—. Te lo advierto. Cierra la boca y sal de aquí. ¡Ahora!

Pero el hombre alto y barbudo ya estaba negando con la cabeza antes de que Keren terminara su orden.

—¡No es ninguna dama de la nobleza! —exclamó—. La he visto antes, lo sé. Ahora, ¡oblíguela a ponerse de pie!

Keren se volvió hacia Alyss con una expresión de disculpa en la cara y se encogió de hombros.

—Quizás quiera dar gusto a este hombre, Lady Gwendolyn... —empezó, pero ella sacudió la cabeza indignada.

—¡No haré tal cosa! —exclamó enfadada. Keren vaciló un instante, un repentino destello de duda en los ojos. Buttle se agarró a ello justo cuando lograba hacer la conexión final en su mente.

—¡Es un Correo! —dijo triunfante—. ¡La vi en el sur! ¡Y estaba con un Guardián!

Ahora Keren sí parecía alarmado.

—¿Un Guardián? —preguntó, y Buttle asintió varias veces.

—Haga que se levante. Ya lo verá. ¡Es casi tan alta como yo!

Keren se volvió hacia Alyss.

—Es usted bastante alta —dijo pensativo—. Por favor, haga lo que le pide Buttle. Póngase de pie.

Alyss suspiró para sus adentros, consciente de que había perdido. Podía demorarlo aún unos minutos, pero las sospechas de Keren ya se habían avivado. Se levantó con gran elegancia y oyó la rápida exclamación triunfal de Buttle.

—¡Es ella! —dijo—. Lo sabía. Sabía que la había visto. Ahora que está de pie, no hay ninguna duda. Y apuesto a que ese juglar Barton no es más juglar que yo. ¡Apuesto a que es su amigo Guardián! —rebuscó otra vez en su memoria, intentaba recordar los retazos de conversación que había oído desde fuera de la cabaña—. ¿Cómo le llamaste? ¿Will? ¡Eso es!

—¿Will? —Keren se mostró muy interesado en esa nueva información—. ¡Qué casualidad! Ese también es el nombre del juglar, ¿no? ¡Menuda coincidencia! Creo que tiene unas cuantas cosas que explicar, Lady Gwendolyn.

Keren le sonrió. Pero la sonrisa nunca le llegó a los ojos. Esos estaban fríos y cargados de sospecha.

Treinta y cuatro

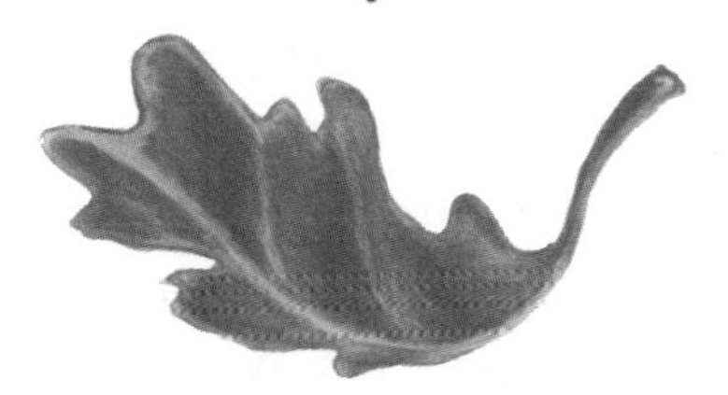

Orman había dado breves muestras de recuperación, hablando en sueños, y Malcolm entró a ver cómo estaba. Xander, por supuesto, no se separó de su lado y miraba con ansiedad desde detrás del enjuto cuerpo del curandero para observar a su señor.

Cuando Malcolm volvió al exterior, encontró a Will apretando la cincha de la montura de Tug. Había desensillado a los otros caballos y los había guardado en el pequeño establo de Malcolm. El curandero percibió la actitud urgente del joven.

—Ya está mejor —dijo, haciendo un gesto hacia la habitación en la que Orman descansaba tranquilo—. ¿Planeabas dejarnos? —añadió en tono neutro.

Will apretó una última correa y metió el pie en el estribo.

—Voy a por Alyss —dijo muy serio. Malcolm arqueó las cejas.

—¿Así, sin más? —preguntó.

—Así, sin más —repitió Will. Malcolm echó un vistazo a su alrededor, observó la posición del sol en el cielo. Todavía quedaban cuatro o cinco horas de luz.

—Vas a entrar allí a caballo a plena luz del día y la vas a rescatar, ¿es eso?

Will dudó, incómodo. Estaba desequilibrado con el pie en el estribo, así que lo retiró y se quedó de pie al lado de Tug. Ahora que Malcolm lo describía así, se dio cuenta de que no podía entrar a la carga en el castillo en busca de Alyss. Ni siquiera sabía dónde podía estar. Si habían descubierto su identidad, estaría encerrada en alguna parte... y no tenía ni idea de dónde. Pero bullía de ansiedad por ella, desesperado por alejarla del peligro que la amenazaba. Había cumplido con su obligación y había ayudado a Orman a escapar. Ahora su obligación estaba con su amiga de toda la vida. Y no ayudaba que Malcolm le recordase que se estaba yendo sin tener ni idea de lo que iba a hacer.

—Lo más probable es que espere a que anochezca —reconoció. Malcolm asintió como si esa fuese una idea muy sensata.

—En ese caso, lo mismo te dará esperar aquí, cómodo —señaló.

Will movió los pies con irritación. Malcolm tenía razón, claro, pero estaba desesperado por hacer algo. Cualquier cosa. Por ponerse en marcha. Cada minuto que pasaba ponía en mayor peligro a Alyss, pues aumentaban las probabilidades de que Buttle la reconociera. No podía soportar la idea de quedarse ahí sin hacer nada.

—Quizás podamos pensarlo un poquito, en lugar de simplemente entrar allí a la carga sin ningún plan de acción

—sugirió el curandero. A regañadientes, Will tuvo que reconocer que el hombrecillo estaba en lo cierto. Acarició el cuello de Tug distraído, luego subió a la estrecha veranda para reunirse con Malcolm.

—Lo siento —dijo—, me está volviendo loco saber que todavía está ahí dentro. Saber que la dejé allí.

—Según he entendido, no tuviste otra opción —dijo Malcolm. Will suspiró y se sentó.

—Eso no hace que sea más fácil de soportar. Me he estado devanando los sesos intentando averiguar de dónde ha salido Buttle —añadió.

—¿Es el hombre al que viste en el castillo... justo antes de que Orman te hiciera llamar?

Will asintió.

—Sí. Pero se suponía que estaba a cientos de kilómetros de aquí. Se lo entregué a un grupo de escandianos a punto de navegar muy lejos como esclavo.

Las cejas de Malcolm se elevaron un poco.

—¿Se lo *entregaste*? —preguntó, y Will asintió muy serio.

—Hubiese ido en contra de la ley venderle —repuso. Malcolm asintió varias veces con gesto irónico.

—Claro. Mucho más respetuoso con la ley entregárselo, supongo. —Hizo una pausa para ver si había alguna reacción, pero no la hubo. Este chico sí que tiene muchas cosas en la cabeza, pensó. Después añadió—: A lo mejor esos escandianos tuyos volvieron a tocar tierra. Preguntaré a ver si ha habido alguna señal de escandianos por la zona. Mis amigos llegan a todos los rincones del bosque y pocas cosas escapan a su atención. Se han vuelto muy hábiles en el arte de ver sin ser vistos.

—Pero aquí estamos muy lejos del mar —comentó Will, con dudas. Sí, Malcolm estaba de acuerdo con eso.

—A unos ochenta kilómetros o así. Pero el río Oosel discurre por aquí cerca y desemboca en la costa. Y en esta época del año, si vas a atracar, querrías estar lo más lejos posible de las tormentas que golpean la costa este. Aunque —continuó, cambiando un poco de tema—, la pregunta en realidad no es *cómo* llegó hasta aquí, sino qué planea hacer.

—Sea lo que sea, no será nada bueno —dijo Will—. Lo que me está matando es la incertidumbre de todo ello. No sé si la han reconocido. Y si lo han hecho, no tengo ni idea de dónde la pueden haber encerrado.

Se giró al oír la puerta cerrarse con suavidad a su lado cuando Xander regresó de comprobar cómo se encontraba su señor.

—¿Entiendo que Lord Orman está cómodo? —preguntó Malcolm, y Xander asintió.

—Está tranquilo y descansando —confirmó. Después tuvo la delicadeza de mostrarse un poco arrepentido—. Gracias por todo lo que ha hecho. —Malcolm hizo un pequeño gesto para restarle importancia. Xander se volvió hacia Will—. Si estás planeando volver al castillo —dijo—, puede que te venga bien un poco de información de primera mano. —Will levantó la vista esperanzado. El pequeño secretario se sentía un poco culpable por no haber podido entregarle a Alyss la advertencia de Will.

—Supongo que si han descubierto su identidad, estará en las mazmorras —dijo Will—. Porque supongo que *hay* mazmorras en Macindaw, ¿verdad?

—Sí, las hay —confirmó Xander—. Pero en esta época del año suelen estar inundadas. Mi apuesta es que si está presa, lo estará en la celda de la torre. Eso la sitúa en el último piso del torreón... y es mucho más difícil llegar hasta allí que a las mazmorras. Solo hay una escalera que lleve hasta ella, así que es fácil de vigilar. Y una vez que llegas allí arriba, también es fácil impedirte salir.

Will sopesó el problema. Tenía sentido, pensó. Solía haber varias formas de entrar en las mazmorras de un castillo. Pero una torre era una cuestión totalmente distinta.

—Quizás —intervino Malcolm—, lo mejor sea que abandones tu plan por el momento y reces por que no hayan reconocido a tu amiga...

Pero Will ya estaba negando con la cabeza antes de que el curandero hubiese terminado la frase.

—No. Ya he perdido bastante tiempo —dijo con tono firme—. La voy a sacar de allí. Esta noche.

—¿Cómo? —insistió Malcolm—. Sé razonable. Necesitarías un pelotón de hombres armados para abrirte paso por las escaleras hasta una torre como esa.

—No estaba pensando en ir por las escaleras —le dijo Will.

Treinta y cinco

En la celda de la torre, Alyss se sentía decididamente inquieta. Una vez que Buttle la había reconocido, tenía poco sentido intentar continuar con la farsa de que era una dama bobalicona de camino a su boda.

Pero para su sorpresa, Keren no había hecho ningún intento por sonsacarle más información. Se había limitado a fruncir el ceño, llamar a sus guardias y escoltarla hasta esa prisión. Max, armado solo con una daga de mano que era más decorativa que funcional, había estado dispuesto a defenderla, pero Alyss se lo impidió. No quería ser responsable de su muerte. Él y las dos doncellas fueron conducidos a un almacén, donde los encerraron bajo llave. No tenía ninguna duda de que sus soldados no tardarían en reunirse con ellos.

No obstante, lo que más la preocupaba era la aparente falta de acción o interés por parte de Keren. Obviamente, él era el centro de los extraños acontecimientos que habían tenido lugar en el Castillo de Macindaw. Alyss se preguntaba cuál sería su objetivo. El más lógico era el que había atribuido a Orman y a Will: que planeaba entregar el castillo a los invasores escotos. Después de todo, tras usurpar los derechos tanto de Syron como de Orman, no podía esperar obtener la aprobación del rey Duncan como señor de Macindaw. Su única alternativa sería mirar fuera de las fronteras del reino en busca de recompensa.

Fuese lo que fuese lo que había planeado, era obvio que no sería nada bueno. Parecía extraño que no hubiese intentado interrogarla para averiguar lo que Will y ella habían planeado hacer y cuánto sabían. Para ser francos, Alyss se hubiese esperado un interrogatorio riguroso, incluso torturas.

En lugar de ello, la habían realojado en esa habitación del torreón. Y aunque no era lujosa, era relativamente cómoda.

Excepto por el calor, pensó. La chimenea del rincón ardía con fuerza y el cuarto estaba caliente y recargado. Alyss tenía la boca seca, probablemente efecto de la situación cargada de adrenalina en la que se había encontrado al enfrentarse a Buttle. Tenía una sed atroz, pero en la habitación no había nada para beber.

Se giró, sorprendida, cuando la única puerta de la habitación se abrió para dar paso a Keren.

El recién llegado miró a su alrededor, tomando nota del escaso mobiliario: una mesa, dos sillas y una cama con marco de madera y un fino jergón de paja y dos mantas medio deshilachadas. Una única lámpara de aceite con un reflector de metal pulido proporcionaba luz a la habitación. La ventana, con barrotes verticales de hierro, podía cubrirse con una gruesa cortina si el viento arreciaba. En ese momento, no hacía nada de viento y la cortina estaba abierta.

—¿Estás cómoda? —preguntó en tono alegre, tuteándola ahora que sabía que no era ninguna dama de alta cuna. Alyss se encogió de hombros.

—Podría ser peor —contestó, y Keren asintió con energía.

—Oh, sí que podría serlo, sí. Y creo que deberías tenerlo presente.

—¿Mi gente está a salvo? —preguntó Alyss. Keren se encogió de hombros.

—Están todos bien, cómodamente instalados bajo llave. Uno de tus soldados intentó discutir. Resultó herido, pero es leve y se recuperará.

—Espero que no crea que le voy a dar las gracias por ello —dijo Alyss. Una vez más, Keren se encogió de hombros, como si todo aquello le importara poco. Descartó el tema de los guardaespaldas e hizo un gesto hacia la mesa y las sillas.

—Sentémonos. Creo que es hora de que tengamos una pequeña charla.

Así que ahora empieza, pensó Alyss, mirando a su interlocutor con recelo. En cualquier caso, resistirse no serviría de nada, así que se acercó a la mesa, cogió una de las sillas y se sentó, con la espalda muy recta.

—No hay nada para beber. Y aquí hace muchísimo calor. Me gustaría beber un poco de agua —dijo. Lo hizo en parte para quitarle a Keren la iniciativa en la conversación. Y en parte porque acababa de percatarse de que estaba muerta de sed. Al instante, Keren se preocupó de su bienestar.

—Lo siento —dijo—. No tenía ninguna intención de hacerte sentir incómoda. —Una arruga surcó su frente y se dirigió a la puerta. La abrió y le gritó bruscamente a uno de los guardias de la sala de al lado—. ¡Eh, tú! ¿Por qué no le has dado a la señorita nada de agua? ¡Trae esa jarra que tienes ahí! ¡Puedes ir a buscar otra para ti! Y un vaso... ¡un vaso *limpio*, bobo!

Sacudió la cabeza con cierto enfado cuando el centinela entró arrastrando los pies, los ojos clavados en el suelo, con una garrafa de agua y un vaso. Los dejó en la mesa y dio media vuelta para marcharse.

—¡Sírvesela, patán! —La voz de Keren le azotó como un látigo y el hombre se giró de nuevo hacia la mesa.

—Perdóneme, Sir Keren —farfulló, y llenó con torpeza medio vaso de agua, derramando parte al hacerlo. Antes de que Keren pudiese regañarle otra vez, secó el agua derramada con su manga. Luego hizo una burda reverencia y retrocedió—. Ahí tiene, mi señora —dijo.

Alyss bebió un traguito. Luego se dio cuenta de lo sedienta que estaba y se bebió casi todo el contenido del vaso. Su entrenamiento le había enseñado que, si eras prisionero, siempre era una buena técnica hacer que tus captores accedieran a alguna pequeña petición. Algo pequeño al principio; luego, cuando se acostumbraran a acceder a tus deseos, estos podían empezar a ser más grandes.

Keren se dejó caer en la otra silla y se echó hacia atrás. Cruzó una pierna sobre la otra y le dedicó una amplia sonrisa.

—Relájate —le dijo—. Solo quería hacerte unas cuantas preguntas.

—No son las preguntas las que me inquietan —dijo Alyss—. Es lo que sucederá cuando no reciba ninguna respuesta.

Keren la miró con el ceño fruncido, como si de verdad hubiese herido sus sentimientos.

—¿No creerás de verdad que voy a torturarte? —preguntó—. No soy un monstruo, ¿sabes? Después de todo, soy un caballero.

—Pues parece haber olvidado algunos de sus deberes como caballero —argumentó Alyss. Bostezó. El calor de la habitación parecía estar amodorrándola. Parpadeó varias veces mientras Keren continuaba.

—Bueno, quizás dé esa impresión. Pero es fácil llegar a esa conclusión cuando no se tienen todos los detalles. Durante años, he mantenido este castillo fuerte y bien defendido. Todo lo que le pedía a Syron era algo de consideración, un poco de gratitud por mis esfuerzos. Pero no. Él canalizó todo hacia su hijo. No había nada para mí. Ni siquiera una garantía de que seguiría teniendo trabajo una vez que Orman tomara el mando. Me he pasado la mayor parte de mi vida de adulto protegiendo la frontera del reino y no he recibido nada más que la paga de un mercenario por ello. Me merecía algo mejor que eso.

—Quizás fuera así, pero no tenía ningún derecho a buscar su recompensa entre los escotos —se aventuró a decir Alyss. Quería ver su reacción. No tardó en llegar. Keren la miró con intensidad.

—Así que lo dedujiste, ¿no? Me pregunto cuántas cosas más sabes.

Alyss sonrió.

—Apuesto a que sí —comentó. Keren la miró con atención.

—Debes de sentirte cansada. Ha sido un día intenso. —Alyss asintió. Ahora que lo mencionaba, sí que estaba cansada. Parpadeó y movió la cabeza de un lado a otro para relajar la tensión de su cuello—. Eso es. —La voz de Keren era profunda y reconfortante. Era extraño, pensó, parecía provenir de lejos, no justo del otro lado de la mesa—. Cierra los ojos si quieres —continuó Keren—. Siempre podemos hablar más tarde si ahora tienes sueño. ¿Tienes sueño?

A Alyss le pesaban los párpados. Se le cerraron. Los abrió otra vez al instante, pero el esfuerzo era demasiado grande para aguantarlo. Poco a poco, se deslizaron hacia abajo.

—Esos párpados parecen pesar mucho —dijo Keren con esa extraña voz relajante—. ¿No tienes sueño?

—Sueño... —murmuró Alyss como respuesta. En algún rincón de su mente, sintió cómo se disparaba una tenue señal de alarma. No debería estar tan soñolienta, pensó. Pero empujó ese pensamiento a un lado porque sí que lo estaba. Increíblemente soñolienta. ¿Por qué? ¿Por qué habría de sentirse tan cansada de repente?

La voz de Keren seguía hablando. Era muy relajante y parecía llenar todo su mundo.

—Por supuesto que tienes sueño. Puedes dormir. Dormir es bueno. Tus ojos están muy cansados...

Y lo estaban. Entonces, una vez más, la diminuta parte consciente de su cerebro intentó decirle algo. Algo acerca del agua que había bebido. ¿Le había echado Keren algo al agua? ¿Algún tipo de poción adormecedora? Había sido muy ingeniosa, haciendo que accediera a sus deseos. Pero a lo mejor se había pasado de lista y el agua...

Pero ¿qué más daba? Tenía sueño y él le estaba diciendo que podía dormirse y su voz era tan calmada y reconfortante... La diminuta chispa de advertencia en su mente parpadeó y se extinguió.

—Te he traído algo. Algo para ayudarte a dormir. Míralo.

Alyss obligó a sus pesados párpados a abrirse y miró lo que sujetaba Keren.

Era una extraña gema azul, más o menos del tamaño de un huevo de codorniz. Keren empezó a rodarla adelante y atrás entre sus manos. Era preciosa, pensó, y se maravilló por la forma en la que parecía atraerla, sentía como si pudiese zambullirse en la piedra como si fuera un profundo estanque de agua cristalina y azulada. Se inclinó hacia delante para verla más de cerca. Sonrió. Era una piedra preciosa.

—Mira el azul —dijo Keren con dulzura—. Es precioso.

Tenía razón, pensó Alyss. Era de una redondez perfecta y su azul parecía oscurecerse a medida que la miraba. Tuvo la fascinante sensación de que si la miraba con la intensidad suficiente, podría ver bajo la superficie de la piedra y hasta lo más profundo de ella.

—Es de una belleza exquisita, ¿verdad? —insistió Keren. Su voz era dulce y relajante y muy reconfortante—. A menudo me pregunto cómo puede haber tantas capas en un objeto tan pequeño. Mira cómo gira...

Rotó la piedra despacio y Alyss vio que estaba en lo cierto. El azul parecía alejarse de la luz, en capas cada vez más profundas. Parecía imposible que pudiesen estar todas en una gema tan pequeña. Y tan preciosa. Tan azul. Le encantaba el azul. Jamás había caído en la cuenta de que el azul era su color favorito.

—Nunca me has dicho tu verdadero nombre —dijo Keren con suavidad.

—Es Alyss. Alyss Mainwaring. —No parecía haber nada malo en decirle eso. Después de todo, sabía que Lady

Gwendolyn era una identidad falsa. Era raro, pensó, cómo esa piedrecita azul parecía estar haciéndose más grande a cada segundo que pasaba.

—En realidad no tienes ningún prometido, ¿verdad? —dijo Keren, y Alyss pudo oír un toque de genuina diversión en su voz. Se rio en respuesta.

—No. Me temo que no —admitió—. Creo que estoy condenada a ser una solterona. —Era una pena que fuesen enemigos, pensó. En realidad era una persona bastante agradable. Hizo ademán de levantar la vista y decírselo.

—Sigue mirando el azul. —La voz de Keren era muy dulce y Alyss asintió y obedeció.

—Claro.

Keren se quedó callado un ratito. La dejó estudiar esas cambiantes tonalidades azules. Era muy relajante, pensó.

—¿Y qué pasa con tu amigo Will? —preguntó Keren con dulzura—. ¿Nada de romance por ahí?

Alyss sonrió en silencio ante su pregunta, tardó unos segundos en responder.

—Nos conocemos de toda la vida —dijo—. Estábamos muy unidos antes de que empezara su formación.

—¿Como juglar, quieres decir? —preguntó Keren. Estaba a punto de negar con la cabeza cuando un instinto oculto la detuvo.

—Will es un... —empezó, pero el mismo instinto le impidió decir nada más. La luz de advertencia en su cerebro se había vuelto a encender y ahora ardía con un brillo intenso. Parpadeó, consciente de que había estado a punto de decir *Will es un Guardián*. Se echó bruscamente hacia atrás en la silla, como si se apartara del borde de un precipicio. En cierta forma, eso es lo que hizo.

Apartó los ojos de la piedra azul que estaba sobre la mesa, sorprendida por el esfuerzo que le costó.

—¿Qué está haciendo? —exigió saber, horrorizada de haber estado a punto de traicionar a Will. Se devanó los sesos, intentando recordar lo que le había dicho a Keren, cuánto le había revelado. Su nombre, pensó. Pero eso no tenía gran importancia. Siempre que no le hubiese dicho que Will era un...

Bloqueó su mente. Mejor ni pensarlo, se dijo. Era obvio que esa maldita gema azul tenía unas propiedades muy extrañas. Keren le estaba sonriendo. Era una sonrisa sorprendentemente cordial, teniendo en cuenta la situación.

—Eres fuerte —le dijo con tono de admiración—. Una vez que alguien llega tan hondo, es muy raro que regrese. Bien hecho.

—El agua... estaba adulterada, ¿verdad? —dijo. Ahora supo que no había sido casualidad que hiciese tanto calor en la habitación. Habían avivado el fuego a propósito. Keren sabía que querría agua. Ahora le sonreía.

—Solo una bebida inofensiva para ayudarte a relajarte... para que mi pequeña piedra azul pudiese hacer su trabajo.

—¿Qué es esa cosa? —Señaló la piedra, que ahora odiaba. Keren la cogió de la mesa, la lanzó al aire y la atrapó al vuelo. Luego la volvió a guardar en un bolsillo interior.

—Oh, solo una bolita con la que entretengo a mis amigos —dijo, al tiempo que se levantaba y se dirigía hacia la puerta. Hizo una pausa con ella medio abierta y su sonrisa se desvaneció—. Haremos esto de nuevo —dijo—. Y la próxima vez, todo irá mucho más deprisa. Siempre pasa cuando ya has cedido en una ocasión. Después, se hace más y más fácil a cada vez. Te veré dentro de una hora o así.

La puerta se cerró a su espalda. Alyss oyó la llave girar en la cerradura y dejó caer la cabeza sobre los antebrazos apoyados en la mesa. Se sentía completamente exhausta.

Treinta y seis

—Vosotros os quedáis aquí —dijo Will, mientras se ponía en cuclillas y les hacía una seña a Xander y a Malcolm para que hicieran lo mismo.

Habían dejado a los caballos atrás, al otro lado de una colina, y ahora, la oscura mole del Castillo de Macindaw se alzaba ante ellos a menos de ciento cincuenta metros de distancia.

—Yo no te lo voy a discutir —dijo Xander. Estaba acuclillado al lado de Will, estudiaba el castillo y su alta torre central—. Allí. ¿Ves la luz en la parte más alta de la torre? Me jugaría el cuello a que es ahí donde tienen a tu amiga. Esa es la celda de la torre y está ocupada. Esta mañana no lo estaba.

—Habrá barrotes en la ventana, obviamente —dijo Malcolm. Xander se lo confirmó con un gesto afirmativo de la cabeza—. ¿Has pensado lo que vas a hacer al respecto? —le preguntó a Will, que fruncía el ceño.

—Tengo una lima —dijo, pero Malcolm sacudió la cabeza. Entonces le pasó un frasquito envuelto en cuero.

—Demasiado lento y demasiado ruidoso —sentenció—. Esto funcionará mucho mejor.

Will estudió el frasco.

—¿Qué hay dentro? —preguntó.

—Es un ácido muy potente. Se comerá los barrotes de hierro en solo unos minutos. —Sonrió al ver a Will coger el frasco con cautela—. Dentro hay una botellita de cristal, pero está acolchada con paja y protegida por la envoltura de cuero. Es bastante seguro. Solo ten cuidado de cómo lo manejas.

Will decidió no mencionar que esas dos últimas frases parecían muy contradictorias. Deslizó el frasco en la pretina de sus pantalones, a la altura de los riñones. Ahí estaría a salvo, pensó.

—La luna ya casi se ha escondido —señaló Malcolm. Will asintió.

—Entonces, me pondré en marcha.

Pero no se movió de inmediato. Pasó unos minutos estudiando el paisaje y absorbiendo los ritmos naturales de la noche. Después, simplemente se fundió con la oscuridad.

Will hizo una pausa entre las oscuras sombras del pie de la muralla. Era el sitio por el que iba a escalar, el ángulo entre la muralla y la torre. Ni el centinela de la torre ni los guardias de las murallas en lo alto podrían verle ahí. El único peligro posible era el centinela de la otra torre, a unos treinta metros de distancia. Pero el hombre seguía encorvado sobre el murete, absorto en contemplar la noche.

Will exploró la superficie de la pared con las manos tras descartar sus guantes y remeterlos por su cinturón. La cantería, que parecía suave y lisa desde la distancia, era en realidad rugosa y desigual, con un montón de grietas, fisuras y protuberancias en las que un escalador con la experiencia de Will podría meter los pies o agarrarse con las manos. Además, el ángulo recto que formaban la muralla y la torre le daría aún más agarre si lo necesitaba. Sonrió. Hubiese sido capaz de trepar por esa pared con solo once años.

Llevaba una cuerda larga enrollada alrededor de los hombros debajo de la capa, pero era para ayudar a Alyss a bajar, no para que él escalara. Con los centinelas de patrulla, no podía arriesgarse a lanzar una cuerda para intentar engancharla de las almenas de la muralla. Flexionó los dedos, estiró los brazos bien por encima de la cabeza, encontró dos puntos de agarre sólidos en la fría piedra e inició el ascenso.

Empezó a trepar despacio y con suavidad. En ocasiones, tuvo que desplazarse a izquierda o derecha de su posición de inicio para buscar un agarre mejor. Le dolían los dedos por el esfuerzo y el frío, pero los tenía duros y fuertes por tantos años de entrenamiento.

Cuando ya casi había llegado arriba, oyó las pisadas del centinela que se acercaban y se quedó inmóvil, colgado de la pared como una araña gigante, los dedos de manos y pies aullando por el esfuerzo. El centinela se paró al final de su ronda y estampó los pies contra el suelo un par de veces. Después se puso en marcha otra vez, de vuelta por donde había venido. Will esperó unos segundos más, luego trepó el último tramo y se coló entre las almenas. Moviéndose como una sombra en una noche llena de sombras, cruzó la pasarela y se deslizó en silencio escaleras abajo hacia el patio central.

Hizo otra pausa al pie de las escaleras. Ahí no había centinelas, pero siempre existía la posibilidad de que emergiera alguien por alguna de las puertas que daban al torreón o a la torre de la entrada. Analizó la situación durante un buen rato. El espacio descubierto que llevaba hasta el torreón estaba bien iluminado con antorchas encendidas en sus soportes de pared. Le iría mejor si caminaba con descaro, sin hacer ningún intento por ocultarse. Una figura que caminaba hacia la puerta sin más levantaría menos sospechas que alguien que obviamente estuviese intentando pasar desapercibido. Echó hacia atrás la capucha de su capa, sacó un sombrero blando con plumas de debajo de su túnica, lo estiró un poco y se lo caló sobre la cabeza. Después, con actitud confiada y sin hacer ningún intento por ocultarse, se encaminó hacia las escaleras que conducían a la puerta principal del torreón.

Cuando llegó a ellas, se deslizó con sigilo hacia su izquierda y se fundió con las sombras formadas por la propia escalera. Se quitó el sombrero y volvió a echarse la capucha por encima de la cabeza. Agachado al lado de la pared, escudriñó las murallas del lado contrario para ver si alguien se había fijado en él. Pero la atención de los centinelas estaba concentrada en el exterior, no en el interior, y no había ningún observador casual por ahí.

Satisfecho de haber pasado desapercibido, se movió alrededor de la base de la torre para llegar a un punto a medio camino entre dos de las brillantes antorchas. En el límite mismo de la luz proyectada por cada una, la iluminación era incierta y vacilante. Respiró hondo, palpó la zona de sus riñones para asegurarse de que el frasco forrado de cuero de Malcolm estaba a salvo y bien sujeto y empezó a escalar de nuevo.

Como había anticipado, el torreón estaba construido con la misma piedra rugosa de las murallas y había un montón de sitios a los que agarrarse y en los que apoyarse. Trepó sin vacilar. A pesar de su tolerancia a las alturas, tuvo que esforzarse para evitar la tentación de mirar hacia abajo. Nunca se sabe cuándo te puede atenazar el vértigo. La muralla exterior no medía más de ocho metros. Esta torre, sin embargo, medía casi cuatro veces más, se alzaba al menos treinta metros por encima del nivel del suelo. A medida que subía, el viento le azotaba con más fuerza, silbaba a su alrededor e intentaba arrancarle de sus precarios puntos de agarre.

Tres de cuatro, se repetía; era el viejo dicho que había practicado mientras trepaba desde que era un niño. Significaba que nunca movía una mano o un pie a un punto de apoyo nuevo a menos que los otros tres estuviesen bien posicionados. Se topó con varias ventanas iluminadas por el camino y las esquivó con cuidado. Estuvo tentado de mirar a través de ellas, pero sabía que eso podía ser un error fatal. Si alguno de los ocupantes miraba por la ventana justo en ese momento, ver un rostro desconocido al otro lado seguro que dispararía todas las alarmas.

El viento se intensificó a medida que subía, lo que hacía que el aire gélido fuese aún más frío. Sus manos empezaron a entumecerse, cosa que le preocupaba. Necesitaba sensibilidad en las manos para buscar solo las grietas y protuberancias más seguras de la piedra. Si no podía sentirlas bien, siempre quedaba la posibilidad de que se agarrara a una piedra suelta y esta cediese cuando transfiriese su peso a ella. Mentalmente, se encogió de hombros. No había nada que pudiese hacer al respecto en ese momento y, de todos modos, ya había escalado tres cuartas partes de la torre. Echó un vistazo hacia un lado, donde la tierra cubierta de nieve se perdía en la distancia. Varios kilómetros más allá, pudo ver la oscura masa del Bosque de Grimsdell, las copas de los árboles salpicadas de blanco donde se había acumulado la nieve. Si hubiese estado trepando solo por diversión, quizás se hubiese parado a admirar la extraordinaria vista. Sonrió con tristeza. Había pasado mucho tiempo desde la última vez que escaló algo solo por diversión.

Levantó la vista y vio que la estrecha cornisa que rodeaba el último piso de la torre estaba solo a unos metros de distancia. Escaló hasta ella y estiró los brazos con cuidado. Uno nunca sabía lo que podía encontrar en las cornisas. Algunos diseñadores de castillos eran aficionados a colocar púas de hierro en ellas para disuadir a los escaladores.

No había púas, pero frunció el ceño al tocar la superficie helada. El agua de lluvia se había acumulado en el saliente y se había congelado al bajar la temperatura. Eso lo hacía peligroso. La mayoría de los escaladores hubiera estirado los brazos con ansiedad hacia la cornisa y hubiera transferido todo su peso a las manos al hacerlo. Con hielo resbaladizo por toda la superficie, eso podía ser fatal. Will mantuvo el peso en los pies mientras buscaba un punto seguro al que agarrarse. Enroscó los dedos de los pies por el esfuerzo y pudo sentir el principio de un calambre en el arco del pie izquierdo. Encontró una zona sin hielo con la mano derecha y subió un pelín más, buscando con el pie izquierdo un nuevo punto de apoyo. *Tres de cuatro*, se repitió. Movió la mano izquierda hasta la cornisa y la deslizó adelante y atrás hasta encontrar una zona seca. Entonces pudo subir la pierna derecha y consiguió trepar por encima del saliente. Se giró con cuidado para sentarse en la cornisa, la espalda apretada contra la pared detrás de él. Al inclinarse hacia atrás, un poco más fuerte de lo que había pretendido, notó algo que presionaba contra sus riñones. Se le subió el corazón a la boca al recordar el frasquito de ácido. Envuelto como iba en su capa, si se rompiera ahora, no tendría forma de librarse de él a tiempo. Se apartó un poco de la pared y contó segundos. Diez. Quince. Veinte. Pasó un minuto entero y no notó ninguna quemazón de ácido royéndole la piel. Soltó un suspiro de alivio.

—Bueno, a ver dónde está Alyss —comentó para sí mismo.

Igual que al escalar por la muralla exterior, ahora había zigzagueado por la pared del torreón en busca de los mejores agarres, lo cual le había hecho desviarse de su punto de inicio original. Miró a su derecha y vio que la ventana que suponía que correspondía a la celda de Alyss estaba a unos tres metros de él. Se deslizó sentado por la cornisa, los pies colgando en el aire. Frunció el ceño mientras avanzaba hacia la ventana. Había mucho hielo en el estrecho saliente y le iba a resultar difícil ponerse de pie para mirar a través de la ventana.

Al menos, pensó, tendría los barrotes para agarrarse bien. Dejó de moverse cuando tuvo la ventana a su derecha, el alféizar un poco por encima de su cabeza. Estiró el brazo derecho, palpó por el alféizar y dio con uno de los barrotes.

Si la habitación estaba ocupada por alguien distinto de Alyss, pensó, aquello podía ser peligroso. Su mano estaría a plena vista de cualquiera que mirara hacia fuera y, cuando se girara y se pusiera en pie, él también quedaría totalmente expuesto. Tendría que hacer acopio de valor antes de comprobar quién o quiénes ocupaban la habitación, pero dado el estado congelado del saliente, no tenía alternativa.

Giró hacia la derecha sobre las nalgas y subió el pie izquierdo a la cornisa. Casi todo su peso estaba sujeto ahora por su mano derecha y, como no había habido ninguna voz de alarma en la habitación, dio por sentado que quienquiera que estuviese ahí dentro no estaba mirando por la ventana. El saliente era un punto de apoyo claramente inestable, decidió, mientras ponía más peso en la pierna izquierda, giraba despacio hacia la derecha y hacía fuerza con la rodilla flexionada para subir un poco más.

Le dio un vuelco el corazón cuando sintió que el pie empezaba a resbalar de lado en el hielo, así que aceleró su giro y estiró a toda prisa el brazo izquierdo para agarrarse bien a otro barrote de la ventana. Justo a tiempo. Su pie izquierdo resbaló del saliente helado y Will se quedó colgado de las dos manos sobre el vacío. Con un suave gruñido de esfuerzo, se izó con los brazos. Su pie derecho encontró el saliente y Will apoyó en él parte de su peso, aunque no demasiado, pues no se fiaba del punto de apoyo.

Bendijo los años pasados practicando con el arco y el desarrollo resultante de los músculos de su brazo y de su espalda. Su pie izquierdo también encontró la cornisa y pudo poner en él otra pequeña parte de su peso.

Despacio, sus ojos llegaron al nivel del alféizar de la ventana y pudo asomarse a la habitación, donde vio a Alyss desplomada sobre una mesa tosca, de espaldas a la ventana, la cabeza entre las manos.

Treinta y siete

Ochenta kilómetros más al sur, un caballero armado cabalgaba contra el gélido y cortante viento norte.

Hacía ya un rato que el sol se había puesto por el horizonte y la oscuridad se había apoderado a toda velocidad del paisaje. Cualquier persona sensata se hubiese detenido hacía horas a acampar y refugiarse de la nieve y el granizo arrastrados por el viento. Pero el caballero continuó impertérrito su avance hacia el norte.

Su sobreveste era blanca y su escudo llevaba grabado un puño azul, el símbolo de un lancero libre, un mercenario, un caballero a la búsqueda de un empleo donde pudiera encontrarlo. El equipo del caballero era estándar: una gruesa lanza descansaba en un receptáculo de su estribo derecho y, bajo su capa, podía verse una larga espada de caballería. Solo el escudo era inusual. En una época en la que la mayoría de los caballeros optaban por escudos con forma de cometa, este destacaba por ser un broquel redondo.

El caballo de batalla sobre el que iba montado bailoteó unos pasos hacia un lado en un intento de evitar el gélido viento y el cortante granizo que llevaba consigo. Con suavidad, el caballero lo enderezó de vuelta a su rumbo norte.

—Ya queda poco, Kicker —lo tranquilizó. Las palabras sonaron pastosas y farfulladas entre sus labios medio congelados.

El caballo hacía bien en protestar, pensó, era una locura continuar viajando con ese tiempo. Pero sabía que había una pequeña aldea a pocos kilómetros de distancia, y la protección de las paredes de un establo sería mucho más aceptable que cualquier otro refugio que pudiera apañar entre los árboles. Casi se arrepentía de no haber parado a última hora de la tarde, cuando pasaron por un pueblo con una posada de aspecto acogedor. Ese habría sido un sitio agradable en el que estar en estos momentos, pensó.

Pero entonces se acordó de sus amigos y del posible peligro que corrían y no se arrepintió de su decisión de seguir adelante a través de la noche fría y oscura.

Aunque dudaba que Kicker estuviera de acuerdo. Intentó sonreír al pensarlo, pero sus labios estaban ya demasiado tiesos y cubiertos de nieve.

Se movió incómodo en la montura al sentir un hilillo de agua gélida resbalar por su espalda. Recordó su encuentro con Halt y Crowley hacía unos días.

—O sea que queréis que vaya a Macindaw... —dijo pensativo—. ¿Qué creéis que puedo hacer yo que Will y Alyss no puedan?

Estaban en la oficina de Crowley en una de las altísimas torres del Castillo de Araluen. Era una habitación pequeña, pero cómodamente amueblada, y una chimenea abierta en una esquina la mantenía caldeada. Halt y Crowley intercambiaron miradas y el comandante de los Guardianes le hizo un gesto a Halt para que contestara él.

—Nos sentiríamos más tranquilos si Will y Alyss contaran con un poco más de fuerza a su disposición —explicó Halt. Horace sonrió.

—Pero yo solo soy un simple hombre.

Halt le miró con intensidad.

—Eres mucho más que eso, Horace —le dijo—. Te he visto en acción, ¿recuerdas? Me sentiría más tranquilo si supiera que le estás cubriendo las espaldas a Will. Y tenemos que enviar a alguien a quien ambos reconocerían y en quien confiarían.

Horace sonrió ante la perspectiva.

—Será agradable verlos de nuevo —comentó. La vida en el Castillo de Araluen en invierno tendía a ser un poco aburrida. La idea de que le asignaran una misión en solitario como esa tenía un atractivo claro. Él y Alyss habían sido amigos desde niños, y no había visto a Will, su mejor amigo, desde hacía varios meses.

Halt se puso de pie y fue hasta la ventana. Contempló el invernal paisaje gris que rodeaba el castillo. Tan al sur, no había nieve, pero los árboles fríos y desnudos tenían un aspecto desolado que encajaba a la perfección con su ánimo.

—Es la incertidumbre lo que nos preocupa, Horace —dijo—. Ya debíamos de haber recibido un mensaje de rutina del hombre de Alyss. O una respuesta a la paloma que enviamos ayer. Después de todo, ellos no tenían que esperar a que el pájaro se recuperase. Disponían de otra media docena listas para enviar.

—Aunque claro, puede que un halcón haya derribado a la paloma que enviamos —intervino Crowley—. Eso ocurre.

Un destello de enfado cruzó el rostro de Halt, y Horace tuvo la impresión de que los dos viejos amigos ya habían tenido esa conversación; probablemente más de una vez.

—¡Ya lo *sé*, Crowley! —espetó cortante. Miró a Horace otra vez—. Puede que no haya pasado nada. Quizás Crowley tenga razón. Pero no quiero correr riesgos. Preferiría saber que estás de camino. Si recibimos noticias de ellos mientras tanto, siempre podemos enviar un mensaje para decirte que vuelvas.

Horace miró al pequeño Guardián canoso con afecto. Sabía que Halt estaba más preocupado que de costumbre porque era Will el que estaba allí arriba en el feudo norteño enterrado bajo la nieve. Daba igual cuántos años pasaran, Halt siempre vería a Will como a su joven aprendiz. Horace se acercó al Guardián.

—No te preocupes, Halt —le dijo con amabilidad—. Me aseguraré de que está bien.

Los ojos de Halt reflejaron su gratitud.

—Gracias, Horace.

—Es Hawken —apuntó Crowley, decidiendo que ya era hora de que se pusiesen prácticos—. Mejor que te acostumbres. —Horace le miró y frunció el ceño. No entendía nada—. Es tu nueva identidad —le dijo Crowley—. Es una misión secreta. Que el más famoso caballero joven de Araluen apareciera de repente en el Feudo de Norgate llamaría mucho la atención. Irás allí como Sir Hawken y serás un mercenario. Mejor que hagas que te vean como corresponde.

Horace asintió.

—Así que yo pongo los músculos y dejo que Will y Alyss pongan el cerebro, ¿verdad? —preguntó en tono alegre.

Halt le miró con ademán serio y negó ligeramente con la cabeza.

—No te subestimes, Horace —le dijo—. No eres tan tonto como crees. Sabes pensar. Eres constante y práctico. A veces, los Guardianes y Correos retorcidos como nosotros necesitamos ese tipo de pensamiento para mantenernos centrados.

Horace se quedó sorprendido por lo que decía. Nadie le había dicho nunca que supiese pensar.

—Gracias por eso, Halt —dijo. Entonces volvió a esbozar una gran sonrisa—. A lo mejor puedo convencerte para que vengas conmigo... Sería como los viejos tiempos en la Galia.

Esta vez, Halt sonrió mientras negaba con la cabeza de nuevo.

—Ya hay un Guardián en Macindaw —dijo—. Para cualquier cosa que no sea una invasión a gran escala, uno suele ser suficiente.

El viento se había intensificado y el granizo golpeaba sus caras con más fuerza. Kicker refunfuñó en protesta y agitó la cabeza. Horace se inclinó hacia delante y le dio al gran caballo de batalla unas palmaditas en el cuello.

—Ya estamos cerca, Kicker —le dijo—. Solo dame unos kilómetros más. Will nos necesita.

Treinta y ocho

—¡Alyss! —La chica rubia se sentó, sobresaltada por el sonido de su nombre susurrado. Giró en redondo en la silla para ver la cara de Will tras los barrotes de la ventana, su familiar e irreprimible sonrisa le iluminaba las facciones.

Se levantó de un salto. La silla empezó a caer hacia atrás al hacerlo, pero la atrapó justo a tiempo de que no golpeara con estrépito el suelo. Después corrió hacia la ventana.

—¿Will? ¡Dios mío! ¿Cómo has llegado hasta aquí?

Se asomó al mareante vacío a sus pies y vio que estaba encaramado en el estrecho saliente cubierto de hielo con ningún otro medio de sujeción. Dio medio paso atrás, la cabeza le daba vueltas. Alyss era capaz de enfrentarse a la mayoría de los peligros sin inmutarse, pero le tenía un miedo atroz a las alturas. Solo ver la oscura caída al otro lado de la ventana la llenaba de temor. Will estaba hurgando debajo de su capa y empezó a pasar el extremo de una larga cuerda a través de los barrotes.

—He venido a sacarte de aquí —le dijo Will—. Solo aguanta unos minutos.

Alyss miró ansiosa hacia la puerta a su espalda, mientras Will seguía echando metros de cuerda dentro de la habitación, desenrollándola de debajo de su capa. A Alyss se le secó la boca cuando se dio cuenta de lo que Will tenía en mente.

—¿Quieres que baje por ahí? —preguntó, señalando al vacío muerta de miedo. Will le dedicó una sonrisa tranquilizadora.

—Es fácil —le dijo—. Y yo estaré aquí para ayudarte.

—¡Will, no puedo! —insistió, y la voz se le quebró—. No soporto las alturas. Me caeré. Me quedaré paralizada. ¡No puedo hacerlo!

Will hizo una pausa momentánea para pensar. Sabía que había personas a las que les aterraban las alturas. Personalmente, no podía entenderlo. Él siempre se había encontrado perfectamente cómodo escalando árboles, acantilados, muros de castillos. Pero sabía que ese tipo de miedo podía ser completamente incapacitante. Frunció el ceño un instante, luego sonrió.

—No pasa nada —dijo—. Ataré la cuerda alrededor de tu cintura y te bajaré desde aquí.

El último tramo de cuerda se desenroscó y cayó sobre el montón al pie de la ventana.

En ese momento, Alyss se dio cuenta de que su miedo a las alturas era irrelevante. No había forma de colarse entre esos barrotes... a menos que Will tuviese planeado cortarlos con una lima, cosa que llevaría demasiado tiempo. Volvió a mirar con miedo hacia la puerta. Keren había dicho que regresaría en una hora. ¿Cuánto tiempo llevaba adormilada sobre la mesa? ¿«Una hora o así» podía significar media hora? ¿Cuarenta minutos? Quizás estuviese de camino en esos mismos momentos.

—Tienes que salir de aquí —le dijo a Will, una determinación nueva en la voz—. Keren podría volver en cualquier instante.

—Entonces, deseará no haberlo hecho —dijo Will, y su sonrisa se desvaneció—. ¿Has averiguado ya lo que está tramando? —preguntó. Se le acababa de ocurrir que la mejor forma de que Alyss dejara de preocuparse por la escalada era distraerla. Alyss sacudió la cabeza con impaciencia mientras él rebuscaba por su espalda y sacaba una botellita envuelta en cuero de la parte de atrás de su capa. Se dio cuenta de que la manipulaba con gran cuidado al dejarla en el alféizar de la ventana.

—¡Tienes que irte! —le conminó—. No tenemos tiempo. Va a volver para interrogarme otra vez.

Will dejó de hacer lo que estaba haciendo.

—¿Otra vez? —preguntó, su ceño fruncido—. ¿Te ha hecho daño? —Su voz sonó fría. Si Keren le había hecho daño, era hombre muerto. Pero Alyss negó con la cabeza de nuevo.

—No. No me ha hecho daño. Pero tiene no sé qué piedra extraña... —Dejó la frase a medio terminar. No quería contarle lo cerca que había estado de revelar su verdadera identidad.

—¿Una piedra? —repitió Will confuso.

Alyss asintió.

—Una gema azul. Es... De algún modo... me hace decir lo que él quiere saber. ¡Will, casi le digo que eres un

Guardián! —soltó de sopetón—. No era capaz de callarme. Es como… Te hace contestar preguntas. Es siniestra.

Will frunció el ceño pensativo. Le vino a la memoria el recuerdo de su primera noche en el comedor del castillo, cuando los seguidores de Keren reaccionaron con entusiasmo a su sugerencia de que Will cantase otra canción. A lo mejor el usurpador llevaba tiempo haciendo sus pinitos con el control mental.

Apartó ese pensamiento a un lado. Desenvainó su cuchillo sajón y empezó a rascar el mortero de la base del barrote central para formar una bañera para el ácido. Había cuatro barrotes en total y calculó que si quitaba los dos del medio se crearía un espacio lo bastante grande para sus propósitos. Podría colarse en la habitación, atar la cuerda en torno a la cintura de Alyss y utilizar uno de los barrotes restantes como punto de anclaje para ir bajándola hasta el suelo. Una vez hecho esto, recuperaría la cuerda y bajaría por ella él mismo.

—Bueno —dijo—, tampoco pasa nada. Si Buttle está aquí, es probable que ya haya deducido quién soy. —Sonrió para intentar aligerar el ánimo de su amiga, pero pudo ver que estaba disgustada por lo que consideraba su propia debilidad.

—Solo podía tener sospechas —dijo, hundida en la miseria—. No podía estar seguro. Pero de algún modo casi consigue que se lo diga.

—Suena como que Keren ha sido nuestro hechicero desde el principio —comentó Will pensativo. Alyss le miró, perpleja.

—¿Qué quieres decir? —preguntó.

—Él es el que está detrás de la misteriosa enfermedad de Syron. Y también ha conseguido envenenar a Orman.

Por eso tuve que sacarle de aquí. Y ahora tú me dices que tiene alguna forma misteriosa de hacerte contestar a sus preguntas. Keren ha empleado las viejas leyendas y las historias sobre Malkallam como cortina de humo para su propia traición. Quiere apoderarse del castillo... aunque se me escapa cómo pretende conservarlo una vez que se sepa lo que ha hecho.

—Ha hecho un trato con los escotos —le dijo Alyss. Hacía un rato, había estado dando palos de ciego cuando acusó a Keren, pero su respuesta había confirmado sus sospechas.

—¿Los escotos? —preguntó Will. Lo pensó por un momento. Si los escotos se hiciesen con el control del Castillo de Macindaw, su vía de entrada a Araluen estaría asegurada. Podrían saquear todos los campos de los alrededores con impunidad, incluso lanzar una invasión a gran escala. Por pequeño que fuera, Macindaw era un punto clave para la seguridad del norte de Araluen—. ¡Entonces sí que tenemos que impedírselo!

—¡Así es! —exclamó Alyss, un nuevo deje de urgencia en su tono—. ¡Por eso tienes que salir de aquí ahora! Ve a Norgate y da la voz de alarma. ¡Trae de vuelta un ejército para detenerle!

Will estaba concentrado en el extraño frasco de cuero, la punta de la lengua asomada entre los dientes mientras quitaba con sumo cuidado el tapón. Levantó la vista hacia ella un instante y negó con la cabeza.

—No sin ti —dijo. Con muchísimo cuidado, vertió una pequeña cantidad de líquido de la botella en la oquedad que había escarbado en torno a la base del barrote de hierro. El líquido humeó al tocar la piedra y el hierro, derritiendo algo del hielo de alrededor de la depresión al hacerlo. La nube de gases acres que produjo hizo toser a Will, que intentó amortiguar el ruido, con un éxito limitado. Alyss dio un paso o dos hacia atrás y se tapó la nariz con un extremo de la manga.

—¿Qué es ese potingue? —preguntó.

—Es ácido. Un potingue muy agresivo. Malcolm dijo que fundiría el metal de estos barrotes en cuestión de segundos. —Frunció el ceño. El barrote seguía pareciendo sólido—. O quizás dijo minutos —se corrigió. Volvió a tapar la botella y pasó al barrote de al lado. Una vez más, usó el cuchillo sajón para excavar un hueco cóncavo en la base—. Dejaremos ese por ahora y haremos el siguiente. Mientras lo hago, puedes ir atando esa cuerda a uno de los otros barrotes.

Alyss hizo lo que le pedía. Aunque seguía dándole vueltas a algo que había dicho Will.

—¿Quién es Malcolm? —preguntó. Will levantó la vista hacia ella y sonrió.

—Es el verdadero nombre de Malkallam. En realidad, es un tipo bastante simpático cuando le conoces.

—Cosa que, por supuesto, tú has hecho —dijo Alyss en tono seco. Ese comentario era tan típico de la vieja Alyss que la sonrisa de Will se ensanchó.

—Te lo contaré todo más tarde. Solo dame un minuto, esta es la parte delicada.

Tenía otra vez en la mano la botellita de ácido y estaba echando líquido en el hueco que había excavado en la piedra y el mortero. Una vez más, una nube de gases acres brotó de la oquedad, seguida de un olor como a óxido quemado. Hizo una pausa, los labios fruncidos por la concentración, y observó los resultados. Como con el otro barrote, el ácido parecía estar tardando más de lo esperado. Probó con el primer barrote y sintió un poco de movimiento. O sea que estaba funcionando, pero mucho más despacio de lo que le habían hecho creer. Se planteó echar más ácido en los huecos, pero enseguida descartó la idea. Solo lograría que rebosara y se derramara por el alféizar de la ventana, y eso era algo que sentía que debía evitar.

No había nada que pudiera hacer más que esperar. Volvió a poner el tapón y le pasó a Alyss la botella de cuero a través de los barrotes.

—Toma. Guarda esto en alguna parte. —No tenía ningunas ganas de realizar otra escalada con esa cosa en el bolsillo. Distraída, Alyss dejó la botella de lado sobre el profundo dintel de piedra de encima de la ventana—. Lo que no entiendo —continuó Will, en su intento por mantener la mente de Alyss alejada de la escalada que tenía por delante— es de dónde ha salido ese maldito John Buttle. Ahora mismo debía estar con el barco lobuno en Skorghijl.

—El barco tuvo problemas —le explicó Alyss. Buttle había fanfarroneado sobre ello cuando la reconoció, antes de que Keren la trasladara a la habitación de la torre—. Se vieron atrapados en una tormenta. Los empujó hacia el oeste y chocaron con un arrecife próximo a la costa. El barco sufrió daños importantes y a duras penas consiguieron llegar a la orilla. Decidieron subir por el río Oosel para ocultarse durante el invierno, pero cuando creyeron que el barco se estaba hundiendo, desataron a Buttle para que pudiera tener una oportunidad.

—Supongo que les pagó ese acto de amabilidad de la manera habitual —comentó Will, y Alyss asintió.

—Para cuando llegaron al Oosel, estaban exhaustos. Mató a dos guardias y escapó. Llegó aquí por pura casualidad.

—Y descubrió que encajaba a la perfección —dijo Will. Alyss volvió a asentir—. Es curioso —continuó Will— cómo las personas como Buttle y Keren parecen encontr...

Se calló a media frase cuando Alyss levantó una mano. Will la miró sorprendido y la vio palidecer de golpe. Había oído como se abría y cerraba la puerta a la habitación exterior, y el sonido de unas voces cuando Keren habló a los guardias al otro lado.

—¡Es Keren! —dijo en un susurro urgente—. ¡Will, tienes que salir de aquí! ¡Vete ya!

Enrolló la cuerda como pudo y la empujó entre los barrotes para dejarla caer hasta los adoquines del patio. Will tiró como un poseso del primer barrote. Ya se movía más, pero seguía demasiado sólido como para poder arrancarlo.

—¡Vete! —repitió Alyss desesperada—. Si te encuentra aquí, nos matará a los dos.

A regañadientes, Will tuvo que admitir que tenía razón. Atrapado en ese estrecho saliente, no tenía ninguna esperanza de poder luchar contra Keren y los guardias. Y al menos si seguía libre, tendría otra oportunidad de rescatar a Alyss.

Se oyó una carcajada repentina en la otra habitación. Alyss abrió mucho los ojos al oír la llave girar en la cerradura. Will supo que tendría que marcharse, pero había otra cosa que tenía que decirle antes.

—Alyss —la llamó. Ella le miró, sumida en una intensa agitación—. Si te interroga, cuéntale todo lo que quiera saber. Ya no puede hacernos ningún daño. Solo responde a sus preguntas.

Alyss no podía revelar sus planes, pensó Will con amargura, porque no tenía ningún plan. Pero tampoco tenía ningún sentido que su amiga sufriera por ocultar datos que era más que probable que Keren hubiese adivinado ya.

—¡Vale! —dijo.

—Prométemelo —insistió Will—. Nada de lo que le digas puede perjudicarme.

Alyss estaba a punto de sufrir un ataque de pánico, pero sabía que Will no se iría hasta que se lo prometiera.

—¡Lo prometo! ¡Le contaré todo! ¡Pero vete! ¡Ahora!

Will se afanaba en pasar la cuerda entre sus piernas, subirla por su espalda y cruzarla por encima de su hombro derecho.

Se puso los guantes y agarró con la mano izquierda el extremo de la cuerda que estaba atado como metro y medio por encima de su cabeza, entonces usó la mano derecha para fijar el otro extremo contra su cintura.

A Alyss se le subió el estómago a la boca cuando Will se dejó caer hacia atrás al vacío. Controló la caída con la cuerda que llevaba enroscada al cuerpo, mientras se daba impulso contra la pared con los pies.

—Volveré a por ti —le dijo en voz baja. Empezó a bajar despacio por la pared. Su intención era llegar al suelo lo más deprisa posible, pero sabía que un movimiento rápido llamaría más la atención de los centinelas de la muralla.

Alyss se apresuró a alejarse de la ventana, aunque cerró la cortina antes de hacerlo. Tenía que evitar que Keren viese la cuerda durante el máximo tiempo posible. Si pillaban a Will a medio descenso, era hombre muerto.

Treinta y nueve

Alyss apenas había tenido tiempo de llegar a la mesa cuando la puerta se abrió y entró Keren. Mientras cerraba la puerta tras de él, Alyss respiró hondo y se obligó a calmarse. Hizo acopio de toda su fuerza de voluntad para mirarle con una expresión de absoluto desprecio.

—Bueno, pues ya he vuelto —comentó Keren. Sonrió a Alyss con alegría, haciendo caso omiso de la mirada glacial que ella le devolvió. Luego frunció el ceño y arrugó la nariz mientras olía a su alrededor—. Por Dios, ¿qué es ese espantoso olor? ¿Has estado quemando algo?

Alyss pensó a toda velocidad. Se había acostumbrado a los gases acres del ácido, pero era obvio que aún llamaban la atención. La pregunta de Keren, sin embargo, le dio una idea. Se irguió en toda su altura y le miró con desdén.

—Unos cuantos documentos —dijo—. Pensé que era mejor que no descubriera lo que decían.

Keren la miró pensativo.

—¿Ah, sí? —preguntó, con un poco menos de alegría que antes—. Supongo que debí venir antes a ver qué hacías. Eso es lo que recibo por intentar ser un caballero: intentas engañarme. —Metió la mano en la bolsita que llevaba prendida al cinto—. Pero parece que has olvidado que mi amiguita azul aquí presente puede hacer que me digas todo lo que había en ellos.

El corazón de Alyss se aceleró cuando Keren sacó la gema azul. A pesar de todo lo que sabía acerca de ella, sintió un impulso casi irreprimible de mirarla. Apartó los ojos de ella con un esfuerzo supremo.

—Y usted parece que ha olvidado —dijo, imitando su tono sarcástico— que la última vez, conseguí romper su poder sobre mí.

Keren se sentó en una de las sillas y cruzó las piernas mientras jugueteaba de manera casual con la piedra azul entre las manos. Sonrió con una diversión genuina.

—Cierto —reconoció—, pero sí te dije que la segunda vez sería mucho más fácil, ¿verdad?

Alyss le dio la espalda y caminó hacia la puerta para asegurarse de que no se fijara en absoluto en la ventana y la cortina ahora corrida. No estaba segura, pero creía oír algún chirrido ocasional de la cuerda atada a los barrotes.

—Su brujería barata no me impresiona —dijo—. Son todo trucos y engaños, y sé cómo contrarrestarlos.

Keren asintió con indulgencia.

—Estoy seguro de que podrías —dijo—, si es que de verdad fuese brujería. Pero esto es algo completamente diferente. Es mesmerismo, una forma de control mental. La piedra no es más que un foco de atención para tu mente. Te relaja y me ayuda a controlarte.

Alyss se rio despectiva, aunque estaba muy preocupada por lo que acababa de oír. Sabía que no tenía nada que hacer contra aquel hombre, pero tenía que apurar todas sus bazas para darle a Will más tiempo.

—Y ahora que me lo ha dicho, me aseguraré de resistir a la tentación de relajarme —le informó. Keren negó con la cabeza.

—Normalmente, podrías hacerlo. Si conoces el propósito de la piedra, puedes resistirte a ella, pero ya te ha atrapado. Y ese control inicial crea algo llamado «sugestión posthipnótica».

Alyss puso los ojos en blanco para burlarse.

—Oh, qué miedo más terrible —dijo, pero el miedo empezaba a carcomerla por dentro. Keren estaba demasiado confiado, y una cosa que había aprendido sobre él era que no hacía alardes vanos.

—Miedo no. Solo es útil —dijo Keren, en un tono eminentemente razonable—. Verás, mientras estás hipnotizada, puedo implantar una sugestión en lo más profundo de tu mente que me permite tenerte al instante bajo mi control otra vez. Lo único que tengo que hacer es volver al último tema del que estábamos hablando.

—Estoy segura de que era bastante aburrido —dijo Alyss con sarcasmo. Pero su miedo aumentaba a cada palabra de Keren, que seguía sonriéndole. Admiraba el valor y el espíritu de lucha de la chica. Aunque claro, pensó, se podía permitir admirarlo porque podía volver a mesmerizarla en un abrir y cerrar de ojos. Levantó la piedra, pero ella se apresuró a apartar la mirada.

—No, no, no —dijo Keren con ternura—. Tienes que mirar la piedra. —Alyss mantuvo la cabeza girada y la voz de Keren adoptó un tono amenazador—. Puedo hacer que mis hombres te obliguen a mirarla si tú te niegas. Pero *sí* que lo harás.

A regañadientes, Alyss dejó que sus ojos se posaran en la piedra. Tan azul. Tan intensa. Tan preciosa.

De repente, la voz de Keren parecía provenir de muy lejos. Ahora era grave y tranquilizadora. No había ningún indicio de amenaza en ella.

—Solo relájate, Alyss. Relájate y respira hondo. Eso es. Buena chica. ¿No es esta una forma mucho más agradable de comportarse?

—Sí —dijo soñolienta—. Mucho más agradable.

—Ahora, según recuerdo —continuó la voz de Keren, que parecía llenar toda su consciencia—, la última vez estábamos hablando de tu amigo Will.

—Will es un Guardián —dijo Alyss. En algún rincón de su mente, tenía la sensación de haber dicho algo incorrecto. Algo que debía haber mantenido en secreto. Por un instante, sintió una vaga sensación de repugnancia por su comportamiento cobarde.

—Por supuesto que lo es. Eso ya lo sabíamos —dijo la voz tranquilizadora, y Alyss se sintió un poco mejor. Si ya lo sabía, no pasaba nada por que se lo hubiese dicho—. Pero ahora, estoy interesado en esos documentos que has quemado. Cuéntame qué había en ellos.

—No había ningún documento —contestó Alyss. Una vez más, en otro nivel, su mente pugnó por recuperar el control. Sus palabras sonaban planas, sin ninguna emoción, pero no pudo hacer nada por reprimirlas incluso mientras se daba cuenta de que estaba revelando el secreto más peligroso de todos—. Era el ácido lo que olía.

La sonrisa de Keren se desvaneció, sustituida por una pequeña arruga en su frente. No lo entendía.

—¿Ácido? ¿Qué ácido? —preguntó inquieto.

—Will echó ácido en los barrotes —dijo Alyss. Dentro de su cabeza, su cerebro estaba gritando. ¡Cállate! ¡Por el amor de Dios, cállate! ¡Will necesita tiempo para escapar, cobarde debilucha! Después, horrorizada, se oyó decir las últimas palabras—. Will necesita tiempo para escapar.

Al oírla, Keren de repente lo entendió todo. Se levantó de un salto. Todo asomo de la actitud casual y relajada que había adoptado desapareció mientras la silla se estrellaba contra el suelo a su espalda. Llegó hasta la ventana de dos zancadas y corrió la pesada cortina a un lado.

Los gases eran ahora mucho más intensos, mientras el ácido seguía corroyendo el hierro de los barrotes. Finas espirales de humo emanaban de la base de los dos barrotes centrales que, según pudo ver Keren, estaban rodeados por pequeños charcos de líquido. El ácido, antes transparente, había adoptado un tono marrón óxido a medida que destruía el hierro. Keren agarró el barrote de la derecha y tiró de él con fuerza. Los últimos resquicios de hierro que lo mantenían en su sitio se rompieron. Entornó los ojos y se volvió hacia Alyss.

—¿Dónde ha ido? —exigió saber. La lógica le decía que Barton no podía haber escapado por la ventana, aunque cómo había logrado entrar en la habitación en primer lugar era algo que le tenía perplejo.

No se le ocurrió pensar que Will no había estado nunca dentro de la habitación en sí. Y como los humeantes charcos de ácido en torno a los dos barrotes del centro habían acaparado toda su atención, no se había fijado en la cuerda atada al barrote del extremo izquierdo.

No recibió ninguna respuesta por parte de Alyss. Sobrepasada por las tensiones enfrentadas en su mente, ya se había desmayado cuando él saltó como una fiera de su silla. Ahora estaba desplomada como un fardo al lado de la silla volcada. Keren maldijo en silencio mientras la miraba. Le sacaría la respuesta, se prometió, aunque tuviese que ser a golpes. Pero entonces se quedó inmóvil; acababa de oír un ligero crujido en la ventana. Giró en redondo y esta vez sí que vio la cuerda enroscada a la base del barrote. Corrió hacia ella y volvió a maldecir al apoyarse en el alféizar de la ventana y quemarse la mano con una salpicadura de ácido. La cuerda estaba tensa, las fibras crujían al moverse ligeramente con el peso de algo, o de alguien, en el otro extremo.

En un santiamén, Keren había sacado la daga y había alargado los brazos entre los barrotes para cortar la cuerda tensa. Sintió como las hebras iban cediendo bajo el filo del cuchillo. Pensó en llamar a los guardias apostados a la puerta de la celda de Alyss, pero luego se dio cuenta de que tenía otros más a mano. Gritó a pleno pulmón para que le oyeran los guardias de las murallas.

—¡Guardias! ¡Guardias! ¡Intruso en el castillo! ¡Intruso en el torreón! ¡Cogedle!

Mucho más abajo, Will oyó los gritos, sintió la leve vibración en la cuerda cuando Keren empezó a cortarla con su daga. A sabiendas de que disponía de solo unos segundos, despegó los pies del muro, los dejó colgar bajo su cuerpo y se columpió hacia la pared. Con un frenesí desesperado, rebuscó con la mano derecha en busca de un punto de agarre.

Al final, encontró una grieta profunda entre dos de los bloques de granito. Entonces soltó la mano izquierda de la cuerda y buscó otro punto de apoyo. En el mismo instante en el que lo hizo, la cuerda cortada cayó desde lo alto para quedar enroscada en los adoquines a sus pies como una serpiente gigante.

Todavía estaba a siete metros de la base de la torre y oía los gritos confusos de los centinelas en la muralla a su espalda mientras intentaban encontrar un sentido a las palabras de Keren. Siguió bajando a toda prisa, arrancando piel y uñas por el camino y rasgando las gruesas calzas que cubrían sus rodillas contra la áspera piedra de la pared. A tres metros del suelo, se dejó caer. Aterrizó como un gato y dejó que sus tobillos y rodillas se flexionaran para absorber el impacto. Por todas partes a su alrededor, resonaban gritos de confusión mientras los centinelas se llamaban los unos a los otros en un intento de averiguar lo que estaba pasando.

A cuatro metros de él, la puerta de entrada al torreón se abrió de golpe y un sargento, armado con una alabarda (una combinación de hacha y lanza con un mango largo), salió por ella como una exhalación. Miraba a derecha e izquierda para ver qué pasaba. Antes de que el hombre se fijase en él, Will se caló bien la capucha y salió a la tenue luz, señalando el enredado montón de cuerda.

—¡Ha bajado por aquí! —gritó—. ¡A por él! ¡Va hacia los establos!

Lo más natural para el sargento fue reaccionar como lo hizo al tono perentorio de la orden. En la confusión del momento, lo último que pensó fue que la persona que le ladraba órdenes pudiera ser el intruso al que estaba buscando.

Se movió en la dirección que le había indicado Will. Al acercarse a él, perdió la ventaja de su arma de mango largo, que era justo lo que Will pretendía.

Demasiado tarde, el hombre reconoció el joven rostro del juglar que había escapado el día anterior.

—Un momento —dijo—, tú eres... —Incluso antes de terminar la frase inició un torpe ataque con la alabarda. Will llevaba el cuchillo sajón en la mano y desvió la pesada cabeza del hacha a un lado. Agarró el brazo del sargento, giró y se agachó en un único movimiento fluido y lo lanzó a su espalda, haciéndole caer sobre los adoquines del patio. La cabeza del sargento se estrelló contra la dura piedra. Su yelmo rodó hacia un lado y se quedó ahí tirado, aturdido.

Will cogió el yelmo y su arma larga y contundente. Después hizo una pausa para cortar un trozo de cuerda del montón antes de esprintar hacia las escaleras. Desde la torre en lo alto, pudo oír a Keren gritar al verle correr. Will empezó a gritar a su vez, en parte para ahogar los gritos del otro hombre y en parte para aumentar la confusión.

—¡Están en el torreón! —aulló—. ¡Cientos de ellos! ¡Que todos los guardias se reúnan en la garita de la entrada!

Subió a la carrera por las escaleras hacia las almenas, sin dejar de gritar una retahíla de órdenes contradictorias. Enviaba a los hombres a la entrada, al torreón y a la torre norte, mientras se plantaba el pesado casco de hierro del sargento en su propia cabeza por el camino. Sabía que la confusión era su mejor aliada. Eso y el hecho de que él sabía que todas las personas que veía eran enemigos, mientras que los guardias del castillo tenían que identificar a cada nuevo individuo al verlo.

Emergió en la muralla de la pared sur, al lado de las almenas. Tres centinelas corrían hacia él, la puerta de la torre oeste a su espalda. Los hombres hicieron una pausa al verle. Will gesticuló como un loco hacia la pared que tenían detrás.

—¡Agachaos, bobos! ¡Tienen arqueros! —bramó. Como no esperaban que un enemigo los advirtiera de un peligro inminente, los tres hombres obedecieron al instante y se tiraron al suelo en plancha. Esperaban oír el silbido y los impactos de las flechas en cualquier momento.

Will dio media vuelta y se coló en la torre a la velocidad del rayo. Cerró la puerta de un portazo tras él. Encontró un barril ahí cerca y lo rodó contra la puerta antes de salir por otra que llevaba hacia la muralla oeste. Había más hombres corriendo y chillando en el otro extremo, pero ahí las cosas estaban relativamente tranquilas, aunque oía pisadas urgentes bajando por la escalera interior de la torre. Con gran destreza, pasó la cuerda alrededor de la vara de la alabarda en una serie de medios nudos, luego la encajó entre dos de las almenas y dejó caer el extremo libre de la cuerda por el exterior de la muralla.

Se agarró con fuerza a la cuerda, pasó por encima del murete y empezó a bajar caminando marcha atrás por la áspera piedra. Llegó al final de la cuerda antes de llegar al suelo. Miró hacia abajo, vio que tenía menos de dos metros de caída y se dejó caer el resto del camino. Esta vez, el aterrizaje no fue tan fácil. El terreno era irregular, cayó de lado y se abrió la rodilla contra una piedra cortante.

—Voy a tener que usar cuerdas más largas —masculló. Luego, al darse cuenta de que cualquier persecución llegaría por ese lado de la torre, retrocedió cojeando para rodear la base de la torre hacia la pared sur. Se mantuvo bien pegado a la áspera piedra, sin apartarse de las oscuras sombras de la torre ni de la muralla. Una vez ahí, emitió un silbido agudo, un sonido corto y penetrante que subía un tono.

Por encima de él, oía el ruido de gritos y pies que corrían. Órdenes y contraórdenes chilladas. Ya no oía la voz de Keren y supuso que el caballero renegado estaría bajando en tromba por las escaleras del torreón para tomar el mando de la persecución. Deja que baje, pensó sombrío. Silbó otra vez. Nadie en el castillo pareció darse cuenta del ruido entre la confusión. Pero a ciento cincuenta metros de ahí, justo detrás de un pequeño promontorio, unos oídos más finos estaban escuchando.

Will estaba a punto de silbar de nuevo cuando oyó el lejano tamborileo de unos cascos. Era un ritmo que reconocía con facilidad: el galope paticorto y arrollador de Tug.

Vio al caballito remontar el promontorio y emprender el camino hacia el castillo. Iba un poco desviado hacia la derecha de donde estaba escondido Will, así que volvió a silbar y Tug corrigió el rumbo para galopar directo hacia donde estaba.

En ese momento, Will abandonó todo intento por ocultarse y echó a correr para alejarse del castillo. Oyó más gritos a su espalda, pero si le habían descubierto o si eran solo parte de la confusión reinante, no tenía ni idea. Tampoco tenía ningunas ganas de pararse a averiguarlo.

Tug hizo una parada a raya a su lado, con las patas tiesas por delante del cuerpo, las orejas gachas y los dientes a la vista mientras relinchaba un saludo. Will no se molestó en montarse. Agarró el pomo de la montura con ambas manos mientras el caballito giraba rápidamente sobre sus pasos.

—¡Corre! —le instó—. ¡Corre! ¡Corre! ¡Corre!

Ahora oyó gritos desde las murallas y supo que le habían visto. Pero a menos que alguien tuviese una ballesta lista y fuese capaz de atinar en aquella penumbra a un blanco que se movía a la velocidad del rayo, sabía que estaba a salvo. Tug tensó todos los músculos y emprendió la huida, alcanzando su punta de velocidad en apenas media docena de trancos. Con las rodillas flexionadas para evitar tocar el suelo, Will se quedó colgado de la montura unos metros. Luego, calculando bien su oportunidad y la velocidad y el tranco de su caballo, dejó que sus pies tocaran el suelo y aprovechó el impacto y el impulso para encaramarse en la montura. Tug sacudió la cabeza en señal de aprobación.

—Buen chico —le dijo Will, mientras se inclinaba para darle unas palmaditas en el cuello. Sin perder el paso, Tug soltó un breve relincho. Había un toque de desaprobación en el sonido.

Creí que te había dicho que te mantuvieras alejado de los problemas.

—No seas cascarrabias —dijo Will. Tug tuvo el buen juicio de ignorarle. Llegaron a la cima del promontorio y Will vio las figuras borrosas de Xander y Malcolm, que le estaban esperando. Frenó a Tug con un sutil toque de las riendas.

—¿Qué ha pasado? —preguntó Xander. Will sacudió la cabeza.

—La he visto. Hablé con ella. Pero Keren llegó antes de que pudiera sacarla de allí, maldita sea.

—¿Y ahora qué piensas hacer? —preguntó Malcolm.

—Ahora, regresamos al bosque —dijo Will, rindiéndose a lo inevitable.

Xander le miró con curiosidad. El joven Guardián parecía estar admitiendo su derrota, pero había un deje de sombría determinación en su voz. Xander sabía que ese asunto estaba lejos de haber terminado.

—¿Y después qué? —preguntó.

Will se volvió hacia él. La profunda capucha de su capa mantuvo oculta la parte superior de su cara. Xander solo veía su boca y la expresión decidida de su mandíbula.

—Después —dijo Will—, voy a sacar a Alyss de vuestro maldito castillo. Aunque tenga que desmontarlo piedra a piedra para hacerlo.